DANS LA FOSSE AUX LIONS

Couverture
- Conception graphique:
  GAÉTAN FORCILLO
- Photo:
  Gerald Campbell Studios
  Portrait de Peter Caton
  Toronto

Maquette intérieure
- Conception graphique:
  GAÉTAN FORCILLO

Équipe de révision

Daniel Ariey-Jouglard, Liane Bergon, Jean Bernier, Monique Herbeuval, Hervé Juste, Jean-Pierre Leroux, Odette Lord, Linda Nantel, Paule Noyart, Jacques Vaillancourt, Jacqueline Vandycke

DISTRIBUTEURS EXCLUSIFS:
- Pour le Canada:
  AGENCE DE DISTRIBUTION POPULAIRE INC.*
  955, rue Amherst, Montréal H2L 3K4 (tél.: 514-523-1182)
  *Filiale de Sogides Ltée
- Pour la France et l'Afrique:
  INTER-FORUM
  13, rue de la Glacière, 75013 Paris (tél.: 570-1180)
- Pour la Belgique et autres pays:
  S. A. VANDER
  Avenue des Volontaires, 321, 1150 Bruxelles (tél.: (32-2) 762.98.04)

Jean Chrétien

DANS LA FOSSE AUX LIONS

LES ÉDITIONS DE L'HOMME*

CANADA: 955, rue Amherst, Montréal H2L 3K4

*Division de Sogides Ltée

Données de catalogage avant publication (Canada)

Chrétien, Jean, 1934-

   Dans la fosse aux lions

   Autobiographie.

   2-7619-0551-2

   1. Chrétien, Jean, 1934-   . 2. Canada - Politique et gouvernement - 1968-1979. 3. Canada - Politique et gouvernement - 1980-1984. 4. Hommes politiques - Canada - Biographies. I. Titre.

FC626.C57A3 1985   971.064'4'0924   C85-094187-3
F1034.3.C57A3 1985

© 1985 LES ÉDITIONS DE L'HOMME,
DIVISION DE SOGIDES LTÉE

Bibliothèque nationale du Québec
Dépôt légal — 4e trimestre 1985

ISBN 2-7619-0551-2

À ALINE

Avant-propos

De toutes les personnes que je connaisse, la plus étonnée d'apprendre que Jean Chrétien publie un livre, c'est Jean Chrétien lui-même... Il y a quelques mois à peine, un de mes amis me fit comprendre qu'il était impensable que je me lance dans pareille aventure. Mi-sérieux, mi-blagueur, il me dit: «Jean, on m'informe que tu nous menaces d'un livre!» Il n'en revenait pas, un peu comme si on lui avait annoncé que tel joueur de hockey avait décidé de devenir patineur de fantaisie.

Je suis un politicien, pas un homme de lettres. L'idée d'écrire un livre ne fut donc pas la mienne. Un jour, peu après l'élection de septembre 1984, j'acceptai de donner une longue entrevue à Ron Graham qui préparait un ouvrage sur la politique canadienne des cinq ou six dernières années. Disposant de plus de loisirs qu'à l'époque où j'étais ministre, je me suis laissé prendre au jeu. J'étais détendu, philosophe et quelque peu volubile; Graham enregistrait mes propos. Il m'offrait de m'en remettre la transcription.

Hélas! ce ne fut pas si facile. Au cours de ma carrière politique, j'ai eu le tort de ne pas conserver les notes qui me seraient bien utiles aujourd'hui lorsqu'on me demande de raconter mes souvenirs des grands débats politiques auxquels j'ai été mêlé depuis vingt ans. Quoi qu'il en soit, Graham eut l'idée, heureuse ou malheureuse, de faire lire la transcription de nos entretiens à Anna Porter de la maison d'édition Key Porter de Toronto. Elle

11

vint me voir et me persuada d'écrire un livre sur la lancée de mes conversations avec Ron Graham. Ce dernier accepta de réviser le texte anglais tandis qu'un ami francophone se chargerait du texte français.

Ayant donc travaillé avec un éditeur de Toronto et un éditeur de Montréal, et avec deux équipes de collaborateurs aux opinions les plus diverses, je me suis vite rendu compte que l'édition française et l'édition anglaise ne seraient pas exactement semblables. En réalité, il n'y a pas de différences majeures entre les deux, mais certains détails auront été omis dans une édition, quelques mots auront été rajoutés dans l'autre à la dernière minute.

Mon but n'était évidemment pas d'écrire une autobiographie politique définitive. Et cet ouvrage ne cherche pas à soulever de nouvelles controverses... Tout simplement, j'ai essayé, comme l'écrivait Gérard Pelletier dans Les Années d'impatience, *«de verser au dossier mon propre témoignage, partiellement inexact sans doute, comme tous les autres, mais susceptible aussi de jeter sur certaines situations que j'ai vécues un éclairage moins indirect».*

La politique a été ma vie. Elle m'a donné l'occasion de participer à des événements importants dans l'évolution de notre pays. Mon action a été rendue possible par l'appui constant d'une multitude de personnes de tous les milieux sociaux. Un certain nombre de ces amis, de ces collaborateurs ou de ces partisans sont mentionnés dans ce livre alors que d'autres, tout aussi méritants, ne le sont pas. Qu'ils sachent tous, au moins, que je leur suis profondément reconnaissant. Si j'ai pu accomplir quoi que ce soit d'utile au cours des vingt dernières années, c'est d'abord à eux que je le dois.

Enfin, je n'étonnerai personne en disant que je dois encore bien davantage à ma femme Aline, une femme forte s'il en fut jamais. Dans les bons comme dans les mauvais jours, j'étais toujours sûr de la retrouver à mes côtés, stimulante et compréhensive, courageuse et sensible. Tout le long de la rédaction de cet ouvrage, une fois de plus, ses conseils m'ont été infiniment précieux: c'est donc avec joie que je le lui dédie...

Chapitre I

La passion de la politique

J'ai toujours aimé la politique. Mon père, Willie Chrétien, était machiniste dans un moulin à papier à Shawinigan; il était organisateur libéral, la politique était son passe-temps favori. Encore enfant, je l'aidais à distribuer des tracts. À l'élection fédérale de 1949, j'avais quinze ans et déjà je parlais en faveur des libéraux dans la salle de billard près de chez nous. À dix-huit ans, je provoquais les partisans de l'Union nationale dans la cafétéria du moulin où je travaillais pendant l'été. Les copains m'encourageaient à faire enrager les vieux partisans de Duplessis, alors premier ministre du Québec, et ça m'amusait beaucoup. Je leur disais: «Vous autres, vous faites votre prière tous les matins devant le portrait de Duplessis pendant qu'il est en train de rire dans votre dos!...» Les vieux bleus se mettaient en colère, et les autres trouvaient ça drôle...

Ma famille a toujours été rouge, libérale dans la vraie tradition anticléricale des libres penseurs du XIXᵉ siècle. Mon grand-père François Chrétien avait été lui aussi organisateur libéral, en même temps que maire de Saint-Étienne-des-Grès, pendant trente ans. Mon père racontait une bonne histoire à son sujet. Au cours de la campagne électorale de 1896, le docteur Milette et lui distribuaient de l'alcool aux électeurs. À cette époque, hélas! c'était une pratique courante: le père de ma grand-mère, Alphonse Laforme, en avait fait autant pour les bleus. C'était aussi un péché mais si le curé de la paroisse avait donné l'absolution à mon arrière-grand-père bleu, il l'avait refusée à mon grand-père rouge et au docteur Milette en soutenant qu'il s'agissait d'un péché tellement grave que seul l'évêque de Trois-Rivières pouvait l'absoudre. L'évêque en question était Mgr Laflèche, ardent conservateur qui disait dans ses sermons: «Le ciel est bleu et l'enfer est rouge»! C'était l'époque où on pouvait être excommunié parce qu'on était libéral, c'est-à-dire en faveur de mesures aussi terribles et aussi épouvantables que la séparation totale des pouvoirs entre l'Église et l'État. Mon grand-père rouge répondit au curé qu'il n'était pas un personnage assez important pour se confesser à Mgr Laflèche. Alors, dimanche après dimanche, pendant le carême, tout le village vit le maire et le docteur Milette venir chanter à l'église mais sans jamais communier. Tout un scandale! Ma pauvre grand-mère devenait folle: chaque soir, elle récitait le rosaire à l'intention de son entêté de mari. Pâques arriva et il n'avait pas encore cédé; s'il ne recevait pas la sainte communion avant le dimanche suivant, il irait sans aucun doute en enfer. Ma grand-mère se mit à réciter trois rosaires par jour. C'est alors que l'évêque fléchit: il envoya un père franciscain pour confesser mon grand-père et le docteur Milette. Mon père était très fier de cette histoire. Pour ma part, je fus ravi le jour où on supprima le nom de l'évêque de celui de mon comté, Saint-Maurice-Laflèche, par hasard peu après mon élection...

La première fois que je rencontrai Maurice Duplessis, j'étudiais au Séminaire de Trois-Rivières, son alma mater, qu'il visitait à l'occasion. Tous les élèves lui étaient alors présentés. Un jour ce fut notre tour et, quand il entendit mon nom, il demanda: «De Shawinigan?

— Oui.

— Ton père s'appelle bien Willie Chrétien?

— Oui.

— Ton grand-père, c'était François Chrétien, maire de Saint-Étienne-des-Grès?

— Oui.

— Alors, conclut Duplessis, t'es un m... rouge!»

Plus tard, étudiant en droit à l'Université Laval à Québec, je devins président de l'Association libérale. La fin des années cinquante n'était pas une très bonne période pour être libéral: cela ressemblait un peu à *1984*! Diefenbaker était au pouvoir à Ottawa, Duplessis régnait à Québec, et l'atmosphère était si empoisonnée que plusieurs étudiants avaient peur de perdre leur bourse du gouvernement s'ils s'affichaient comme libéraux. Cela ne me préoccupait pas beaucoup puisque j'avais un emploi d'été assuré au moulin à papier, mais ma famille s'inquiétait quand même. De toute manière, j'avais un mal de chien à recruter des membres pour l'Association libérale.

Dans ces années-là, la politique était intimement liée aux moindres aspects de la vie au Québec. Toutes les décisions administratives étaient prises pour des raisons de favoritisme politique. Votre village aura-t-il une rue principale asphaltée? Votre organisation sportive recevra-t-elle un don pour la tenue de tel événement? Votre restaurant obtiendra-t-il un permis de vente d'alcool? Votre université sera-t-elle subventionnée? Duplessis en décidait à sa guise et ses décisions étaient sans appel. Il n'hésitait pas à priver ses adversaires de leur gagne-pain mais, pris en flagrant délit d'infractions, ses amis n'étaient pas inquiétés par la police. Il allait même jusqu'à interdire aux universités (qu'*il* subventionnait!) d'engager tel ou tel professeur jugé trop «à gauche», comme cela devait arriver à Pierre Trudeau. Bref, la corruption était tellement répandue et si bien intégrée au système que la plupart des gens s'en accommodaient… espérant en tirer profit.

«J'aide mes amis, disait Duplessis aux foules. Que feriez-vous à ma place?»

Et la foule répondait: «On ferait la même chose, Maurice!»

L'autorité de Duplessis était cautionnée par l'Église catholique, qui exerçait à l'époque une influence considérable sur la société québécoise. Mais elle finit elle-même par devenir un instrument dans la main du premier ministre. Duplessis et l'Église semblaient avoir un intérêt commun: maintenir les Québécois dans l'ignorance et la pauvreté, de préférence en milieu rural, sous l'autorité du clergé qui prêchait que la vie ici-bas n'était qu'un passage difficile sur la route du ciel. La société était établie sur des privilèges et non pas sur des droits, si bien que l'obéissance et la reconnaissance étaient devenues des composantes de cette mentalité. À une époque aussi tardive que 1960, j'eus une altercation avec mon curé qui faisait parvenir à tous les paroissiens une lettre circulaire hebdomadaire dans laquelle il recommandait d'appuyer l'Union nationale parce qu'elle nous avait donné un court de tennis! Même pour un jeune avocat agressif, c'était aussi scandaleux en 1960 qu'au temps de mon grand-père de dire à un prêtre, en pleine campagne électorale, de se mêler de ses affaires.

Le régime de patronage et de pots-de-vin de Duplessis se cachait sous le couvert du nationalisme québécois. Comme disait l'un de mes amis: «Duplessis s'est fait une jupe du drapeau québécois pour cacher ses parties honteuses.» De son côté, mon père m'avait enseigné que la survivance des francophones en Amérique du Nord était due à l'association du Québec avec le Canada, ce que lui avait d'ailleurs appris sa propre expérience. Il avait passé les premières années de son enfance au New Hampshire, où sa famille avait émigré à la fin du siècle dernier, au cours de l'exode qui avait poussé tant de Québécois à chercher du travail aux États-Unis. Plus tard, quand la situation économique s'améliora chez nous, il revint en Mauricie, mais mon père garda toujours un intérêt particulier pour le sort des francophones en dehors du Canada. Pendant quarante-cinq ans, il fut directeur de l'Association canado-américaine, association vouée à la survivance des francophones en Nouvelle-Angleterre. Il était abonné aux hebdomadaires de langue française du Massachusetts, du New Hampshire et même du Michigan; il connaissait l'histoire des francophones en Louisiane et dans l'Ouest américain. L'assimilation et la perte d'influence des francophones aux États-Unis contrastaient dramatiquement avec ce qui s'était passé au Canada, si bien que mon père arriva à la conclusion que le Canada était notre meilleur bouclier contre l'anglicisation. Il était conscient, bien sûr, des difficultés rencontrées par les Canadiens français en dehors du Québec et se préoccupait de la survivance des minorités francophones d'un océan à l'autre; mais il ne rejetait pas la faute sur les Anglais. Son attitude était positive, orientée vers l'avenir plutôt que vers le passé.

Mon père était devenu un fier Canadien sous Wilfrid Laurier, vrai rouge qu'il admirait énormément. Lorsque les libéraux firent adopter le drapeau du Canada en 1965, mon père exultait: «Laurier avait déclaré que nous aurions un drapeau canadien et maintenant nous l'avons!» C'est avec fierté qu'il en offrit un à chacun de ses enfants. Plus tard, il lui est arrivé de me représenter et de faire de courts discours patriotiques aux cérémonies de levée du drapeau dans les villages de mon comté. Son patriotisme le plaça dans la minorité des citoyens du Québec qui appuyèrent la conscription au début de la Deuxième Guerre mondiale. Mal informés par leurs élites, la plupart des Canadiens français pensaient que cette guerre concernait l'Europe et qu'ils ne devaient pas s'en mêler. On sait maintenant qu'ils se trompaient... et qu'ils avaient été trompés; mais, à l'époque, les arguments des pacifistes paraissaient convaincants; nos voisins, les États-Unis, ne voulaient pas se compromettre, et la France avait déjà été vaincue. Mais mon père restait persuadé que le Canada devait s'unir aux Alliés et défendre nos intérêts communs. Non seulement avait-il voté *oui* au référendum sur la conscription, mais il s'était déjà fait un devoir de conscience de convaincre ses fils de se porter volontaires. Des trois qui avaient l'âge de servir, deux furent exemptés, le premier parce qu'il était médecin et l'autre parce qu'il avait une mauvaise vue; le troisième devint capitaine dans l'artillerie. Mon père était très fier de pouvoir mettre à la fenêtre de notre salon l'étoile indiquant qu'un membre de notre famille s'était porté volontaire. Je me souviens que, tout jeune enfant, j'aidais à préparer les colis de nourriture et de vêtements que nous envoyions à mon frère. Comme on le sait, une telle attitude n'était pas répandue dans notre milieu; cette décision de ma famille d'aller à l'encontre du sentiment populaire a peut-être développé en moi l'esprit combatif que j'ai conservé jusqu'à ce jour.

C'étaient de belles années. Un jour, j'avais organisé une protestation étudiante avec l'aide de cinquante à soixante-quinze camarades. Nous devions nous rendre à la tribune législative et lancer des tracts sur «la démocratie au Québec». Mais quelqu'un avait éventé la mèche et nous étions attendus par une meute de policiers, deux environ pour chaque étudiant! Il y eut bien quelques cris, quelques apostrophes, mais la peur l'emporta et la protestation finit en queue de poisson.

Une autre fois, j'allai protester auprès de Duplessis lui-même. En première année de droit, chaque étudiant devait se procurer un exemplaire des Statuts révisés du Québec au prix de 10 $ chacun. Mais les étudiants membres de l'Union nationale pouvaient en obtenir un exemplaire gratuit au Club Renaissance, le club du Parti logé dans une magnifique résidence de pierres de la Grande-Allée. Cela me paraissait une énorme injustice. Alors, un de mes amis et moi avions décidé d'aller nous en plaindre à Duplessis. Mon ami aussi était un rouge, d'une vieille famille de Trois-Rivières, libérale depuis plusieurs générations; ses parents connaissaient bien la famille Duplessis ainsi que la secrétaire de Duplessis, la toute-puissante Auréa Cloutier; celle-ci connaissait aussi quelques membres de ma famille parce que mon grand-père avait été organisateur libéral dans le comté de Duplessis.

«On veut voir monsieur Duplessis...

— Pourquoi? demanda Mademoiselle Cloutier.

— Nous avons une sérieuse protestation à faire.»

Duplessis nous reçut dans son bureau de l'Assemblée législative, rempli de fleurs, de tableaux de Krieghoff, témoignage de son goût pour les belles choses, un aspect intéressant de sa personnalité. D'autre part, il aimait bien s'amuser, aller à la boxe ou au base-ball. Une contradiction vivante! Originaire de la classe dite «professionnelle» de Trois-Rivières, il était perçu comme un politicien populiste, défenseur des petites gens; par ailleurs, malgré son esprit très religieux et très conservateur, c'était un boute-en-train, un farceur, à l'esprit vif comme l'éclair. Il avait les yeux pétillants et une présence impressionnante malgré sa petite taille. Nous avions eu une intéressante discussion. Il considérait que personne n'a de droits dans la société, seulement des privilèges. «Si vous êtes à l'université, disait-il, c'est parce que vous êtes privilégiés»; pour notre part, nous trouvions injuste le fait que seuls les étudiants de l'Union nationale obtenaient gratuitement les Statuts révisés du Québec.

«C'est parce que vous n'êtes pas croyants, répliqua Duplessis. Les autres étudiants ont la foi et ils sont récompensés. Mais je suis content que vous soyez venus et je vous propose un marché: au lieu de payer 10 $ chacun, payez 10 $ pour vous deux, et je vous donne deux exemplaires.»

Comme président de l'Association libérale, je plongeai à fond dans la campagne électorale provinciale de 1956. Elle fut très dure. Le député provincial de Saint-Maurice était René Hamel: un bon orateur, un des deux candidats élus au Parlement fédéral en 1945 sous la bannière du Bloc populaire, le parti nationaliste de gauche qui avait fait une percée en s'opposant à la conscription en 1942. Élu député libéral au provincial en 1952, Hamel était si efficace dans l'opposition que Duplessis le détestait profondément: ils s'entendaient comme chien et chat. Quand Duplessis venait faire des discours dans notre comté, il disait: «Si vous votez pour Hamel, vous n'aurez pas votre pont!» Dans mes discours je répliquais: «Je traverserai la rivière à la nage, mais je ne la traverserai jamais à genoux!»

C'était l'époque des assemblées politiques animées. Tous les soirs, je faisais partie de l'équipe libérale avec René Hamel et un ami, Fernand-D. Lavergne, un homme qui exerça sur moi une profonde influence. Il avait fait ses débuts à Shawinigan dans les syndicats dont il avait été le président local pendant des années. Il n'avait pas eu accès aux études supérieures mais Pierre Trudeau me dit un jour que Lavergne était un des ouvriers les plus intelligents qu'il ait rencontrés. Il avait aussi une bonne philosophie de la vie. Un beau jour, franchement écoeuré de Duplessis, il quitta son emploi et déménagea en Saskatchewan; mais il était le seul à parler anglais et sa grande famille s'adaptait mal; alors ils revinrent. À l'élection fédérale de 1957, il déserta le Parti libéral pour se présenter comme candidat CCF dans Saint-Maurice-Laflèche, où il finit en bonne place. J'ai failli succomber à la tentation de voter pour lui!

Finalement, en 1956, Hamel gagna et plus tard j'appuyai sa candidature à la direction du Parti libéral du Québec contre Jean Lesage. Nous n'avions pas d'argent pour notre campagne et, bien qu'Hamel ait été un très bon député, et même à l'occasion chef intérimaire durant les maladies du leader d'alors, Georges-Émile Lapalme, les libéraux n'oubliaient pas son flirt avec le Bloc populaire et on le tenait pour un fauteur de troubles. Il subit une défaite très humiliante. Par la suite, nous nous étions embarqués à fond avec Lesage pour gagner l'élection provinciale de 1960. J'étais alors dans ma première année d'exercice du droit et l'un des principaux organisateurs libéraux à Shawinigan.

Notre député fédéral au Parlement, J.-A. Richard, avait obtenu la plus forte majorité libérale au Canada lors du balayage de Diefenbaker en 1958. Mais on ne pouvait pas dire que Saint-Maurice était un comté libéral sûr; après tout, il avait élu un membre du Bloc populaire en 1945; plus tard, au provincial, il passerait à l'Union nationale et au Parti québécois. Mais, en 1958, Richard profita d'un vote de sympathie. Piètre orateur — il ne fit guère de discours à la Chambre des communes —, c'était un grand travailleur et un parfait gentilhomme, aimé de tous. En 1962, il commençait à vieillir; plusieurs organisateurs libéraux paraissaient d'avis qu'avec ce candidat nous perdrions le comté et certains d'entre eux recommandaient ma candidature. Ils savaient que je voulais faire de la politique et ils souhaitaient que je remplace Richard.

Je connaissais très bien J.-A. Richard et un de ses fils était un de mes amis. Avec ma franchise habituelle, qui fut à la fois une faiblesse et une force au cours de ma carrière politique, je lui appris ce qui se passait. «Plusieurs libéraux pensent que vous êtes un peu vieux et ils voudraient que je me présente contre vous. Si vous ne vous présentez pas, je vais me présenter. Mais si vous vous présentez, je ne lutterai pas contre vous.
— Jean, me répondit-il, tu es plus jeune que mon plus jeune garçon. Tu es trop jeune! Je vais accepter un autre mandat et après je te donnerai ta chance.»

C'est ainsi que Richard fut choisi candidat libéral pour l'élection fédérale de 1962. Je me souviens encore de la très grande salle et...de la très petite assistance. Quelques jours plus tard, les créditistes avaient rassemblé une foule énorme au même endroit. Le phénomène du Crédit social venait d'apparaître dans les milieux ruraux du Québec durant une période de changement et de bouleversement. Même si les conservateurs de Diefenbaker allaient de désastre en désastre depuis leur élection de 1958, les Canadiens français n'avaient plus ce sentiment d'appartenance au Parti libéral, devenu un peu trop élitiste, un peu trop *Montréal*. C'est dans ce vacuum que surgirent les créditistes, sous la direction de leur chef provincial, Réal Caouette, un ancien libéral, né dans mon comté, un autodidacte qui sentait le pouls de la population et exprimait sa frustration avec la plus grande efficacité. Dans un langage populaire, il parlait aux petites gens de la province, aux ouvriers, aux chômeurs, et à tous ceux qui se battaient toute leur vie pour payer leur hypothèque. «Vous êtes nés à crédit et vous allez mourir à crédit», leur disait-il. Il s'attaquait férocement aux institutions financières et aux chapelles intellectuelles, dénonçant leur arrogance et leur hypocrisie.

Ses attaques étaient particulièrement efficaces parce qu'elles tenaient compte des inquiétudes créées par la Révolution tranquille, survenue dans la province après la mort de Duplessis et la victoire de Jean Lesage. D'un seul coup, ces deux événements avaient déclenché toutes les forces de modernisation étouffées depuis trop longtemps au Québec. En quelques années, dans la deuxième moitié du siècle, toute la société québécoise fit un pas de géant. Dans les maisons d'enseignement, les prêtres et les religieuses furent remplacés par des professeurs laïques tandis que le ministère de l'Éducation procédait à des remaniements en profondeur du système d'éducation jusque-là entre les mains du clergé. Les livres «à l'Index» étaient maintenant disponibles; la télévision ouvrait une fenêtre sur le monde entier; le gouvernement provincial commençait à intervenir dans tous les secteurs d'activité de la société, entraînant des augmentations de taxes et un accroissement de la dette publique. Tout en apportant un progrès certes bienvenu dans le domaine des arts, de l'éducation, des affaires, cette explosion sema également beaucoup d'incertitude dans la population; comme un rouleau compresseur, elle écrasa les institutions familiales et elle pulvérisa de vieilles traditions à une vitesse qui aspirait la réaction dans son sillage. Caouette personnifiait cette réaction conservatrice populiste et savait l'utiliser mieux que quiconque.

Il n'apportait cependant pas de solution à part la «machine à piastres» du Crédit social: «Il y a quelque chose qui ne va pas dans un système où les magasins sont pleins et où personne n'achète, disait-il. Les gens n'achètent pas parce qu'ils n'ont pas d'argent. Si le gouvernement imprime plus d'argent, les gens en auront plus et achèteront plus. En achetant plus, on créera plus d'emplois, et plus d'emplois créeront à leur tour plus de biens et plus d'argent, et tout le monde en aura plus. Il n'y a pas assez d'argent en circulation parce que les requins de la finance à Ottawa ne veulent pas mettre la machine à piastres en marche». Cet argument simpliste était difficile à réfuter simplement et clairement et les petites gens étaient convaincus que les banquiers et les bureaucrates conspiraient contre eux.

Même si la presse ne les prenait pas au sérieux, les créditistes attiraient des foules énormes à leurs assemblées, particulièrement lorsque Caouette prenait la parole. En démolissant de vieux mythes, y compris celui de l'indépendance du Québec, il joua malgré tout un rôle utile.

Finalement, lors de cette élection fédérale de 1962, Richard fut battu par les créditistes par plus de dix mille voix. J'étais chez lui, dans la cuisine, quand on annonça les résultats: «Monsieur Richard, lui dis-je, cette fois, on a reçu une sacrée volée!» Selon la rumeur, le président d'élection aurait ajouté dix bulletins dans l'urne pour empêcher que Richard ne perde son dépôt.

Cependant, les conservateurs de John Diefenbaker n'avaient pu former qu'un gouvernement minoritaire et durent déclencher une nouvelle élection générale en 1963. Richard prit sa retraite et, au congrès libéral du comté, j'obtins environ cinq cents votes et mon adversaire une dizaine. Hélas! il était plus difficile de gagner l'élection. Je faisais face au député du Crédit social qui nous avait *lavés* neuf mois plus tôt. «Neuf mois, disais-je, juste le temps pour Lamy d'accoucher d'une défaite!»

Gérard Lamy était un petit entrepreneur assez prospère mais pas très fort sur le plan politique et il avait gagné l'élection de 1962 à cause de la vague créditiste. Son principal argument électoral: il avait de l'expérience et quinze enfants, alors que Chrétien n'avait que vingt-neuf ans. Fernand-D. Lavergne faisait des discours en ma faveur, souvent très drôles; de plus, il bégayait et exploitait son bégaiement pour captiver son auditoire et préparer sa blague finale.

«M. Lamy v-v-veut qu'on v-v-vote pour lui par-par-parce qu'il a quinze enfants, disait-il. M. Pellerin, le conserv-va-teur, v-v-veut qu'on v-v-vote pour-pour lui par-par-parce qu'il en a quatorze; j'pouvais pas con-con-compétitionner: j'en ai rien que neuf! M. Lamy a ben du mé-mé-mérite d'en avoir eu quinze; mé-mé-mais si y'est comme nous autres, y'a dû avoir du fun pour! C'est vrai que Jean Chrétien n'a que vingt-neuf ans; mais, dans not-not-notre religion, on a droit rien qu'à une femme: si-si-si y'avait eu quinze enfants, on aurait eu que-que-quelques p'tites questions à lui poser! Mesdames et messieurs, c'est un re-re-présentant qu'on se cherche, pas un re-re-producteur!»

Je me servis du même genre de blague contre Lamy à l'assemblée contradictoire de Grand-Mère: «Si c'est une question de nombre d'enfants, mon père devrait être premier ministre parce que lui et ma mère en ont eu dix-neuf!» Lamy enrageait; quand il s'est levé pour parler, il était blanc comme un drap et plusieurs des auditeurs le huaient, l'envoyaient au diable et lui lançaient toutes sortes d'injures. Un brouhaha indescriptible. Je pris le micro et dis: «Mesdames et messieurs, M. Lamy est votre député, écoutez-le, je vous en prie: dans deux semaines, plus personne ne sera obligé de l'écouter!» Évidemment, Lamy enragea encore plus et je pense que c'est à ce moment-là qu'il perdit l'élection. Je gagnai par deux mille voix.

À cause de mon style populiste, j'ai toujours été mal vu par les intellectuels du Québec. On doit se rappeler que la vallée du Saint-Maurice est une région fertile en politiciens hauts en couleur, aux discours pleins d'humour, de blagues et d'expressions populaires: Duplessis, Maurice Bellemare et J.-A. Mongrain venaient de Trois-Rivières, René Hamel et Fernand-D. Lavergne de Shawinigan, Réal Caouette et Camil Samson de la Mauricie. Comme je me battais contre des populistes, il me fallait adopter leur style, ce qui contrariait et choquait nos intellectuels, qui soulignaient mes origines modestes et prétendaient que je n'avais pas d'éducation. En fait, bien que ma famille fût loin d'être riche, elle avait la réputation d'avoir bien réussi dans la classe ouvrière de Baie-de-Shawinigan où j'ai été élevé; nous étions les aristocrates de la place! Mon père avait un bon emploi au moulin à papier, il était secrétaire de la municipalité et exerçait d'autres fonctions à temps partiel pour maintenir ses enfants au collège. Ma mère aussi nourrissait de grandes ambitions pour nous. Mariée à l'âge de dix-sept ans, elle avait eu dix-neuf enfants, dont neuf survécurent. J'étais le dix-huitième. À l'époque, c'est Dieu qui décidait combien d'enfants aurait chaque couple, et mon père et ma mère firent face à cette réalité avec beaucoup de courage et d'abnégation. Ma mère accouchait généralement à la maison et, en ces occasions, la première réflexion de mon père était toujours: «J'espère que ce ne sont pas des jumeaux!» Il s'informait alors de la santé de la mère et de l'enfant et, une fois convaincu que tout s'était bien passé, il ajoutait: «Bon, on ajoutera un peu d'eau dans la soupe!»

Nous habitions une maison de briques, et non pas une cabane recouverte de papier goudronné comme l'ont écrit certains journalistes; nous avions un grand jardin où ma mère faisait pousser des légumes, des fraises, de la rhubarbe, etc. Elle travaillait très fort, mettait les légumes en conserve pour l'hiver, faisait des confitures et trouvait le temps de s'occuper des cinq ou six enfants qui n'avaient pas encore quitté la maison. Nous étions donc loin d'être misérables, même si les trois plus jeunes se partageaient une allocation de 5¢ par jour et héritaient des vêtements des plus grands.

Mes parents consacraient toutes leurs économies à notre éducation, ce qui représentait un énorme sacrifice parce qu'il n'y avait pas de collège classique à Shawinigan et que nous devions être pensionnaires à l'extérieur de la ville. Pour mes parents, l'herbe semblait plus verte de l'autre côté de la clôture et l'éducation était pour eux le moyen d'offrir ce vert pâturage à leurs enfants. En ce temps-là, dans le milieu ouvrier, il était inusité pour des parents de faire éduquer leurs enfants; la plupart se contentaient de les voir entrer à l'usine à seize ans. Dans notre village d'environ deux mille habitants, une dizaine de familles seulement envoyaient leurs enfants au collège. En fait, ma mère ne se mêlait pas trop aux voisines qui la trouvaient «un peu fière», parce qu'elle se préoccupait de l'éducation et du bon langage de ses enfants. Les efforts de mes parents furent récompensés: mon frère aîné, Maurice, qui a vingt-trois ans de plus que moi, devint un gynécologue réputé, alors que mon frère cadet, Michel, est une sommité de la recherche médicale à Montréal. Un autre de mes frères est pharmacien, deux ont fait d'excellentes carrières dans les affaires, deux de mes soeurs sont infirmières, une est conseillère sociale.

Pendant un certain temps, je fus le mouton noir de la famille. Au collège, les trois plus jeunes frères, Guy, Michel et moi, étions toujours mêlés à de mauvais coups, si bien que le directeur du collège de Joliette écrivit un jour à mon pauvre père: «Je ne veux pas les revoir en septembre, aucun des trois, j'en ai assez.» Mon père disait que, même en additionnant les notes de conduite de nos trois bulletins, il n'y en avait pas assez pour faire un seul bon bulletin. Pendant un certain temps, j'avais renoncé à tout effort sur le plan scolaire, après avoir perdu une année pour cause de maladie et m'être retrouvé dans la même classe que mon frère cadet l'année suivante. Durant les deux ou trois premiers mois de l'année, Michel arrivait premier et moi deuxième. Le quatrième mois, il était encore premier et j'étais cinquième. Le septième mois, il était toujours premier et j'étais treizième. De plus, j'éprouvais une certaine gêne à cause d'une paralysie partielle de naissance qui m'avait laissé sourd de l'oreille droite et m'avait déformé la bouche du même côté. Je me défendais bien avec mes poings après toutes ces années passées parmi les habitués de la salle de billard du voisinage, passablement animée les jours de paye ou à l'occasion de discussions politiques. Ma mère se faisait bien du mauvais sang à mon sujet. Elle savait que j'avais des problèmes et que je détestais les pensionnats. En conséquence, elle redoublait d'attentions à mon endroit. Par exemple, quand j'étais au Séminaire de Trois-Rivières et que je fréquentais déjà celle qui deviendrait ma femme, ma mère amenait Aline avec elle les jours de parloir et elle nous laissait tous les deux seuls en ville pendant l'après-midi alors qu'elle allait visiter ses cousins. Maman, que j'adorais, mourut soudainement d'une crise cardiaque à l'âge de soixante-deux ans et ne sut donc jamais ce qu'il advint de moi par la suite.

Par contre, mon père vécut jusqu'à quatre-vingt-treize ans, extrêmement fier d'avoir un politicien dans la famille. Il en avait toujours rêvé et m'avait poussé à devenir avocat, selon lui un bon moyen d'entrer en politique. C'est exactement le choix que je fis à l'âge de vingt ans. Mon père est resté plein d'énergie jusqu'à son dernier jour. Après des années et des années de dur labeur, il commença à voyager à travers le monde à l'âge de soixante-dix ans et continua jusqu'à l'âge de quatre-vingt-dix ans. Il visita plus de trente-cinq pays du monde. À quatre-vingt-cinq ans, il monta à pied le long escalier qui mène au sommet du Mont-Saint-Michel, en France, et visita aussi la jolie petite ville de Loches, dans la Loire, berceau des familles Chrétien.

À mes débuts en politique, je me situais plutôt à gauche. L'argent m'importait peu, autrement je n'aurais pas abandonné la pratique du droit à 30 000 $ par année pour devenir député à 10 000 $. Avocat de la classe ouvrière, j'ai bâti ma première maison dans un quartier ouvrier, Shawinigan-Nord, alors que la plupart des gens de profession allaient vivre à Shawinigan-Sud. Mes plus vieux amis appartiennent à la classe ouvrière et plusieurs d'entre eux ont réussi en affaires ou en administration. Le président de mon association de comté a toujours été un col-bleu. Quand, durant une campagne électorale, des avocats me demandent comment ils pourraient m'aider, je suis porté à leur répondre: «Faites une contribution financière et restez chez vous!» Mes préoccupations politiques ont toujours concerné la classe ouvrière et, dans mon comté, ce sont surtout les travailleurs et les petites gens qui adhèrent au Parti libéral. Nous sommes le parti qui a combattu Duplessis et je suis un descendant de ces fiers libéraux qui avaient affronté les évêques pour défendre les principes du libéralisme.

Mon organisation électorale était surtout composée de gens de mon âge qui avaient fait élire la vieille garde aux postes honorifiques de l'association de comté en se réservant les postes-clés, tels que les finances, la publicité et la cabale de porte à porte. Chaque paroisse avait un chef d'équipe, habituellement responsable d'une dizaine de bureaux de scrutin, pour chacun desquels il nommait un capitaine ou *chef de poll*. Le chef d'équipe et ses *chefs de poll* se rencontraient régulièrement, vérifiaient les listes d'électeurs, identifiaient les libéraux connus et notaient les noms des votants indécis pour aller les solliciter ou leur proposer de rencontrer le candidat. Cela se fait toujours, bien que ce soit plus difficile maintenant que l'affiliation à un parti politique n'est plus aussi ferme qu'autrefois. Tous ces organisateurs demeurent un groupe de personnes qui croient dans les valeurs que je défends, qui aiment la politique et qui sont de vrais amis que je n'ai jamais cessé de fréquenter.

Dans les villages ou les petites villes, un chef de paroisse et un *chef de poll* sont des gens importants; ils ont la responsabilité d'apporter plusieurs centaines de votes à leur candidat. Pendant toute sa vie, mon père s'est occupé de quatre ou cinq bureaux de scrutin et il se vantait de toujours avoir obtenu des majorités libérales. Il travaillait sans relâche, parlait à tout le monde et n'hésitait jamais à rendre un service dans l'espoir d'attirer de nouveaux membres au Parti libéral. Et, bien entendu, toute la famille était très fière de ses succès.

Comme dans toute association, les membres vont et viennent au cours des années. Parfois, il faut trouver du sang neuf lorsque certains travailleurs sont fatigués; parfois, il faut écarter de vieux organisateurs qui s'accrochent mais qui ont perdu toute efficacité. Ce n'est pas facile, surtout après une série de victoires, parce qu'il n'y a pas alors de raison évidente de remplacer les traînards par des jeunes plus enthousiastes. Après tout, ils sont tous des volontaires. C'est alors que la machine peut se rouiller. Au début de ma carrière politique, je commis une erreur regrettable en mettant sur pied une machine électorale puissante et bien rodée mais trop envahissante. Bientôt, je fus aux prises avec une petite clique qui fourrait son nez dans toutes les activités du comté. À tel point que les gens venaient nous consulter avant de se présenter à un poste de commissaire d'école, d'échevin, de maire: nous accordions ou refusions notre bénédiction, selon le cas. Mais je tirai bientôt ma leçon et je ne l'ai jamais oubliée depuis. Peu de temps après mon élection au Parlement fédéral, René Lévesque, alors ministre dans le gouvernement de Jean Lesage, vint me demander si je pouvais lui proposer un bon candidat pour le congrès libéral provincial dans notre comté. Je mentionnai le nom de Clive Liddle, un médecin très populaire qui souhaitait être député provincial. Quand Lévesque fit observer qu'il était maladroit de choisir un anglophone, même parfaitement bilingue, à une époque de ferveur nationaliste, je fus assez sot pour me laisser convaincre. Liddle se présenta quand même au congrès et je mis ma machine en marche contre lui: il se fit battre par un candidat de moindre valeur. En revanche, Liddle se présenta contre moi pour le NPD à l'élection fédérale de 1965; il m'enleva un bon nombre de votes mais, heureusement pour moi, il en enleva davantage au créditiste, si bien que je fus réélu avec une majorité accrue. Mais il m'avait enseigné quelque chose d'important: il est inutile et dangereux d'intervenir là où on n'a rien à voir: on perd ses amis et on se fait des ennemis. Chaque fois que j'appuyais quelqu'un, j'offensais ou je contrariais toujours un bon nombre de libéraux. J'ai donc complètement renoncé à ces interventions inopportunes, quoique le mythe existe encore après plus de vingt ans: certains croient qu'ils ont gagné ou perdu seulement à cause de la machine de Chrétien; or, il n'y a absolument rien de vrai là-dedans. Quant à Liddle, j'allai le rencontrer après l'élection de 1965 et je lui dis: «Tu avais le droit de vouloir me rendre ce que je t'avais fait; je veux te dire que tu as toute mon admiration et mon respect.» En fait, il revint au Parti libéral et nous avons été des amis jusqu'à sa mort.

Une fois l'organisation de la campagne électorale sur pied, j'allais rencontrer les gens dans la rue, chez eux, à la porte des usines et des manufactures, partout. Même depuis l'arrivée de la télévision, un candidat doit serrer des mains, être vu le plus possible et donner une bonne impression à de parfaits inconnus: c'est un art qui s'apprend et qui vient tout naturellement à quelques privilégiés. Si l'électeur se sent heureux et à l'aise en votre présence, vous aurez son vote. Si vous êtes tendu, gauche, maladroit ou suffisant, vous pouvez perdre un électeur pour toujours en l'espace de quelques secondes.

En avril 1963, à l'âge de vingt-neuf ans, j'étais élu député à la Chambre des communes, comme membre du parti gouvernemental libéral minoritaire dirigé par Lester *Mike* Pearson.

Même si le prestige d'être élu au Parlement n'est plus ce qu'il était, il n'en demeure pas moins que, pour l'élu et les membres de sa famille, une victoire électorale est un événement: on ressent alors une grande joie et une grande fierté qui font oublier les difficultés et les ingratitudes de la vie politique.

Je m'étais rendu à Ottawa plusieurs fois dans ma vie, entre autres pour participer au congrès libéral qui avait choisi Lester B. Pearson comme chef du Parti. Mais la première fois que je suis passé sous la Tour de la Paix comme député, j'éprouvai une forte émotion: je pensais à ma mère, morte quand j'avais vingt ans, et à mon père dont le rêve d'avoir un fils politicien se réalisait enfin. Ma femme Aline et moi étions heureux et remplis d'espoir.

À l'époque, Ottawa était une ville très anglaise et on parlait très peu le français au Parlement, sauf chez les gardiens de sécurité, les serveuses et les employés à l'entretien; les Canadiens français se sentaient des étrangers dans leur capitale nationale. Peu à peu, on a réussi à changer cela. L'arrivée d'un bon nombre de députés créditistes unilingues des comtés ruraux exerça une certaine pression parce qu'ils avaient leur franc-parler: de concert avec les députés libéraux francophones, ils surent réclamer avec force des services en français. Pearson, sympathique à cette cause, me dit un jour: «Une des plus grandes erreurs a été de transférer la capitale de Montréal à Ottawa: une malencontreuse décision parce que notre capitale devenait une ville unilingue anglaise.» Décidé à agir, il prit aussitôt des mesures progressives: les services devinrent disponibles dans les deux langues et de plus en plus de gens insistaient pour parler français au travail et en ville. Aujourd'hui l'atmosphère de la ville d'Ottawa a complètement changé bien que la majorité soit toujours anglophone et que les francophones aient tendance à trop utiliser l'anglais.

À mon arrivée, je connaissais très peu la langue anglaise: je pouvais la lire et suivre une conversation mais j'avais beaucoup de mal à la parler. J'étais résolu à l'apprendre mais, comme il n'y avait pas alors de professeurs à la disposition des députés, je devais me débrouiller seul. Entre autres, je m'astreignis à lire des magazines anglais chaque semaine. J'avais toujours un dictionnaire à la portée de la main, et ma femme, bilingue, m'aidait à améliorer ma prononciation; je m'amusais à dire que j'avais décidé d'apprendre l'anglais pour ne pas me sentir inférieur à Aline. Mais aussitôt que je devins plus ou moins bilingue, elle se mit à apprendre l'espagnol! Aujourd'hui, elle parle quatre langues, prouvant une fois pour toutes que je suis moins doué qu'elle.

La façon la plus pratique et la plus agréable d'apprendre était de se lier d'amitié avec le plus grand nombre possible de députés anglophones. Parmi mes collègues, je fréquentais, entre autres, Rik Cashin de Terre-Neuve, Ron Basford de la Colombie britannique, Donald Macdonald et «Mo» Moreau de Toronto. Ils eurent tous de brillantes carrières: Cashin devint président du syndicat des pêcheurs de Terre-Neuve, Basford, ministre de la Justice, Macdonald, ministre des Finances, et Moreau, président d'une compagnie minière. Moreau m'était particulièrement précieux; comme il avait déjà parlé français dans sa jeunesse mais s'était ensuite peu à peu anglicisé, je l'aidais à réapprendre le français et il m'aidait à apprendre l'anglais. Nous faisions partie d'un groupe de jeunes lions ambitieux qui se rencontraient régulièrement, surtout au bureau de Cashin, un Terre-Neuvien haut en couleur qu'on appelait «premier ministre» parce qu'il fournissait l'alcool! Je ne buvais pas — une promesse faite à ma femme à mon entrée en politique! — mais je passais des heures à écouter parler mes amis pour me faire l'oreille à l'anglais. Quand ils s'esclaffaient, je ne savais pas s'ils riaient de moi ou de leurs blagues mais j'apprenais des mots nouveaux et je n'hésitais jamais à utiliser mon anglais boiteux, ce qui provoqua bien des incidents cocasses.

Un jour, il y eut une vive discussion entre Cashin et Gerry Regan, député d'Halifax qui devint plus tard premier ministre de la Nouvelle-Écosse et ensuite ministre dans le cabinet Trudeau. Il s'agissait de décider si c'était Terre-Neuve ou la Nouvelle-Écosse qui produisait les meilleurs homards; on m'invita à être un des juges à une dégustation de homards chez Cashin. On parlait politique, en anglais bien sûr, la plupart des invités venant des provinces de l'Atlantique. À un moment donné, quelqu'un me demanda comment j'avais pu être élu malgré l'énorme majorité créditiste de l'élection précédente.

Je répondis péniblement en anglais: «Fort, travailler très fort. Visiter toutes les usines, serrer les mains de tout le monde. À

5h les gens passaient si vite que je n'avais pas le temps de serrer les mains; alors je tapais amicalement les bras!» (En anglais, *bra* signifie soutien-gorge!) Tout le monde éclata de rire en disant: «Alors, c'est comme ça que tu gagnes tes élections, sacré Frenchie!»

Un autre jour, on m'interrogeait à propos de Claude Ryan, alors directeur du *Devoir*: «Très important, leur dis-je, tous les politiciens le lisent. Il adore être consulté et donne de bons conseils. Mais il est peut-être un peu solennel et, en sa présence, on a l'impression d'être en face d'un évêque: faut quasiment se mettre à genoux et lui baiser la bague!» (En anglais, *bag* signifie *poche*!) J'avais employé le mot *bague* au lieu de dire *ring*, comme je l'aurais dû; on riait si fort que j'ai dû m'arrêter de parler, sans trop comprendre ce que j'avais dit de si drôle.

Encore aujourd'hui, j'ai de sérieuses difficultés. Mais les anglophones ont été très gentils et suivirent mes progrès grâce à la télévision: «Vous êtes bien meilleur que l'an dernier», me disent-ils parfois dans la rue, dans les aéroports. Ou bien: «J'ai compris tout ce que vous avez dit hier...» Merci!

Pendant un certain temps, j'eus un bon professeur. Cette excellente dame corrigeait surtout mes fautes de grammaire et de prononciation: «Vous devriez dire *Japan* et non *Chapan*, etc.» Un jour, je lui demandai de m'aider à corriger mon accent: «Jamais! me dit-elle. Quand j'allume ma radio et que vous parlez, je sais tout de suite que c'est vous et tout le reste du Canada sait que c'est vous.» Ce qui m'a amené à dire que Maurice Chevalier et moi avions dû travailler fort pour garder notre accent français...

Au début de ma carrière, ma faiblesse en anglais était plus embarrassante qu'amusante. C'est avec Doug Fisher, alors député NPD et maintenant journaliste à Ottawa, que j'eus mon premier entretien: un échange agréable mais tout de même difficile puisqu'il ne connaissait pas plus le français que je ne connaissais l'anglais! J'avais un mot de présentation pour Fisher de la part de mon ami Fernand-D. Lavergne qui lui vouait une grande admiration pour avoir défait C. D. Howe à Port Arthur. Fisher m'amena à la Chambre des communes et, en me montrant la dernière rangée de fauteuils, il me dit: «C'est là que tu devras t'asseoir.»

Je lui répondis, en désignant la première rangée: «Oui, mais un jour je serai là!»

Fisher me répliqua, en mentor amical: «Ceux qui accèdent à la première rangée sont ceux qui travaillent...
— T'inquiète pas, dis-je, je vais travailler!»

Le début des années 60 a été une période agitée de la politique canadienne; le nationalisme québécois éclatait et, à Montréal, la situation explosait littéralement avec bombes et dynamite. Le premier ministre Pearson comprit le sérieux de la situation et décida de s'en occuper. Il établit les bases du fait français à Ottawa, ce que bien des gens attribuèrent parfois au seul Pierre Trudeau. En fait, Pierre Trudeau bâtit sur les fondations érigées par son prédécesseur. Pearson fit alors face à beaucoup de résistance et connut bien des frustrations. Il eut de bons ministres francophones, tels que Guy Favreau, Maurice Lamontagne et René Tremblay, mais hélas! ils s'embourbèrent dans de malheureux incidents et furent injustement traités par l'opposition et la presse; cela demeure une honte et je fulmine encore en y pensant. Favreau était un brillant avocat qui devint un excellent sous-ministre de la Justice avant de quitter la fonction publique pour entrer en politique. Pearson l'avait nommé ministre de la Justice, leader de la Chambre et son lieutenant au Québec; il s'appuyait beaucoup sur ses conseils. Un peu trop peut-être, compte tenu de son manque d'expérience politique. Favreau avait accepté toutes les responsabilités, s'occupait des moindres détails et mourut à la tâche. Il fut persécuté parce que quelques jeunes bureaucrates de son ministère s'étaient livrés au trafic d'influence. L'enquête qui suivit indiqua que Favreau avait pris les bonnes décisions, mais il avait manqué de prudence en ne consultant pas ses fonctionnaires. C'est pour cela qu'il fut traqué sans merci. Quant à Maurice Lamontagne et à René Tremblay, éminents professeurs de l'Université Laval, ils avaient eu la malchance d'acheter des meubles à un commerçant quelques mois avant qu'il ne fasse faillite; comme leurs noms apparaissaient sur la liste des débiteurs, leurs réputations furent salies par toutes sortes d'insinuations. Lamontagne était un homme d'une grande intégrité intellectuelle et morale, Tremblay un homme intelligent et un parfait gentilhomme qui n'eut jamais un ennemi de sa vie. Sans avoir rien fait de mal, ils virent leurs carrières ruinées et leurs familles humiliées par les accusations déloyales exploitées par Diefenbaker à des fins politiques; il était sans pitié et ce n'était peut-être pas un hasard si ses victimes étaient des Canadiens français.

Diefenbaker ne haïssait pas les Canadiens français, du moins en était-il persuadé, mais il demeurait très amer depuis l'abandon du Québec dans les années qui suivirent sa victoire de 1958. Un homme étrange à bien des points de vue; il avait une haute opinion de lui-même, comme il nous l'a montré en préparant ses propres funérailles et son musée. Il faisait des discours merveilleusement absurdes, mais j'avoue que j'aimais l'écouter parler à la Chambre des communes: il donnait un bon spectacle! Malgré nos divergences de vues, nous nous appréciions l'un l'autre sans doute à cause de notre attachement à la Chambre et de notre goût pour ses débats. Chaque fois que je coinçais un de ses ennemis dans son propre parti, il m'envoyait un mot de félicitations. Mais souvent il pouvait être très injuste.

Il y avait aussi du fanatisme chez les bleus; leur opposition à l'adoption d'un drapeau canadien relevait franchement de l'émotivité. Je n'oublierai pas les scènes disgracieuses qui avaient marqué le débat à la Chambre des communes. Tout cela pour protester contre une décision dont tous les Canadiens sont si fiers aujourd'hui. Peut-être était-ce le traumatisme nécessaire à la nation pour qu'elle devienne adulte?

Un soir, au cours des débats, j'étais dans un ascenseur du Parlement avec d'autres députés; on s'arrêta au deuxième étage où d'autres députés attendaient, mais le garçon d'ascenseur — un francophone — jugea qu'il n'y avait pas assez de place pour eux et referma les portes. Au troisième étage, un commis plutôt fluet attendait et le garçon le laissa entrer. Le député conservateur Bob Coates traita le garçon d'ascenseur de «Canadien français incompétent typique» pour avoir accueilli le commis mais pas les autres députés. Georges McIlraith, alors ministre des Travaux publics, lui dit: «Laisse-le tranquille; je suis son patron et il ne fait que son travail.» On sentait la tension monter. À la sortie de l'ascenseur, Coates attrapa McIlraith par la cravate et commença à le bousculer; alors, à mon tour, j'attrapai Coates par le revers de son veston et le poussai contre le mur, prêt à l'épingler! Après nous être observés un moment comme des fauves, nous nous sommes éloignés sans combat et... sans dégâts. C'était en 1965. Aujourd'hui, Coates et moi sommes des amis... et je peux témoigner que son attitude vis-à-vis des francophones a bien changé.

Comme je l'avais promis à Doug Fisher, je travaillai fort et, en peu de temps, j'établissais une très bonne relation avec le premier ministre Pearson. En 1965, il me nomma son secrétaire parlementaire, poste plus ou moins honorifique puisque le premier ministre n'a pas de ministère en tant que tel, avec budget à défendre, documents à déposer, questions écrites auxquelles répondre, etc. Les secrétaires parlementaires n'ont pas de rôle défini si ce n'est de venir en aide à leur ministre dans une mesure que ce dernier juge à propos. Au temps de Pearson, devenir secrétaire parlementaire voulait dire qu'on était ministrable et, en un sens, dans l'antichambre du Cabinet. Plus tard, Pierre Trudeau changea cette tradition pour permettre à plus de députés d'acquérir de l'expérience: chacun avait la chance de travailler avec un ministre, quitte à redevenir ensuite simple député. Les deux méthodes ont leurs avantages et il est difficile de dire laquelle est la meilleure.

En 1964, René Hamel, député de Saint-Maurice à l'Assemblée législative du Québec et procureur général dans le cabinet Lesage, fut nommé juge. Son comté était entouré de comtés de l'Union nationale et constituait donc une région faible pour les libéraux provinciaux. René Lévesque, au début de sa carrière politique, était ministre des Richesses naturelles du Québec et il fut nommé responsable de l'élection complémentaire, soit qu'il ait demandé le poste, soit qu'on le lui ait offert. Je suis porté à croire qu'il l'avait sollicité afin de mieux connaître l'organisation d'un parti politique et de pénétrer dans le Québec rural.

Avec le recul, il paraît évident qu'il nourrissait déjà de grandes ambitions. À Shawinigan, il rendit visite à un de mes amis,

Jean-Paul Gignac, homme d'affaires d'une vieille famille libérale. Il se rapprocha plus tard de René Lévesque et devint président de Sidbec, l'aciérie appartenant au gouvernement du Québec. Gignac avait dit à Lévesque: «Le meilleur homme pour remplacer Hamel dans ce comté et exercer une influence dans la région c'est le jeune député fédéral Jean Chrétien.» Lévesque m'appela et j'allai le rencontrer à Québec.

C'était à l'époque de la Révolution tranquille et Québec était alors un endroit vraiment stimulant. Lévesque avait réalisé la nationalisation des compagnies d'hydro-électricité et j'avais appuyé le projet bien que la ville de Shawinigan en fût affectée: elle était née et avait grandi en partie grâce aux tarifs spéciaux d'électricité consentis par la Shawinigan Water & Power à la Shawinigan Chemicals et aux autres entreprises locales. Lévesque nous avait plus ou moins garanti la continuation de cette entente, laquelle dura en fait quelques années; mais, en vertu du principe selon lequel tout le monde au Québec devait payer le même prix, Hydro-Québec annula plus tard ces tarifs spéciaux pour les usines de Shawinigan, ce qui contribua grandement au déclin de la ville.

Lévesque m'invita à déjeuner au Georges V; je me souviens qu'il conduisait son automobile et, pour se faire une place, il avait dû pousser du pare-chocs les voitures devant et derrière lui, comme à coups de bélier. Il n'avait pas causé de dommages, mais je l'avais trouvé un peu hardi: il avait besoin d'espace et se l'était approprié! Devant un excellent repas, il essaya de me persuader de quitter la politique fédérale; j'étais tenté mais je me demandais pourquoi j'abandonnerais un capital politique durement acquis au fédéral: «J'ai un bel avenir à Ottawa, lui dis-je. J'ai trente ans, je suis président du Comité de la justice à la Chambre des communes et je commence à être connu». Il a sans doute cru que je lui tendais la perche dans l'espoir de me faire offrir un ministère.

«Jean, tu n'as aucun avenir à Ottawa, me répondit-il. Dans cinq ans, Ottawa n'existera plus pour nous!»

C'était le ministre des Richesses naturelles du Québec qui parlait ainsi! J'en fus profondément choqué et lui répliquai:

«Dis-donc, Lévesque, es-tu séparatiste?

— Non, non, je suis fédéraliste... Oublie ça, Jean...»

Il s'était laissé aller à trop parler; à partir de ce jour, je sus que Lévesque était séparatiste et je tirai mes conclusions sur son honnêteté intellectuelle. Aujourd'hui, en 1985, il prétend qu'il ne l'est plus et cela lui ressemble: il a toujours bien caché son jeu.

De toute façon, il n'avait pas le pouvoir de m'offrir un poste au cabinet provincial et nous sommes allés rencontrer Jean Lesage. J'avais connu Lesage quand il était ministre dans le cabinet Saint-Laurent, avant qu'il ne quitte Ottawa pour devenir chef du Parti libéral du Québec, et, depuis l'élection provinciale de 1960, je le connaissais même très bien. Ce jour-là, il me parut plutôt imbu de lui-même. Il restait cependant charmeur et me disait que je ferais très bien à Québec, que j'étais un homme de l'avenir et qu'il avait besoin de quelqu'un de jeune et d'expérimenté. En d'autres termes, si j'étais intéressé, il l'était. Je me rappelle que cela se passait pendant la première semaine de l'Avent et il me récita un passage de la Bible qu'il avait lu ou entendu le dimanche précédent: «Lorsque l'écorce de l'arbre s'attendrit, c'est un signe que les temps sont venus...» Sans doute sa façon de me dire que j'aurais un poste au Cabinet!

J'ai dû paraître convaincu et la rumeur circula bientôt à Ottawa selon laquelle Lesage m'avait persuadé de quitter le caucus fédéral pour me présenter à l'élection complémentaire de Saint-Maurice. À l'époque existait une grande rivalité entre les libéraux fédéraux et provinciaux, et la rumeur se rendit rapidement jusqu'à Pearson. Il me fit venir à son bureau et me demanda si elle était fondée. Je lui répondis par l'affirmative.

Pearson traversait une époque difficile: il essayait d'aider les Canadiens français, de combattre le séparatisme naissant et chaque fois qu'il faisait un pas en avant, quelque chose le tirait vers l'arrière. Il me demanda: «Jean, crois-tu au Canada?
— Bien sûr, je crois au Canada, lui répondis-je un peu surpris. Et si vous me le demandez, monsieur le premier ministre, je n'irai pas au provincial.
— Non, non, ne prends pas cette décision maintenant. Rentre chez toi et réfléchis pendant une semaine.
— Mais nous sommes en minorité!
— Ne t'en fais pas, nous survivrons bien. Prends ton temps...»

Je retournai donc à Shawinigan et consultai ma femme et dix-neuf amis: dix-sept me dirent d'aller à Québec. Peu de choses relevaient du fédéral en ce temps-là: le bureau de poste, quelques quais et les réclamations d'assurance-chômage! Les principales activités locales, les emplois, les routes, les écoles, etc., étaient de juridiction provinciale. Seuls deux amis, Fernand-D. Lavergne et Marcel Crête, brillant avocat maintenant juge en chef du Québec, me pressèrent de rester à Ottawa; ils disaient que je réussissais très bien là-bas... et peut-être prévoyaient-ils les revers de Lesage à l'élection de 1966. Personnellement, je penchais pour Québec mais je tenais en grande estime les conseils de Lavergne et de Crête: ils constituaient les deux pôles qui équilibraient mon jugement car Lavergne était un chef syndical passablement à gauche, tandis que Crête, plus conservateur, siégeait à des conseils d'administration de compagnies. Tous deux avaient une excellente connaissance de la politique.

En 1960, un incident détermina en partie ma décision d'aller à Ottawa. Je dînais souvent avec des confrères au Château de Blois de Trois-Rivières. Un jour, nous étions quatre à table en train de discuter de Marcel Chaput, le fonctionnaire fédéral mis à pied pour avoir promu le séparatisme aux premiers jours de la Révolution tranquille. Je n'ai jamais été séparatiste, mais j'étais plutôt à gauche et je croyais à la défense des miens; je défendais donc Chaput et je m'étais lancé dans une attaque contre les Anglais lorsqu'un de mes confrères, Guy Lebrun, maintenant juge à la Cour supérieure, me dit: «Tu parles à travers ton chapeau, Chrétien; tu ne connais pas les Anglais, tu ne connais pas leur langue, tu es allé à Ottawa seulement une fois ou deux dans ta vie, alors je suis surpris de t'entendre parler ainsi, je te pensais un gars intelligent. Tu es peut-être intelligent, mais tu es étroit d'esprit. Les Anglais ont leurs *têtes-carrées*, mais il semble que nous ayons aussi les nôtres!»

C'était dur à avaler, surtout de la part d'un ami: Lebrun avait frappé fort et j'étais blessé. Vingt milles de route me séparaient de Shawinigan. Pendant les cinq premiers milles, je sacrai contre cet enfant de... Pendant les cinq milles suivants, je me demandai comment lui remettre ça. Au cours des derniers milles, je repen-

sai aux propos de Lebrun: il y avait bien du vrai là-dedans. Arrivé
à la maison, je me dis: «Ouais, je devrais éviter de déblatérer
contre les gens sans savoir de quoi je parle.» Avant cet incident,
toute ma pensée s'orientait vers la politique provinciale; après, je
m'intéressai de plus en plus à un horizon plus vaste, le Canada.

Ma femme Aline aussi me disait de rester à Ottawa. Sans plus
d'hésitation, je suivis l'avis de mes trois conseillers les plus intimes: à la fin de la semaine, je téléphonai à Pearson, pour lui dire
que je n'irais pas à Québec. Je m'attendais à ce qu'il soit content,
mais sa voix paraissait triste et il dit simplement: «Merci beaucoup, Jean.» Plus tard, j'appris qu'il venait tout juste d'être informé d'un autre prétendu scandale: on accusait encore un de ses
ministres canadiens-français de trafic d'influence. Le lendemain,
cependant, il avait retrouvé son allure habituelle et vint me serrer
la main à la Chambre des communes; il ne me promit rien, mais il
me paraissait reconnaissant de ce que j'aie choisi le Canada.

Chapitre II

L'apprentissage

Bien des Canadiens ne comprennent pas la Chambre des communes: ils allument la télévision, voient quelques députés qui se disputent et les prennent pour une bande de fous. Même ma femme me dit parfois: «Jean, tu cries trop fort à la Chambre.» Mais souvent, il faut que je crie; il y a à cela une raison qui dépasse le désir d'être entendu. La Chambre des communes est d'abord et avant tout un lieu de débats; les gens se demandent pourquoi nous ne sommes pas en train de mettre des virgules dans les textes de loi, alors que notre préoccupation majeure est l'orientation politique du gouvernement. Bien sûr, notre modèle est le Parlement britannique où les députés ont des bancs mais pas de pupitres, ce qui les oblige à parler sans notes; là-bas, le président de la Chambre peut déclarer hors d'ordre un député qui lirait un texte. Les points de vue ne s'expriment pas dans des discours bien léchés comme à l'Assemblée nationale de France. À la Chambre des communes, s'il y a désaccord sur la politique ou les actions du gouvernement, surgissent les questions, les interruptions, parfois les insultes personnelles: «Pourquoi avez-vous fait ceci? Comment avez-vous osé faire cela?» En somme, c'est un exercice dont le but est la découverte de la vérité, la recherche des véritables intentions du gouvernement. Les parlementaires ne parlent pas aux citoyens, ils débattent entre eux l'avenir de la nation.

Je reconnais que, à la télévision, cela peut donner une mauvaise impression; les parlementaires oublient que des milliers de personnes les regardent; pour eux, il s'agit d'une simple discussion entre députés élus. En un sens, la télévision est une intruse et, bien que je ne sois pas contre sa présence, j'estime qu'elle a profondément transformé la Chambre des communes; de plus en plus de textes sont lus, dont personne ne sait s'ils représentent l'opinion de l'orateur ou celle de quelque obscur écrivailleur. Les grands orateurs et les grands débats sont de plus en plus rares; avant la télévision les tribunes réservées au public regorgeaient de monde, la tribune de la presse était pleine à craquer, tous étaient avides de voir l'histoire se dérouler sous leurs yeux. Aujourd'hui, la Chambre semble avoir perdu de son mystère et de son attrait.

Le vieil esprit renaît au cours de la période des questions. Ces questions, souvent interrompues par les huées ou les rires, mettent les ministres sur la sellette: ils ne peuvent pas se cacher derrière leurs adjoints! «Soyez honnêtes! Dites la vérité!» entend-on crier du côté de l'opposition. Trop de violence dans les attaques suscite l'intervention du président de la Chambre qui peut exiger une rétractation. D'autre part, si un ministre commet une erreur, tout le gouvernement en tremblera pendant quelques jours ou quelques semaines selon la gravité de la gaffe. Peu importe combien le parti gouvernemental a de députés, les ministres sont continuellement menacés d'avoir l'air ridicules ou incompétents. La nature humaine étant ce qu'elle est, il arrive que des députés du gouvernement fassent parvenir des informations compromettantes à l'opposition au sujet de leurs propres ministres... En travaillant à leur perte, ils espèrent accéder plus vite au Cabinet.

Les ministres ont donc un peu raison de craindre la Chambre. Par exemple, c'est au cours de la période de questions, en décembre 1984, qu'on a forcé Brian Mulroney à préciser sa position sur l'universalité des programmes sociaux; devant plusieurs options possibles, il piétinait et tergiversait mais, grâce aux attaques répétées de l'opposition, il tira le tapis sous les pieds de son ministre des Finances et déclara qu'on prendrait l'argent aux riches pour le donner aux pauvres. Lorsqu'il changea d'idée encore une fois et qu'il enleva la pleine indexation aux personnes âgées, la virulence de l'opposition à la Chambre des communes lui fit de nouveau contredire son pauvre ministre des Finances.

Évidemment, des dizaines de projets de loi sont présentés et apparemment adoptés à pleine vapeur: tous les députés ne peuvent s'intéresser aux détails de la Loi sur l'accise, par exemple, à la façon de percevoir les taxes ou les frais de douane. Mais ceux qui regardent les débats à la télévision ne soupçonnent pas tout le travail accompli par les comités parlementaires chargés d'étudier en profondeur les projets de loi. C'est là que les moindres articles sont examinés à la loupe par les députés qui sont ou qui deviennent bientôt des spécialistes dans un domaine ou un autre. Un député qui s'intéresse aux affaires extérieures peut siéger au Comité des affaires extérieures et de la défense et, ainsi, devenir un spécialiste de l'OTAN. Il pourra alors influencer les décisions du comité en question. Au cours de l'étude de projets de loi ou du budget des ministères, les comités peuvent convoquer des témoins ou se former en sous-comités qui tiennent des audiences publiques à travers le pays, écoutent les points de vue de la population avant de faire leurs recommandations. À l'occasion, les comités proposent des recommandations non partisanes au gouvernement qui, très souvent, les accepte.

Les députés du Québec ne s'intéressent probablement pas assez à la question des transports dans l'Ouest canadien, et les députés de l'Alberta ne se préoccupent guère de la question des pêcheries dans les provinces de l'Atlantique; en pareils cas, la coutume veut qu'ils votent avec leur parti. Il ne faut pas en conclure que tous les députés sont des moutons, ce dont j'avais été accusé au cours de ma première journée à la Chambre des communes. Il s'agissait de décider si le Canada devait accepter les missiles Bomarc sur son territoire: le Parti libéral souhaitait le faire parce que le Canada s'y était formellement engagé. Mais j'avais déclaré le contraire pendant la campagne électorale... Le premier ministre Pearson m'avait fait parvenir un message selon lequel je devais éviter le sujet jusqu'à la fin de la campagne, mais on voyait déjà des manchettes dans les journaux proclamant qu'un candidat libéral s'opposait aux Bomarc: le mal était fait... si vraiment c'était un mal! Mais j'eus un sérieux problème car on posa la question de confiance à ce sujet dès que le Parlement fut convoqué, alors que les libéraux étaient en minorité.

Le ministre associé à la Défense, Lucien Cardin, vint me voir et je lui demandai: «Sommes-nous vraiment engagés, oui ou non? Tu sais, je suis un avocat de droit civil et je veux voir le texte: y a-t-il un engagement par écrit?» Chose tout à fait exceptionnelle, il fit en sorte que je puisse examiner les documents secrets. On m'amena dans une petite pièce au bureau du Conseil privé, on m'apporta les documents et on me laissa seul: malheureusement, tout était en anglais! Quand je ne comprenais pas, il n'y avait personne à qui je pouvais demander de l'aide. De toute façon, je refusais d'admettre que mon anglais était à ce point insuffisant mais, à la fin de l'exercice, je n'en savais pas plus qu'au début. Un peu plus tard, je rencontrai Douglas Harkness, un parfait gentilhomme. Il avait été ministre de la Défense dans le gouvernement conservateur jusqu'à sa démission du Cabinet causée par le refus des Bomarc par Diefenbaker. Je lui expliquai mon problème dans mon anglais boiteux et il me répondit: «Jeune homme, si vous me connaissiez, vous sauriez que je suis un authentique conservateur. Ce n'était pas une petite affaire pour moi que de démissionner du Cabinet; je l'ai fait parce que le Canada avait un engagement formel sur les Bomarc.» Il m'avait convaincu et, le lendemain, je votai avec mon parti. Malheureusement, le jour suivant, je commis l'erreur de me lever pour expliquer mon vote: un désastre! Je fus sifflé et le *Devoir* me traita de mouton. Mon père s'en trouva fort humilié.

Malgré tout, j'avais brisé la glace et ma carrière parlementaire était lancée: je n'avais pas l'intention de lâcher. Le président de la Chambre, Alan MacNaughton, m'aimait bien: quand il devait donner la parole à un député libéral d'arrière-banc, il me reconnaissait souvent dans le coin où je me trouvais avec Cashin, Basford et les autres jeunes loups. Nous posions des tas de questions et nous parlions à tour de rôle pendant des heures quand il fallait enterrer un projet de loi que le gouvernement ne voulait pas adopter. Peu de temps après, je connaissais assez bien les mécanismes de la Chambre pour pouvoir proposer une réforme importante: bon exemple de l'influence que peut avoir un jeune député, s'il s'en donne la peine.

En 1964, je voulais faire changer le nom de Trans-Canada Airlines en celui de Air Canada. Au Québec, à l'époque de la montée du nationalisme, le nom de notre compagnie aérienne était devenu un symbole détesté, d'autant plus qu'on pouvait difficilement le traduire en français. À ma première séance à la Chambre, j'avais essayé de faire adopter un projet de loi privé, mais sans succès; rien d'étonnant puisqu'il est à peu près impossible à un simple député de faire adopter un projet de loi. À l'époque, une heure seulement était consacrée aux débats sur les projets de loi privés, si bien que très peu d'entre eux finissaient par être adoptés: ils retombaient alors au bas de la liste, d'où ils pouvaient éventuellement refaire surface. Chaque parti avait droit de parole et, si le gouvernement voulait enterrer un projet de loi, il lui suffisait de demander à un député de parler jusqu'à 6h. Quand mon projet arriva en tête de l'ordre du jour à la séance suivante, ma stratégie était prête.

J'allai voir Rémi Paul, un bon conservateur du Québec, d'un commerce agréable, et je lui dis: «J'ai mon projet de loi sur Air Canada. Si vous me l'enterrez brutalement, ce ne sera pas très bien perçu au Québec. Aide-moi donc! Au moins, dis quelque chose de bien...» Rémi Paul accepta. Ensuite, j'allai voir Bob Prettie, un néo-démocrate de Vancouver qui parlait français, et Réal Caouette du Crédit social à qui je demandai la même chose. J'avais donc disposé tous les orateurs en ma faveur. Alors, je retournai les rencontrer un par un et leur dis: «Si tu ne parles pas trop, le projet de loi sera adopté.» Le plus difficile à convaincre fut Rémi Paul parce que les conservateurs s'opposaient au changement de nom mais, finalement, il acquiesça. Quand mon projet de loi fut appelé, je me levai et prononçai un discours très court, sans provocation d'aucune sorte. Je m'en tins à des arguments simples: Air Canada était un nom plus court, la compagnie avait une activité internationale et il existait déjà deux autres *TCA*: Trans-Caribbean et Trans-Continental. Alors, Rémi Paul se leva et dit: «Je suis d'accord!» Prettie se leva et dit: «Je suis d'accord!» Caouette se leva et dit: «Je suis d'accord!» À 5h15, il n'y avait plus d'orateur et mon projet de loi fut adopté en deuxième lecture. Selon les règlements de la Chambre, il devait maintenant rester à l'ordre du jour jusqu'à son adoption finale, ce qui avait pour effet d'enterrer tous les autres projets de loi privés jusqu'à la fin de la session. Le gouvernement n'était pas très content, surtout à cause de l'incidence budgétaire, mais à 6h, le projet de loi était adopté! Le lendemain, je reçus une lettre chaleureuse de Pearson qui me remerciait d'avoir réglé le problème et de l'avoir fait en douceur.

Il est regrettable que la presse ne reconnaisse pas le rôle des simples députés. D'abord, ils sont précieux pour leur comté et rendent des services souvent très utiles à leurs électeurs. Ils sont en même temps les ambassadeurs de leur comté au Parlement et les protecteurs locaux du citoyen auprès du gouvernement. Des hommes à tout faire qui ont des mandats et des préoccupations multiples: ils doivent s'occuper des retraités qui n'ont pas reçu leur chèque de pension, ou des chômeurs qui attendent leur chèque d'assurance-chômage, ou des Néo-Canadiens aux prises avec l'Immigration, ou des hommes d'affaires qui sollicitent des subventions, sans parler de toutes les municipalités du comté qui ont besoin d'aide. Les députés reçoivent les délégations, organisent des rendez-vous avec ministres ou hauts fonctionnaires, patronnent toutes sortes d'événements communautaires et parfois même dépannent des électeurs négligents en leur procurant un passeport en catastrophe. Comme les députés n'ont pas de patron (à l'exception des électeurs en temps de campagne électorale), ils peuvent ne rien faire. Mais la grande majorité d'entre eux consacrent beaucoup de temps à leurs électeurs en plus d'assumer la lourde tâche de parlementaire.

L'influence des députés est rarement connue du public. À une réunion du caucus libéral, après l'élection de 1963, je rappelai à certains ministres qu'ils ne se trouvaient dans la première rangée que parce que nous étions derrière; impertinence d'un jeune homme de vingt-neuf ans que je n'ai jamais oubliée, surtout après mon accession au Cabinet. Quand on est ministre, il est en effet essentiel de garder de bonnes relations avec les députés. Au cours du débat constitutionnel, j'ai toujours pris le temps d'écouter les arguments des députés libéraux dissidents, si bien que l'un des rares à voter contre le projet final alla jusqu'à appuyer ma candidature à la direction du parti peu de temps après.

Les réunions du caucus étant secrètes, les contributions les plus importantes qu'y apportent les députés sont rarement connues du public. Il y a des caucus régionaux, des caucus spéciaux sur des sujets particuliers tels que l'agriculture ou le développement régional, mais le plus important est le caucus national qui se réunit chaque semaine pendant la session; c'est l'occasion pour chacun de poser des questions, d'exprimer ses plaintes, d'étudier les rapports ou les politiques de développement, d'analyser les problèmes les plus délicats et de participer aux discussions générales. En plus des députés et des sénateurs, le caucus du parti gouvernemental comprend évidemment le premier ministre et les membres du Cabinet: c'est donc l'endroit idéal pour le député qui veut se faire entendre. À la Chambre des communes, les députés ne retiennent pas beaucoup l'attention de la presse mais, au caucus, il arrive que l'un ou l'autre parle avec tellement de bon sens que son point de vue l'emporte. Certains ministres sont souvent plus touchés par l'attaque franche et directe de l'un des leurs que par l'assaut de l'opposition ou des journalistes.

Il arrive parfois qu'un député peu connu du public et même des journalistes soit nommé au Cabinet. C'est peut-être le résultat d'une série d'interventions intelligentes de ce député au caucus, interventions qui auront impressionné le premier ministre. Le plus souvent, hélas! bien des députés ne sont pas récompensés de leurs efforts... Les responsables des meilleures interventions seraient les derniers à les rapporter aux journalistes, dévoilant ainsi des secrets du caucus. Souvent, ils ne savent même pas eux-mêmes qu'ils ont fortement influencé une importante décision ministérielle, la pertinence de leur argument ayant convaincu le ministre. Il est rare que ce dernier retourne voir le député pour lui dire: «C'est à cause de ton intervention que j'ai changé ma décision». Je regrette de ne pas l'avoir fait plus souvent moi-même, mais dans la jungle politique, un tel geste peut être diversement interprété. Évidemment le système fait naître des frustrations: la consultation et la participation sont autre chose que le processus décisionnel et tous les députés savent que les décisions se prennent finalement au Cabinet des ministres qui en tireront toute la gloire et le prestige.

Dans notre système parlementaire, on crée deux classes de politiciens: un petit nombre de ministres et un grand nombre de simples députés. Il arrive que certains préfèrent rester simples députés, s'occuper de leurs électeurs, intervenir au caucus ou aux comités, sans chercher à laisser leur marque dans l'histoire. J'avais un ami de ce type, très bon député, homme intelligent mais sans ambition. Avocat populaire dans son comté, il était entré en politique à la suite de pressions de ses amis; une fois à Ottawa, il n'a jamais fait d'effort pour devenir ministre car ça ne l'intéressait pas. Plus tard, nommé juge à la Cour supérieure, il refusa une promotion à la Cour d'appel: il savait ce qu'il voulait dans la vie. Ce n'est pas un cas unique.

Bien des députés qui auraient aimé entrer au Cabinet ont été écartés pour des raisons étrangères à leur compétence. Celui qui veut vraiment être ministre, qui travaille fort et qui a du talent, finit habituellement par le devenir. Cependant, je dois admettre que d'excellents candidats sont écartés alors que quelques personnages médiocres sont nommés pour des raisons particulières: âge, sexe, représentation régionale, origine ethnique, etc. Les longues années de service ne sont pas non plus automatiquement récompensées, comme aux États-Unis où les plus vieux sénateurs et les plus vieux représentants devenaient présidents des comités les plus importants du Sénat et de la Chambre. Les frustrations des députés sont encore plus vives lorsque leur travail n'est pas reconnu et que toute l'attention est dirigée vers les ministres et, en particulier, le premier ministre.

C'est ainsi que le Parlement a perdu beaucoup de son sens depuis que la presse a transformé l'élection parlementaire en élection présidentielle. La raison d'être de l'élection parlementaire est que deux cent quatre-vingt-deux personnes sont choisies par leurs pairs pour représenter leurs comtés respectifs. Par exemple, les gens de Shawinigan votent pour Jean Chrétien qui est libéral;

mais demain, je pourrais décider de devenir conservateur, ou indépendant, ou communiste, et garder mon siège de député, sans avoir à démissionner.

À l'origine, les élus se réunissaient en assemblée, choisissaient un président comme arbitre et formaient différentes alliances selon les politiques ou les besoins de l'heure; le premier ministre était choisi parmi le groupe dominant: c'est le système britannique, le meilleur des mauvais systèmes.

Depuis quelques années, cependant, à cause de l'influence considérable des organes d'information et plus particulièrement de la télévision, et sans doute aussi à cause de l'influence des États-Unis, nos élections sont devenues une lutte entre les chefs de partis. Au cours d'un balayage comme celui qui a mis les conservateurs au pouvoir en 1984, le même balai emporte les bons et les mauvais députés, tandis que les bons et les mauvais candidats du parti vainqueur sont élus à cause de leur chef. Si bien que le travail, le dévouement, la personnalité et l'intelligence des candidats comptent de moins en moins dans les campagnes électorales. D'après moi, il n'y a sans doute pas plus de cinquante députés au Canada qui influencent personnellement le résultat des élections dans leur comté. Les autres comptent sur la popularité de leur leader et sur le fait d'être membres du parti présumé gagnant. Avec le résultat que les députés perdront de leur importance et seront à la merci de leur chef. En ce moment, par exemple, quel député conservateur d'arrière-banc oserait se lever au caucus et envoyer Mulroney au diable s'il sait qu'il peut être remplacé par n'importe quel autre membre du parti à la prochaine élection?

Situation inquiétante, parce que nous n'avons pas les contrepoids qui existent ailleurs, comme aux États-Unis. Je préfère le système parlementaire canadien, mais nous aurons des problèmes si trop de députés dépendent absolument du bon vouloir ou de la popularité de leur chef. J'en ai fait l'expérience quand j'étais candidat à la direction de mon parti en 1984: tout ce que je disais, mes moindres gestes faisaient la manchette. Un mois plus tard, pendant la campagne électorale, je n'intéressais plus personne... même si j'ai prononcé des discours dans quatre-vingt-quinze comtés!

Fort heureusement, les électeurs ne sont guère ébranlés par les commentaires des éditorialistes au cours d'une campagne électorale. En 1980, si ma mémoire est bonne, Trudeau ne reçut l'appui que de quatre éditorialistes sur une centaine, ce qui ne l'empêcha pas de former un gouvernement majoritaire. Je me souviens aussi qu'en 1965, j'avais été flatté lorsque, dans un éditorial du journal le *Devoir*, Claude Ryan me mentionna comme l'un des cinq candidats libéraux qu'il fallait élire dans leur comté; il préférait alors donner son appui à des candidats plutôt qu'à un parti politique. Il est assez amusant qu'il m'appuya moi, tout en refusant son appui à Pierre Trudeau...

Ce matin-là, j'étais franchement ravi de cet éditorial. J'en parlai dans mes discours pendant des jours. Mais pouvez-vous deviner combien de mes électeurs me firent des commentaires sur l'éditorial de Ryan? Exactement deux: un de mes frères et un ami comptable!

Je ne me plains pas de la presse au Canada. Elle m'a bien traité et, de façon générale, j'ai de bonnes relations avec les journalistes. Je préfère une presse exigeante et professionnelle à la presse avachie des beaux jours de Maurice Duplessis qui récompensait les bons articles avec des cadeaux en argent et boycottait les journaux qui lui étaient défavorables. Aujourd'hui, la très grande majorité des journalistes sont des professionnels intègres et fiers. Ce qui ne doit pas empêcher les hommes politiques d'être prudents dans leurs rapports avec eux!

Mon expérience la plus désagréable se produisit en 1978, lorsque le journal *Globe and Mail* de Toronto rapporta une déclaration du juge McKay de Montréal, selon laquelle j'aurais essayé d'influencer un autre juge. Les faits étaient les suivants: une compagnie de mon comté avait fermé ses portes pendant six mois, mettant à pied ses quatre cents employés: l'actif avait été saisi en attendant une décision de la Cour en matière de faillite. Comme je croyais qu'il était de mon devoir de le faire et que je n'avais aucun autre moyen à ma disposition, je téléphonai au juge qui avait présidé le procès et je lui dis: «Quand pensez-vous pouvoir prendre votre décision? J'ai quatre cents citoyens en chômage; je ne veux pas savoir ce que vous allez décider mais, s'il vous plaît, décidez-vous rapidement pour que ces gens-là puissent retourner au travail». Lorsque l'histoire fut publiée dans le *Globe and Mail*, je téléphonai de nouveau au juge qui accepta, en toute honnêteté, d'écrire une lettre niant que j'avais essayé de l'influencer. J'envoyai copie de cette lettre au juge McKay qui fit aussitôt une rétractation et admit par écrit à mon avocat qu'il s'était trompé. Cependant, la lettre s'égara pendant plusieurs jours au cours desquels le *Globe and Mail* continua à salir mon nom. En fin de compte, le journal publia la lettre du juge McKay et des excuses en première page. Mais j'étais toujours en colère; je téléphonai au responsable de la rédaction et lui dis: «Hier à la Chambre des communes, j'ai donné toutes les explications concernant cette affaire et vous n'avez rien publié.

— Nous n'avions pas de traducteur...

— Allons donc! Si j'avais déclaré que j'étais coupable, je vous parie que vous auriez trouvé un traducteur avant que j'aie fini de parler. Si vous ne pouvez pas faire mieux que ça, je vais vous poursuivre.

— Est-ce une menace?»

Je n'avais pas l'intention de poursuivre, mais j'étais coincé. Je répondis donc: «Non, c'est une promesse!»

J'appelai immédiatement mon avocat. L'affaire traîna en longueur pendant des années. Il y avait une petite difficulté: je réclamais des dommages et intérêts alors que ma carrière montait en flèche. À la fin, j'acceptai un règlement de 3 000 $. Mon avocat remit la somme à ma femme en lui disant: «Achète-toi ce que tu voudras parce que ton mari n'en mérite pas un centime!» Aline s'est acheté un piano et, chaque fois que quelqu'un vient nous rendre visite, je lui présente ma femme, mes enfants et mon piano *Globe and Mail*!

Tout cela pour dire, encore une fois, que les journalistes sont dans l'ensemble des professionnels qu'il faut traiter comme tels. J'ai toujours essayé d'être accessible à tous. Ils ont mon numéro de téléphone à la maison et il n'est pas rare qu'un jeune reporter m'appelle chez moi le dimanche soir, souvent parce qu'il n'a pu rejoindre quelqu'un d'autre. Évidemment, il y en a que je connais et que je rencontre plus que d'autres, soit à cause de leurs intérêts ou à cause de leur personnalité, mais je n'ai jamais essayé de faire le beau avec aucun d'entre eux.

Bien des politiciens pensent que la presse est orientée à gauche. Il est sûr que la très grande majorité des reporters ne font pas partie de l'élite financière; ils ont presque toujours fait des études supérieures, mais leur train de vie ne dépasse pas la moyenne. Leurs points de vue ont tendance à refléter ceux de la moyenne de notre société. De plus, bien des journalistes sont par nature indépendants et contestataires — autrement, ils auraient choisi une profession plus facile et plus lucrative! — et, traditionnellement, ils s'opposent aux gouvernements plus qu'ils ne les appuient.

Un exemple assez ironique de cette attitude me fut donné lorsque Patrick O'Callahan, éditeur du *Edmonton Journal* qui m'avait combattu sans relâche lorsque, ministre de la Justice, j'essayais de faire accepter la Charte des droits, fut l'une des premières personnes au pays à gagner une cause en invoquant la Charte, après que certains documents eurent été saisis dans son bureau à la suite d'une fouille policière. Je ne pus m'empêcher de lui téléphoner et de le taquiner un peu.

Il est regrettable qu'il y ait de moins en moins de reporters qui veulent être de vrais reporters: la plupart ont tendance à jouer aux commentateurs ou aux éditorialistes. Autrefois, les reporters s'appliquaient à décrire les faits et ils mettaient un point d'honneur à demeurer neutres et objectifs. Aujourd'hui, au contraire, ils s'appliquent à commenter plutôt qu'à rapporter, à mettre en valeur des faits marginaux et à oublier l'essentiel.

Un jour, quand j'étais ministre des Finances, j'ai eu l'occasion de prononcer des discours au Québec sur la nécessité pour nous de rester dans le Canada. J'avais une bonne couverture dans la presse anglophone. Quant aux journalistes francophones, ils venaient me voir après le discours, me posaient quelques questions sur les taux d'intérêt ou l'inflation et rédigeaient un article sur ces sujets sans souffler mot de mon discours sur le Canada. Par contre, si un ministre du Parti québécois faisait un bon discours sur l'indépendance, on le reproduisait presque in extenso et on passait sous silence les problèmes de son ministère. Il faut apprendre à vivre avec cette mentalité et si possible essayer d'en rire.

Un jour, je visitais les studios de Radio-Canada à Montréal et j'y rencontrai un de mes cousins qui y travaille comme technicien; je fus étonné de constater qu'il portait un macaron du Parti québécois: «C'est comme ma carte syndicale!» me dit-il en me faisant comprendre qu'il n'avait pas le choix. Peut-être était-il trop sensible à son entourage, mais il ne voulait pas perdre son emploi ni être identifié comme «traître à la cause». La plupart des Canadiens ne savent pas à quel point tout le monde au Québec subissait ce genre de pression il y a quelques années.

En 1965, on commençait déjà à mentionner mon nom dans la presse québécoise comme celui d'un jeune membre actif de la nouvelle avant-garde libérale. J'étais secrétaire parlementaire du premier ministre, j'avais été choisi pour appuyer le discours du trône à ma deuxième session, j'avais fait changer le nom de Trans-Canada Airlines pour celui d'Air Canada et je travaillais sans relâche dans les comités. À un moment donné, le bruit courut que, si George McIlraight devenait ministre de la Justice, je serais nommé solliciteur général; mais, étant donné que Lucien Cardin fut promu à la Justice, le poste de solliciteur général revint à un Canadien anglais, Larry Pennell. De mon côté, je gardais bon espoir d'obtenir un ministère après l'élection générale de 1965.

Pearson m'avait consulté au sujet du déclenchement de cette élection qui, espérait-il, lui donnerait un gouvernement majoritaire. Je lui avais fait part de mes réserves: «Nous sommes minoritaires et nous devrions continuer à faire face à la musique». Mais certains membres du Cabinet, en particulier Walter Gordon, son conseiller intime, exercèrent d'énormes pressions sur lui. À ma grande surprise, il m'invita à faire un discours à son assemblée de nomination dans son comté et, durant la campagne électorale, il me demanda d'y retourner pour faire campagne en son nom, accompagné de Mary Macdonald, sa toute-puissante secrétaire. Je faisais de brefs discours dans mon anglais laborieux. Avant les assemblées, Mary me donnait des notes et des renseignements sur les gens que je devais rencontrer et elle était terriblement embarrassée quand je répétais ces informations pendant mes discours: «Vous savez que je suis censé savoir ceci à votre sujet et que je dois vous dire cela!» Tout le monde s'amusait et j'avais un succès fou!

J'étais dans Algoma-Est lorsque Mike Pearson me mit au courant d'une nouvelle sensationnelle: les libéraux avaient recruté trois candidats exceptionnels au Québec: Jean Marchand, Gérard Pelletier et Pierre Elliott Trudeau. Je les connaissais de réputation, bien sûr; Marchand était un chef syndical éminent qui avait été l'un des premiers à s'opposer farouchement à Duplessis, Pelletier un journaliste respecté qui avait travaillé étroitement avec Marchand, et Trudeau un intellectuel radical. Je n'avais jamais rencontré Pierre Trudeau, mais c'était un ami de Fernand-D. Lavergne et il venait de temps en temps à Shawinigan rencontrer les syndiqués.

«Qu'est-ce que tu penses d'eux comme nouvelles recrues?» me demanda Pearson.

Je pensais que c'était un coup de maître. La venue des «trois colombes» à Ottawa briserait le ghetto des intellectuels québécois qui restaient volontairement au Québec, et permettrait à Pearson de renouveler le Parti libéral fédéral.

«C'est formidable, lui dis-je, mais nous aurons un problème avec Trudeau: on ne pourra le faire élire nulle part!» De fait, ce ne fut pas facile de lui trouver un comté; il voulait représenter un comté de langue française, mais à la fin il dut se contenter de Mont-Royal, comté à majorité anglophone.

Pearson me dit encore: «Tu sais, Jean, cela veut peut-être dire que tu n'entreras pas au Cabinet aussi vite que je l'espérais».

Je comprenais parfaitement la situation.

«Monsieur le premier ministre, s'il y a des candidats meilleurs que moi, vous devriez les nommer avant moi.»

Après l'élection qui nous donna un autre gouvernement minoritaire, Marchand fut nommé au Cabinet mais Pelletier et Trudeau durent attendre afin d'acquérir un peu d'expérience parlementaire, quoique Marchand n'en eût pas non plus. Il semblait donc y avoir quelque espoir pour moi. Secrétaire parlementaire, j'étais du Québec rural, ce qui doit être pris en considération pour faire équilibre aux nombreux ministres venant de Montréal et de Québec; j'avais refusé d'aller en politique provinciale à la demande de Pearson; Marchand avait déclaré publiquement que j'étais prêt à devenir ministre; Pearson lui-même m'avait laissé entendre que mon tour arrivait. Les journalistes me téléphonaient régulièrement, me pressant de questions. On annonça la composition du nouveau Cabinet... et la nomination de Jean-Pierre Côté, un député de la région de Montréal qui devint plus tard lieutenant-gouverneur du Québec. Il devait être un très bon ministre et un excellent ami. Plus âgé que moi, il était aimé et apprécié de tout le monde et, par surcroît, son organisateur en chef était le beau-frère de Guy Favreau, alors chef de l'aile québécoise du parti!

J'ai toujours été indépendant, isolé, un *loner* comme on dit en anglais, mais je demeurais un jeune loup impatient. Je ne peux donc pas blâmer Guy Favreau d'avoir choisi quelqu'un de plus familier et de plus sûr pour l'épauler au Cabinet.

Quelques jours plus tard, je croise Mike Pearson dans les couloirs du Parlement. Il m'invite à l'accompagner à son bureau: «Tu es sans doute fâché que j'aie nommé Côté ministre à ta place...
— Je ne peux pas me fâcher contre vous, monsieur Pearson, lui répondis-je, cachant mon désappointement, parce que je ne suis pas en mesure de mettre en doute votre jugement.» Il faut bien dire que Mike Pearson pouvait désarmer n'importe qui avec une tape amicale dans le dos et un sourire chaleureux.

Il me dit encore: «Un jour, Jean, tu comprendras. Je vais te nommer secrétaire parlementaire de Mitchell Sharp aux Finances; là, tu vas acquérir un bagage en économie et en finances publiques et éventuellement, je l'espère, tu seras le premier Canadien français à devenir ministre des Finances du Canada. Si je t'avais nommé au Cabinet aujourd'hui, t'accordant un portefeuille traditionnellement réservé à un jeune Canadien français, comme le ministère des Postes, ça ne t'aurait probablement pas été très utile pour l'avenir.»

Bien entendu, je ne saurai jamais s'il disait tout cela par pure gentillesse ou s'il le pensait vraiment, mais il y avait sans doute une autre raison à cette décision de Mike Pearson. En 1963, après ma première élection, il avait fait distribuer un questionnaire à tous les députés libéraux pour leur demander de quels comités parlementaires ils désiraient être membres. J'en avais discuté avec mon ami Jean-Paul Gignac et je lui avais mentionné mon intérêt pour le Comité des finances; ayant combattu les créditistes, je m'étais naturellement intéressé aux politiques monétaires pour mieux comprendre et combattre la théorie de la «machine à piastres» de Réal Caouette.

«C'est une excellente idée, me dit Gignac. Tu es jeune, tu en as beaucoup à apprendre et il n'y a pas tellement de Canadiens français versés en finances.»

Je choisis donc le Comité des finances et aucun autre. Plus tard, Mike Pearson me dit qu'il avait été frappé de ce que j'avais été le seul député, anglophone ou francophone, à avoir fait un tel choix. Il m'avait donc nommé membre du Comité des finances et des banques de la Chambre et, en toute logique, secrétaire parlementaire de Mitchell Sharp. Cette double décision devait avoir des conséquences diverses: le jeune député de Saint-Maurice se permit de rêver qu'il pourrait être le premier Canadien français à devenir ministre des Finances du Canada. D'autre part, le nouveau député de Mont-Royal (Pierre Trudeau) le remplacerait comme secrétaire parlementaire du premier ministre, première étape d'une fulgurante carrière politique.

Mon association avec Mitchell Sharp, qui avait été haut fonctionnaire avant de devenir ministre, fut une expérience exceptionnelle et très enrichissante. Il devint mon mentor en politique; il m'enseigna à peu près tout sur le fonctionnement du gouvernement et, sans le savoir, il me donna l'équivalent d'un cours post-universitaire en économie. Dès mon arrivée à Ottawa, il m'avait impressionné mais j'étais plus près de Walter Gordon, alors ministre des Finances. Dans le parti, on le considérait comme un homme de gauche, alors qu'on classait Sharp à droite. C'était une période de grandes batailles idéologiques, l'époque du débat sur l'assurance-maladie, le libre-échange, etc. Bien souvent, Walter et les progressistes se retrouvaient d'un côté, Mitchell Sharp et les traditionnalistes de l'autre. Mes idées n'avaient pas tellement changé mais, dans ces débats, je me sentais obligé de défendre *mon* ministre; avec le temps, il devait avoir sur moi une profonde influence.

Comme le gouvernement libéral était minoritaire, les députés ne pouvaient pas s'éloigner de la Chambre au cas où ils seraient appelés à voter. C'est ainsi que, durant d'innombrables soirées, je

56

passais des heures dans le bureau de Mitchell Sharp. Ma famille demeurait à Shawinigan, ce qui me permettait de me retrouver souvent dans ce bureau... Je faisais partie de l'ameublement! Même quand Mitchell Sharp recevait des visiteurs officiels, j'étais présent, j'écoutais les discussions. Le visiteur parti, je demandais à mon ministre de m'expliquer pourquoi il avait dit ceci ou cela et il me répondait toujours avec une infinie patience. Nous parlions des mécanismes du gouvernement, des pouvoirs de la bureaucratie, du système monétaire international, nous discutions de tout! Grâce à lui, je connus de grands mandarins tels que Bob Bryce, Louis Rasminsky, Simon Reisman, Edgar Gallant. Des esprits brillants, des hommes intègres, expérimentés, qui fuyaient les intrigues et les cocktails pour se consacrer totalement au service de l'État. Je me sentais à l'aise parmi eux; ils étaient disponibles, patients, compréhensifs. J'avais l'impression d'être dans une super-université...

Le jour même où je devins son secrétaire parlementaire, Mitchell Sharp m'invita à une réunion où il y avait le gouverneur de la Banque du Canada, le gouverneur adjoint, le sous-ministre des Finances et quelques autres. Pendant une heure et demie, ils discutèrent d'émission d'obligations, de taux d'échange, de balance de paiements: j'écoutais, attentif et respectueux. Pour moi, les finances relevaient du domaine du mystère. Après la réunion, Mitchell Sharp s'approcha de moi et me dit: «Jean, ce que tu as entendu aujourd'hui est ultra-secret; tu ne dois pas en dire un mot à qui que ce soit.

— T'en fais pas, Mitchell, je n'ai pas compris un traître mot!»

C'est grâce aux enseignements de Mitchell Sharp que, plus tard, je pus écrire deux importants discours sur les conséquences économiques de la séparation du Québec.

Je me doutais bien que ces discours provoqueraient une réaction violente au Québec, qu'on m'accuserait d'être le porte-parole du Canada anglais. C'est pourquoi je me fis un point d'honneur de choisir quatre conseillers canadiens-français, tous fonctionnaires du ministre des Finances: Edgar Gallant, Gérard Veilleux, Michel Vennat et Jacques Malouin. Je voulais être en mesure d'affirmer que mes arguments étaient basés sur le travail de cinq Canadiens français et de personne d'autre.

Comme il fallait s'y attendre, René Lévesque, encore ministre dans le cabinet de Jean Lesage, m'accusa d'être la voix des mandarins d'Ottawa. En 1966, il se disait toujours libéral, mais il caressait déjà l'idée nébuleuse de la Souveraineté-Association; il en avait discuté avec le député libéral Robert Bourassa qui, en 1970, deviendrait premier ministre du Québec. Bourassa avait alors dit à Lévesque: «C'est un travail sérieux que Chrétien est en train de faire.» Quoi qu'il en soit, mes discours attirèrent l'attention parce qu'ils faisaient échec au séparatisme avec des arguments économiques.

Le premier ministre Pearson était assez content de mes efforts et, semble-t-il, il songeait encore à me nommer au Cabinet. Un matin d'avril 1967, il me convoquait à son bureau en même temps que Pierre Trudeau. Comme il fut appelé le premier par Mike Pearson, je me dis qu'il obtiendrait le ministère le plus important. En effet, il fut nommé ministre de la Justice et moi ministre sans portefeuille, avec responsabilité aux Finances. J'étais content. Pierre Trudeau et moi prêtâmes serment le 4 avril, en même temps que John Turner, promu de ministre sans portefeuille à registraire général.

Dans la vieille garde du caucus québécois, on grognait un peu au sujet des deux députés «nouvelle garde» qui entraient au Cabinet; je trouvais cela passablement ironique quand je me rappelais mon premier conflit politique avec Pierre Trudeau, juste après l'élection de 1965. De façon aussi injuste qu'arbitraire, la presse avait créé une distinction entre les députés libéraux du Québec de la *vieille* et de la *nouvelle* garde, c'est-à-dire les députés élus avant ou après 1963. Quand vint l'élection du président du caucus québécois, deux groupes se formèrent naturellement derrière leur candidat respectif. Un de mes amis, le député Gérald Laniel, décida de se présenter pour la «nouvelle garde» et j'acceptai de l'appuyer. De fait, je l'avais proposé. Aussi incroyable que cela puisse paraître, il perdit par *une* voix... et Pierre Trudeau n'avait pas voté! En cas d'égalité des voix, le président sortant aurait eu droit de vote et on savait qu'il était d'accord avec nous; en d'autres termes, Pierre Trudeau nous avait fait perdre l'élection. J'avais commencé à lui dire ma façon de penser, lorsqu'il m'interrompit: «Mais, Jean, je ne connais pas ces gars-là, ils n'ont fait aucun discours, comment voulais-tu que je sache pour qui voter?

— Mais tu avais une bonne indication quand tu m'as vu proposer Laniel. Ça voulait dire qu'il était le gars de la nouvelle garde.

— Je regrette, mais pour moi, il n'y a pas de vieille garde ou de nouvelle garde. Je ne connais aucun de ces candidats, alors je n'ai voté pour personne.

— Mais, est-ce que ça ne t'a pas impressionné que je propose Laniel?

— Ça ne m'a pas impressionné du tout.

— Sapristi, Pierre, tu as encore beaucoup à apprendre en politique!»

J'étais déçu et toute la nouvelle garde pestait contre cette espèce de... *beatnik*! Le pire, hélas! c'est que, en toute logique, il avait raison.

Six ou huit mois plus tard, Pierre Trudeau et moi faisions partie de la délégation fédérale à une rencontre privée des ministres des Finances du gouvernement fédéral et des dix provinces. Tous les deux, nous étions émerveillés de la compétence de Mitchell Sharp: il connaissait ses dossiers, il était calme, il identifiait bien les problèmes et prévoyait les difficultés à venir. Tout à coup, Pierre Trudeau me dit: «Cet homme nous ferait un bon premier ministre si seulement il pouvait parler français.»

À l'issue de cette réunion, Mitchell Sharp tint une conférence de presse et Trudeau me dit encore: «Ce serait une bonne idée si nous appuyions Mitchell et... si nous étions photographiés avec lui pour les journaux; non seulement ça nous aiderait politiquement dans nos comtés, mais ça démontrerait que les députés du Québec ont eu une part active à cette réunion.

— Tu apprends vite, Trudeau!»

Au moment de mon accession au Cabinet, grâce à toutes mes conversations avec Mitchell Sharp, je savais à peu près à quoi m'attendre. Les députés ne sont pas très heureux de ce que toutes les décisions soient prises par le Cabinet, mais les ministres ressentent les mêmes frustrations quand ils se rendent compte que le pouvoir réel est entre les mains du premier ministre. Au Cabinet, il n'y a jamais de vote sauf sur des questions très secondaires comme celle de savoir si l'on doit permettre aux ministres de fumer ou non pendant les réunions. Il y a des discussions, mais théoriquement, le premier ministre prend toutes les décisions. Bien sûr, si ses décisions vont toujours à l'encontre du consensus de son Cabinet, ses ministres démissionneront l'un après l'autre et il ne pourra pas survivre longtemps. Contrairement à la légende, Mike Pearson dirigeait beaucoup moins par accord que Pierre Trudeau. Il avait ses idées, ses vues et, la plupart du temps, il faisait exactement ce qu'il voulait. En conséquence, les orages ne manquaient pas au Cabinet et il arrivait que les ministres frappent sur la table à coups de poing et s'invectivent les uns les autres. Et finalement, Mike Pearson lançait ces mots dans la mêlée: «C'est l'heure d'aller dîner, je vais m'occuper de la question.» Et tout le monde ne se rendait pas compte que le premier ministre finissait toujours par agir à sa guise.

L'administration de Pearson pouvait paraître chaotique ou désordonnée, mais ce n'était pas un signe de faiblesse. Il se montrait très, très ferme avec ses ministres et il savait ce qu'il voulait. Nous traversions une époque tourmentée et les questions débattues soulevaient beaucoup d'émotion et de controverses, comme celles du drapeau et du bilinguisme. Il y avait aussi toutes les difficultés inhérentes à un gouvernement minoritaire, aggravées par la présence d'un chef de l'opposition absolument imprévisible. Diefenbaker disait n'importe quoi sur n'importe quel sujet si cela pouvait servir ses visées politiques. Il donnait l'impression que Dieu l'avait choisi pour être premier ministre et que Pearson avait contrarié son destin. Il paraissait toujours enragé, peut-être parce que plusieurs membres de son parti essayaient de le poignarder dans le dos; sans doute pour se défouler, il exploitait les malheurs de quelques ministres en exagérant de façon abusive de prétendus scandales. Il réussit tout de même à nuire au cabinet Pearson. De toute évidence, les ministres n'étaient pas tous des champions, mais le recul du temps nous a déjà permis de confirmer la valeur d'hommes tels que Mitchell Sharp, Walter Gordon,

Allan MacEachen, Paul Martin, Lionel Chevrier, Guy Favreau et bien d'autres qui avaient des idées modernes et dynamiques. Les fuites aidant, la presse s'en donnait à coeur joie. Les batailles rangées entre les fonctionnaires et les membres du Cabinet sont choses plus communes aux États-Unis qu'au Canada, les Américains n'étant pas liés par la solidarité ministérielle. Durant ses séjours à Washington lorsqu'il y était ambassadeur du Canada, Mike Pearson avait sans doute appris à devenir plus tolérant. Quoi qu'il en soit, dans les moments difficiles, les ministres se ralliaient habituellement au premier ministre; en dépit de sa fermeté, il savait agir en douceur et son expérience diplomatique lui permettait de s'en tirer avec élégance, même dans les moments de crise. Sa jovialité et sa gaucherie lui attiraient la sympathie de tous et on lui accordait volontiers l'amitié chaleureuse qui fut plus tard refusée à Pierre Trudeau. On respectait l'intelligence et la force de caractère de Trudeau alors qu'on admirait la personnalité de Pearson: pour la plupart d'entre nous c'était un grand homme.

Dès mon premier discours comme ministre, je réussis à me mettre dans l'embarras. Je devais parler devant l'Association des Allemands du Canada à Toronto sur le sujet suivant: «Est-ce que le Québec doit avoir un statut particulier comme province?» Un sujet particulièrement délicat et extrêmement important à l'époque. Comme je devais parler en anglais, je demandai l'aide de mon assistant, John Rae, jeune homme brillant et parfaitement bilingue, le frère aîné de Bob Rae, aujourd'hui chef du NPD de l'Ontario.

Dans mon discours aux Allemands de Toronto, je disais, entre autres choses: «Ceux qui sont en faveur d'un statut particulier sont souvent des séparatistes qui ne veulent pas admettre qu'ils sont séparatistes.» Étant donné que, à l'époque, les relations fédérales-provinciales relevaient de la responsabilité du ministère de la Justice, j'avais montré mon brouillon à Pierre Trudeau qui m'avait dit: «Tu as tout à fait raison. Ça va faire mal et tu vas t'attirer des ennuis, mais tu as raison!»

Mon discours passa très bien en anglais, mais le texte de Rae avait été traduit en français et je ne l'avais pas suffisamment vérifié avant qu'il ne soit remis à la presse. Le traducteur avait laissé tomber le mot «souvent», si bien que ma déclaration dans le texte français se lisait comme suit: «Ceux qui sont en faveur d'un statut particulier sont des séparatistes qui ne veulent pas admettre qu'ils sont séparatistes».

Cette petite erreur souleva une incroyable tempête: un moment, je crus que c'était la fin de ma carrière politique. Au Québec, toute la presse hurlait, les intellectuels s'acharnaient contre moi, et même ma famille et mes amis pensaient que je m'étais mis un doigt dans l'oeil. C'était affreux!

Avec le recul, je garde de cet incident le souvenir de ce que Pierre Trudeau m'avait dit quand je lui avais montré mon texte: «Jean, nous autres, nous avons toujours su ce que nous voulions.»

J'ai présumé qu'il voulait dire «je» quand il disait «nous»: de quinze ans son cadet, j'étais étudiant quand il publiait ses idées politiques dans la revue *Cité Libre* qu'il avait fondée dans les années 50 avec Gérard Pelletier et quelques autres. «Nous avons toujours été fédéralistes, ajouta-t-il. Regarde ces intellectuels qui veulent un statut particulier pour le Québec. Ce sont les mêmes qui voulaient que le gouvernement fédéral s'empare du secteur de l'éducation parce que Duplessis ne faisait pas assez dans ce domaine. Nous nous sommes opposés à cette idée à l'époque, en disant qu'il fallait respecter la Constitution, que l'éducation était de juridiction provinciale et que si on croyait que Duplessis ne faisait pas un bon travail, on devait s'en débarrasser. Nous croyons toujours dans notre Constitution; si elle n'est pas adéquate, nous devons travailler à la changer mais, entre-temps, nous devons la respecter et demeurer logiques avec nous-mêmes. À long terme, on nous donnera raison parce que nous savions où nous allions.»

En automne 1967, il était de plus en plus question que Mike Pearson démissionne. Après une décennie de luttes, je pense qu'il était tout simplement fatigué. En novembre, j'appris de bonnes sources que le premier ministre annoncerait sa démission quelques semaines plus tard. Je me souviens d'en avoir parlé avec Donald Macdonald, un ami qui serait plus tard ministre des Finances dans le gouvernement Trudeau. Il n'était pas très heureux d'être toujours secrétaire parlementaire après plus de quatre ans à la

Chambre des communes et il songeait sérieusement à retourner à la pratique du droit à Toronto après la prochaine élection. «Ne parle de cela à personne, lui conseillai-je. Quelque chose de très important doit se produire dans les prochaines semaines et ça pourrait te faire changer d'idée.» Comme prévu, Pearson annonça sa décision en décembre et Macdonald décida de rester en politique.

Avant son départ, en janvier 1968, Pearson m'avait nommé ministre du Revenu national. Ce n'était pas un ministère à controverses et, fort heureusement, j'avais deux bons sous-ministres, un pour les douanes et accises et un pour les impôts. N'ayant été titulaire de ce ministère que quelques mois, je n'y ai pas laissé beaucoup de traces... sauf ma photographie qui doit être suspendue quelque part! Tous les ministres, avouons-le, s'intéressaient d'une manière ou d'une autre à la campagne à la direction du Parti. À l'automne 1967, se tenait un congrès du Parti libéral en Alberta et un grand nombre de ministres, tels que Paul Martin, Robert Winters, Paul Hellyer, John Turner, Allan MacEachen, Joe Greene et Mitchell Sharp, s'étaient engagés à prendre la parole pour lancer leur propre campagne. Mike Pearson se fâcha et leur donna l'ordre de rester à Ottawa. «Chrétien représentera le Parti!» leur dit-il. Un des mandats les plus difficiles de ma vie. Les Albertains étaient déçus d'apprendre que les *gros* ministres ne pouvaient pas venir et furieux contre Mike Pearson qui leur envoyait un petit gars de Shawinigan parlant à peine anglais.

Mais je survécus. En fait, je commençais à être un peu connu dans l'Ouest. À l'occasion des fêtes du Centenaire du Canada, j'avais parcouru le pays en train, dans le wagon du gouvernement, avec ma femme et ma fille France. Ce fut un des plus beaux voyages de ma vie. Pendant dix jours, nous allions de ville en ville, je faisais des discours à des cérémonies officielles au Manitoba, en Saskatchewan, en Alberta, je visitai Vancouver et, partout, je rencontrais des libéraux qui devinrent des amis et même des partisans.

Dès le congrès à la direction annoncé, je donnai mon appui à Mitchell Sharp. Il m'avait demandé s'il devait se présenter et, naturellement, je l'avais encouragé. Mitchell Sharp était mon mentor, il allait de soi que je lui sois loyal jusqu'au bout. Souvent, je me suis fait taquiner par mes collègues de l'aile gauche du Parti qui, bien à tort, classaient Sharp parmi les libéraux de droite. C'est un des avantages d'être libéral: on peut prendre ses décisions en soupesant les faits et les circonstances sans se préoccuper de ceux qui jouent aux doctrinaires. Par contre, si on est socialiste, on doit adopter des positions et prendre des décisions conformes à la doctrine socialiste, même si cette doctrine n'offre pas de solutions valables à un problème particulier. De même, si on est conservateur, il faut adapter ses orientations politiques à la doctrine conservatrice. Dans un cas comme dans l'autre, on devient prisonnier de sa propre idéologie plutôt que d'être guidé par l'examen objectif des différentes données du problème.

À un moindre degré, la même chose se passe à l'intérieur du Parti libéral, lorsque certains ministres deviennent obsédés par le concept de la gauche ou de la droite. S'ils se considèrent comme faisant partie de la gauche, ils se croient obligés de prêcher cet évangile à tout moment; s'ils sont classés à droite, leur devoir sacré est de défendre la droite. Dieu merci, je n'ai jamais appartenu à aucun clan dans le Parti ou dans le Cabinet, et je me suis toujours senti libre d'appuyer le point de vue qui me paraissait le meilleur. Je considère le problème à l'étude sans idées préconçues, j'écoute les arguments des uns et des autres et je forme mon propre jugement.

J'ai appuyé Mitchell Sharp non seulement parce que c'était un ami mais parce que je pensais qu'il était le meilleur homme. Je n'ai pas changé d'avis lorsque les députés du Québec m'ont dit que je devais appuyer l'un des nôtres, ou lorsque l'aile gauche m'accusa de désertion.

Des rumeurs voulaient que Jean Marchand se présente, mais je savais qu'il hésitait parce qu'il ne possédait pas parfaitement l'anglais. Puis, aux environs de Noël, l'idée que Pierre Trudeau serait un bon candidat commença à faire son chemin. Ce n'était pas un homme ordinaire; malgré lui, il s'était mis en vedette comme ministre de la Justice à la Conférence constitutionnelle de février 1968 à l'issue de laquelle il sortait vainqueur d'un duel avec Daniel Johnson, alors premier ministre du Québec. C'est devenu une tradition pour les premiers ministres du Québec d'affecter un certain mépris pour les ministres fédéraux de leur province et Johnson ne fit pas exception à la règle; il voulut humilier Pierre Trudeau, par exemple en l'appelant le député de «Mount Royal», un coup bas qui laissait entendre aux Québécois que Trudeau avait été élu par les anglophones. Ce jour-là, Pierre Trudeau avait gagné le débat et du même coup était devenu une étoile.

Quelques jours plus tard, je travaillais pour Mitchell Sharp à l'occasion d'un congrès libéral à Montréal. Jean Marchand réussit à faire parler Pierre Trudeau qui n'était pas encore candidat: il fit un discours sensationnel sur le statut particulier du Québec dans la Confédération. Bien des libéraux québécois pensaient que le statut particulier était le compromis idéal pour faire échec au mouvement indépendantiste, mais Pierre Trudeau leur assena les mêmes arguments qu'il m'avait déjà servis: «Nous ne sommes ni meilleurs ni pires que les autres, disait-il, nous sommes égaux.» Il était très fort et il créa une impression du tonnerre: il nous étonna tous par ses talents d'orateur et, pour une des premières fois, je voyais un politicien *parler* aux gens plutôt que de les invectiver.

Organisateur hors pair, Jean Marchand essayait de rallier tous les délégués à Pierre Trudeau. «Il faut voter pour notre homme, me dit-il, on ne peut pas diviser la famille.
— Mon vieux, je suis désolé, lui dis-je. J'appuie Mitchell Sharp et c'est comme ça.» Marchand n'était pas content, mais il ne m'en tint pas rigueur par la suite.

Pierre Trudeau devint candidat officiel et au bout de quelques semaines, la trudeaumanie balaya le pays. À une assemblée du Parti à Toronto, il entra dans une salle pleine de délégués: tout le monde montait sur des chaises pour apercevoir le phénomène. Une sorte d'hystérie collective régnait dans l'hôtel; même ceux qui appuyaient Mitchell Sharp accouraient pour voir Pierre Trudeau. Il est probable que les jeux étaient déjà faits. La crise parlementaire qui ébranla la candidature de Mitchell Sharp et faillit faire tomber le gouvernement libéral en pleine campagne à la direction ne changea rien. Voici ce qui arriva: un soir de février à la Chambre des communes, Mitchell Sharp demanda le vote en troisième lecture sur un projet de loi en matière d'impôt. Le whip du parti lui avait dit pouvoir compter sur suffisamment de députés libéraux pour que le projet de loi soit adopté. Mais quelques députés conservateurs, de retour du cinéma, décidèrent de venir voir ce qui se passait à la Chambre. Et les libéraux furent défaits! Mais tout à coup, Réal Caouette se leva et dit: «J'ai défait le projet de loi, mais je n'ai pas défait le gouvernement», déclaration sans précédent dans l'histoire parlementaire parce que, traditionnellement, lorsqu'un gouvernement est défait sur un projet de loi en matière financière, il doit démissionner. Immédiatement, Allan MacEachen se leva et, dans une merveilleuse démonstration de génie parlementaire, reprit les choses en mains en enlevant l'initiative aux conservateurs et réussit à proposer l'ajournement. Cette proposition historique fut adoptée à la majorité, en partie parce que le nouveau chef conservateur, Robert Standfield, qui avait remplacé Diefenbaker en 1967, n'avait pas l'expérience de la Chambre des communes de son prédécesseur. Il doit encore avoir des cauchemars au sujet de cet ajournement qui permit à Mike Pearson de revenir de la Jamaïque, où il était en vacances, et de trouver un moyen diplomatique de sauver le gouvernement par la peau du cou.

Étant donné qu'il s'agissait de son projet de loi, Mitchell Sharp se sentit responsable de ce qui était arrivé. Un soir, il réunit ses partisans dans son bureau et leur déclara qu'il avait l'intention de retirer sa candidature à la direction du Parti. Ayant été retenu à la Chambre des communes, j'arrivai en retard à la réunion où je trouvai une douzaine de visages consternés. «Ne te retire pas, Mitchell, lui dis-je. Si tu le fais maintenant, tu es fini. Tu peux peut-être rester ministre des Finances jusqu'au départ de Pearson, mais ta carrière sera terminée. Demeure candidat et tu pourras rester à Ottawa en invoquant les problèmes de l'heure et en disant que ton premier devoir est de servir ton pays; entretemps, nous continuerons la campagne en ton nom.»

C'est ce qu'il fit et je partis en campagne.

À Edmonton, quelqu'un me demanda ce que je pensais de Robert Winters, l'élégant et souriant candidat de Bay Street qui, après avoir été ministre des Travaux publics sous Saint-Laurent, était retourné dans le secteur privé à Toronto en 1958. Mike Pearson l'avait ramené en politique en 1965 pour rehausser la réputation du Parti libéral auprès des hommes d'affaires. Un de ces hommes qui semblent parfaits pour le secteur privé quand ils sont dans le secteur public, et parfaits pour le secteur public quand ils sont dans le secteur privé: de retour au gouvernement, il paraissait complètement déphasé. Je lui en voulais un peu parce qu'il avait assuré Mitchel Sharp de son appui et nié toute intention de poser sa candidature. En changeant d'idée, il affaiblissait la position de Sharp et toute sa stratégie. Je fis alors une boutade un peu méchante: «Winters, c'est une Cadillac avec un moteur de Volkswagen.» Il ne méritait pas cela, mais je voulais faire rire. Ma remarque fut répétée et je présume que, s'il était devenu premier ministre comme il fut à un cheveu d'y parvenir, j'aurais dû faire mes valises et retourner chez moi.

Bien sûr, le gros de mon travail pour Mitchell Sharp se fit au Québec, où je réussis à lui rallier environ soixante-dix délégués. Tant bien que mal, je parvins à convaincre de vieux amis et des délégués de mon comté, mais ils n'étaient pas très heureux et avaient beaucoup d'explications à donner aux autres délégués du Québec, partisans de Pierre Trudeau.

En homme extrêmement méticuleux, une semaine avant le congrès, Mitchell Sharp retint les services d'une société de sondages publics pour vérifier le nombre de délégués sur lequel il pouvait compter. Bien souvent, des délégués s'engagent envers deux ou même trois candidats ou disent oui à tout le monde. Je n'ai jamais vu les résultats de cette enquête, mais il me confia qu'à sa grande surprise la liste du Québec était la plus solide. Cependant, il ne pouvait compter sur un nombre de délégués suffisant pour livrer une lutte sérieuse et il décida de se désister en faveur de Pierre Trudeau avec la grande majorité de ses partisans, y compris Bud Drury, Jean-Luc Pepin et moi-même.

Mitchell Sharp me demanda d'appeler Pierre Trudeau, de l'informer de sa décision et d'organiser une rencontre avec lui. Je finis par le rejoindre chez sa mère à Montréal, où il était allé se reposer avant le congrès. Il vint à Ottawa et rencontra Mitchell Sharp. On me demanda ensuite d'intégrer l'organisation de Sharp à celle de Trudeau. En fin de compte, le ralliement de mon candidat fut un important facteur dans la victoire de Pierre Trudeau, menacé par la vigoureuse campagne de Robert Winters.

Tout le monde connaît la suite: Pierre Trudeau l'emporta le 6 avril 1968 et déclencha une élection générale. Le 25 juin 1968, les libéraux étaient réélus et formaient un gouvernement majoritaire. Pierre Trudeau avait électrisé la nation et passionné la presse avec son style nouveau et son esprit brillant. Au lendemain du congrès qui l'avait choisi comme chef, il m'avait été donné de sentir cet état d'âme général lors d'une rencontre avec André Laurendeau, le respecté journaliste, coprésident de la Commission royale sur le bilinguisme et le biculturalisme. La rencontre fortuite eut lieu dans un avion, peu de temps avant sa mort.

«C'est incroyable! me dit Laurendeau. Je n'ai jamais pensé qu'un type comme Trudeau, un intellectuel, un écrivain, un original, un homme si éloigné de la scène politique, puisse un jour devenir premier ministre du Canada. Après le congrès, je me suis réveillé au milieu de la nuit et je me suis demandé si je ne rêvais pas.»

Une nouvelle ère s'ouvrait dans l'histoire du Canada.

Chapitre III

Les affaires de la politique

Au cours de la campagne électorale de 1968, je me trouvais en Colombie britannique lorsque quelqu'un me demanda à brûle-pourpoint: «Monsieur Chrétien, quelle sera la politique du gouvernement Trudeau à l'égard des Indiens du Canada?»

Encore à ce moment ministre du Revenu national, je fus pris par surprise. «Voulez-vous une réponse franche? Je n'en ai pas la moindre idée!» Tout le monde éclata de rire. Trois semaines plus tard, Pierre Trudeau me nommait ministre des Affaires indiennes et du Grand Nord...

Après ce que je venais de déclarer à Vancouver, j'hésitais à accepter, mais Pierre Trudeau me fit envisager la situation sous un autre angle: «Au moins, personne ne pourra dire que tu as des idées préconçues sur le sujet! me dit-il. En réalité, bien des choses jouent en ta faveur: tu fais partie d'un groupe minoritaire, tu ne parles pas très bien anglais et tu as connu la pauvreté dans ta jeunesse. Tu pourrais très bien devenir un ministre qui comprend les Indiens.» L'enthousiasme de mes jeunes assistants, John Rae et Jean Fournier, qui tous deux adoraient le Grand Nord où ils avaient travaillé pendant leurs vacances, était contagieux et j'acceptai de diriger ce ministère.

Les sept ministres qui m'avaient précédé aux Affaires indiennes y étaient demeurés moins d'un an chacun! Pour ma part, j'y suis demeuré six ans, un mois, trois jours et deux heures... et j'en ai savouré chaque minute! Je n'oublierai jamais la beauté insolite des paysages du Grand Nord, les petits villages perdus, les horizons infinis, et surtout la solitude, le silence, la grande gentillesse de la population. Quinze ans plus tard, je conserve toujours vivace le souvenir d'une visite avec ma femme, deux de mes enfants et une de mes soeurs à Coppermine, dans les territoires du Nord-Ouest. C'était au début de 1970, l'année du centenaire du Grand Nord, par une belle journée froide mais éclatante de soleil; une cérémonie avait été organisée pour nous au centre communautaire de l'Église anglicane; les hommes riaient, les femmes allaitaient leur bébé, des voeux et des cadeaux s'échangeaient chaleureusement. On n'avait encore jamais vu de ministre à Coppermine. À la fin des cérémonies, les Inuit voulurent donc faire quelque chose de spécial en notre honneur: ils chantèrent tous les couplets de *Dieu protège la reine* en langue esquimaude, comme ils le faisaient à l'église, en terminant avec un sonore «amen». Les Canadiens français se sentent souvent mal à l'aise avec la monarchie qui représente pour plusieurs d'entre eux la puissance dominatrice. Mais, ce jour-là, je compris que, tout simplement, ces gens chantaient un hymne au chef de leur Église. Et ils chantèrent avec tellement de respect et de recueillement que nous en étions profondément émus.

Le travail du ministère des Affaires indiennes et du Nord canadien était passionnant et, vu l'étendue du territoire placé sous sa juridiction et les innombrables pouvoirs du ministre, il m'arrivait de dire à la blague que j'étais le dernier empereur à régner encore en Amérique. Cette époque fut probablement la plus productive de toute ma carrière si j'en juge par le nombre d'initiatives et de décisions qui ont été prises. On aurait dit qu'un enthousiasme contagieux s'était emparé du ministère, peut-être parce que tout le monde savait que le premier ministre portait un intérêt personnel aux aborigènes et au Grand Nord. Dans une large mesure, j'avais discuté avec lui de la politique que je mis en avant ainsi que des réalisations qui s'ensuivirent. D'ailleurs, en 1969, Pierre Trudeau avait été au centre des débats soulevés par mon Livre blanc sur les Affaires indiennes.

Tous les deux, nous étions agacés par les accusations selon lesquelles les Indiens étaient victimes de discrimination injuste parce qu'ils vivaient dans des réserves et qu'ils relevaient de l'autorité de la Loi sur les Indiens. Ils se prétendaient eux-mêmes citoyens de deuxième classe et, de l'extérieur, les réserves avaient l'allure de ghettos. Je proposai donc de dissoudre le ministère, de remettre aux Indiens leur territoire pour qu'ils en disposent à leur gré, bref d'en faire des citoyens à part entière comme tous les autres Canadiens. Au lieu de me remercier, ils protestèrent avec véhémence: «Si vous faites cela, me dirent-ils, vous allez nous assimiler et nous disparaîtrons comme nation.» Ils se mirent à parler de génocide culturel pour finalement admettre qu'ils souhaitaient un certain traitement particulier. Dès lors, personne ne pouvait s'indigner de l'existence de réserves ou de lois spéciales pour les Indiens puisqu'ils insistaient pour les conserver.

Un sujet très controversé à l'époque. Tout ce qui touchait les Indiens faisait habituellement la manchette des grands journaux, peut-être parce qu'il régnait dans la société canadienne un profond sentiment de culpabilité à leur sujet. Certaines personnes m'accusaient de me créer moi-même des problèmes en consultant systématiquement les Indiens, en les aidant financièrement à se regrouper en association, c'est-à-dire en leur donnant les moyens de négocier efficacement avec le gouvernement. En somme, je finançais ma propre opposition. Mais je croyais essentiel que les aborigènes aient la chance de faire valoir leur point de vue, même si cela me plaçait souvent dans une situation difficile. Au cours des rencontres que j'avais avec eux, ils ne rataient pas l'occasion de s'en prendre à moi: «Homme blanc, tu parles avec langue fourchue, tu nous trompes, tu nous donnes mauvaises terres, tu brises les traités», me disaient-ils jour après jour et, jour après jour, la presse montait mes déboires en épingle. Finalement, j'avais toujours l'air un peu ridicule et ma réputation commençait à en souffrir. Je décidai donc de reprendre l'initiative et, par la suite, je demandai à parler le premier à ces réunions, après quoi j'invitais les Indiens à vider leur sac: «Allez-y, ne vous gênez pas, leur disais-je. Dites-moi que l'homme blanc parle avec une langue fourchue ou une bouche perfide, qu'il a volé vos terres, qu'il n'a pas respecté les traités. Allez-y, dites le fond de votre pensée!» De cette façon, je réussis à neutraliser la presse tout en fournissant aux Indiens une soupape à leur colère et à leurs frustrations. Tout le monde était content et l'on passait à des sujets plus concrets.

Un jour, un vieux chef du nord de la Saskatchewan me dit: «Monsieur Chrétien, autrefois je pagayais cent milles en canot pour voir le ministre des Affaires indiennes... et il ne faisait que nous envoyer la main d'un train en marche. Maintenant, je suis assis avec vous, je vous parle, et vous m'écoutez pendant des heures, jusque tard dans la nuit.» C'était le début d'un dialogue nécessaire.

Plus d'une décennie plus tard, j'eus la grande satisfaction de faire enchâsser les droits des Indiens dans la Constitution du Canada.

En plus de subventionner sa propre opposition, mon ministère mit des fonds à la disposition des Inuit et des Indiens Cris du Nord du Québec pour leur permettre de défendre leurs droits lors de l'érection des barrages hydro-électriques de la baie James. Et cela jusqu'à ce qu'ils obtiennent, en compensation de leur migration forcée et de la perte de leur territoire, les dédommagements et les indemnités auxquels ils avaient droit. Je prenais un énorme risque politique puisque j'affrontais Robert Bourassa, le premier ministre libéral du Québec, qui avait fait accepter le projet comme étant une clé du développement économique de la province. D'autre part, je faisais face aux puissants syndicats qui risquaient de perdre des centaines d'emplois à cause de «quelques sauvages», selon leur expression. Toute l'affaire se retrouva bientôt devant les tribunaux. L'avocat des autochtones, Jimmy O'Reilly, réussit à obtenir une injonction et à arrêter le projet. Voilà qui devait aider à convaincre Robert Bourassa d'accepter un compromis. Je dis aux chefs indiens: «N'exigez pas l'application immédiate de l'injonction et laissez commencer les travaux pendant que vous négociez. La menace d'interrompre les travaux à votre guise sera une épée de Damoclès au-dessus de la tête du premier ministre Bourassa.» N'étant pas convaincu que l'injonction serait maintenue en cas d'appel, je pensais que O'Reilly devait faire le mort pendant qu'il avait l'avantage.

O'Reilly est un bon avocat qui a fait un excellent travail pour les aborigènes mais, dans cette affaire, je crois qu'il se laissa emporter par son succès au point d'écarter l'hypothèse de perdre en appel. Nous avons eu des discussions interminables sur le sujet mais il garda la confiance des chefs indiens qui, en Cour d'appel, perdirent à la fois leur procès et leur arme de négociation. Entre-temps, on avait commencé à négocier avec Robert Bourassa qui, sur ma recommandation, avait nommé John Ciaccia comme né-gociateur. Député à l'Assemblée législative du Québec, Ciaccia avait déjà exercé les fonctions de sous-ministre adjoint à mon ministère. Quand il vint me rencontrer, j'ouvris le tiroir de mon bureau et en sortis un mémoire sur les conditions d'une entente juste et honnête avec les Indiens, mémoire qu'il avait rédigé quand il était au ministère. C'est sur la base de ce document qu'on aboutit à un règlement entre les Cris, les Inuit et le gouvernement du Québec. Sans être parfait, c'était au moins le premier grand rè-glement conclu avec un gouvernement provincial. Le premier document moderne depuis les traités ancestraux.

Quelque temps plus tard, grâce à un grand projet de dévelop-pement, j'essayai de provoquer la négociation d'un accord avec les aborigènes de la vallée du Mackenzie. Il s'agissait d'un gigan-tesque projet de gazoduc pour transporter le gaz naturel améri-cain de Prudhoe Bay en Alaska jusqu'aux États-Unis. Les autoch-tones avaient des droits litigieux sur tout le territoire. Dans le cas du projet de la baie James, je devais négocier avec le gouverne-ment du Québec. Mais cette fois, j'étais en quelque sorte en con-flit d'intérêt avec moi-même: en tant que ministre des Affaires in-diennes, je prenais fait et cause pour les Indiens, mais en tant que ministre du développement du Grand Nord, je devais favoriser le développement économique de la région. J'étais convaincu que le projet de gazoduc serait bénéfique à l'économie canadienne puis-qu'il était payé par les Américains et qu'il servirait éventuellement à transporter le gaz canadien du Grand Nord jusqu'aux marchés du Sud. Mais pour en arriver au meilleur règlement possible, je croyais qu'il fallait éveiller l'opinion publique, les mouvements en faveur de l'environnement et les autochtones eux-mêmes. En 1972, le gouvernement fédéral décida donc de créer une commission d'enquête pour étudier la question et, sur ma recommandation, nomma au poste de commissaire le juge Thomas Berger, un ancien chef du NPD de la Colombie britannique, qui avait agi comme avocat dans plusieurs causes de réclamations d'ordre territorial pour le compte des aborigènes.

Le juge Berger voyagea dans le Grand Nord, tint des audiences publiques en plusieurs endroits et fut gratifié d'une couverture de presse exceptionnelle. Je m'en réjouissais dans la mesure où les Indiens pouvaient parler, participer et faire valoir leurs droits, mais le juge interpréta leur opposition au gazoduc comme une opposition à tout développement. Je savais que bien des Indiens ne voulaient pas retourner à une vie primitive basée sur la chasse et la pêche et j'espérais que le juge Berger leur ferait valoir les aspects positifs du projet. Il aurait pu forcer les compagnies américaines à former et à embaucher des centaines d'Indiens pour l'exécution des travaux; il aurait pu aussi conseiller aux mêmes compagnies d'investir dans les petites entreprises locales, de leur acheter certains produits, même à prix majoré, ou encore de leur prêter le capital nécessaire pour construire des camps de chasse et pêche pour les directeurs des compagnies, leurs employés ou leurs clients, créant ainsi un climat de fierté parmi les peuplades environnantes. En fait, le mandat du juge Berger était de nous dire comment construire le gazoduc et maximiser les retombées en faveur des autochtones; au lieu de cela, il nous dit de ne pas le construire, sa principale recommandation étant de retarder le projet de dix ans.

J'étais déçu, mais la recommandation avait la faveur de l'opinion publique et le gouvernement dut s'incliner. Je persiste à croire que la plupart des gens furent induits en erreur par le rapport Berger: ils avaient l'impression que le délai réclamé bloquerait les initiatives du gouvernement fédéral et des Américains. En réalité, on enlevait aux Indiens un important moyen de négociation. Aussitôt interrompue la construction du gazoduc, il n'y eut plus aucune pression pour régler leur réclamation.

*　　*　　*

Dans le processus politique, l'opinion publique et la participation jouent un rôle majeur. Mais on ne peut pas gouverner par sondages. Pour sa part, Pierre Trudeau ne s'en souciait guère: quand il croyait avoir raison, il n'était pas le genre de personne à changer d'idée sur des questions importantes, peu importe les sondages. D'un autre côté, s'il était hésitant sur un sujet, il pouvait à l'occasion analyser les sondages, toujours avec prudence. Non seulement un bon politicien doit pouvoir comprendre et analyser l'opinion publique, mais il doit posséder l'art de l'influencer, hélas! en utilisant souvent l'émotion plutôt que la raison. Lorsque, au cours de négociations importantes, je me heurtais à des difficultés majeures, j'essayais souvent de provoquer un débat public, dont les résultats pouvaient éclairer tout le monde. Un membre d'une association locale ou d'un groupe de pression qui croit fermement en une idée et nous la fait connaître peut exercer une influence considérable.

Par exemple, même si la politique du gouvernement ne peut pas toujours coïncider avec celle du Parti parce que le gouvernement doit tenir compte de l'ensemble des intérêts de la collectivité canadienne, les chefs de parti ne peuvent pas aller trop souvent à l'encontre de l'opinion de leurs militants sans risquer d'entraîner le mécontentement général. Il y a donc entre les ministres et les membres du Parti de nombreux échanges qui influencent considérablement les décisions gouvernementales même si ce n'est pas toujours apparent.

Lorsqu'une décision va à l'encontre de leur point de vue, les gens diront souvent qu'ils n'ont pas été assez consultés ou qu'ils ne l'ont pas été du tout. C'est un problème constant puisqu'il existe toujours divers points de vue sur tous les sujets. À la fin, quelqu'un doit décider, ce qui ne veut pas dire que la participation soit sans effet. À la fin du processus de consultation, celui qui détient le pouvoir se forme un jugement en tenant compte de l'origine des opinions soumises. Ainsi, lorsque les chefs syndicaux défendent tel ou tel point de vue, représentent-ils toujours l'ensemble du mouvement ouvrier canadien? Ils disent: «*Nous*, les travailleurs»... mais s'ils ont la confiance de leurs membres, comment se fait-il que les travailleurs n'appuient pas globalement le NPD comme les y incite leur syndicat? L'homme politique doit donc analyser et soupeser tous les points de vue et finalement prendre les décisions. S'il prend les bonnes, il demeurera longtemps au pouvoir. Dans le cas contraire, il finira par être battu aux élections.

Mobiliser l'opinion publique peut nous jouer des tours, comme je l'ai appris à mes dépens avec la Commission Berger, mais cela peut aussi se révéler très efficace. Quand j'étais ministre des Affaires indiennes et du Nord canadien, j'ai contribué à créer dix parcs nationaux en quatre ans; au cours des quarante années précédentes, quatre seulement avaient vu le jour. Comment cela fut-il possible? En mobilisant l'opinion publique et en utilisant le pouvoir des groupes de pression. Au début des années 70 apparurent les premières associations pour la protection de l'environnement; elles allaient devenir de précieux alliés. Lorsque nous avons voulu créer le parc national Pacific Rim en Colombie britannique pour préserver des plages et une partie des forêts de l'île de Vancouver, nous nous sommes d'abord assurés de l'appui des gens de Victoria et des écologistes des universités de la province. Puis, je suis allé rencontrer le premier ministre W.A.C. Bennett. Même s'il n'était pas libéral et s'il menait le gouvernement de façon assez dictatoriale, j'ai toujours eu de la sympathie pour ce politicien populiste.

«Monsieur Bennett, lui avais-je dit, j'ai préparé deux discours pour ce soir. Si vous vous opposez au projet de création d'un parc national sur la côte Pacifique, je dirai que vous êtes un enfant de c... Si vous me donnez votre accord, je dirai que vous êtes un homme exceptionnel, extraordinaire, comme on en rencontre rarement en ce bas monde. Lequel des deux discours préférez-vous?»

Il éclata de rire et me répondit: «O.K., allons-y pour un parc national!» Ce soir-là, devant une assemblée monstre, je pus déclarer que je m'étais entendu avec Monsieur Bennett: le parc national serait créé.

Dans le Grand Nord, c'était plus simple: il me suffisait de mettre d'accord le ministre des Affaires indiennes et le ministre du Grand Nord... et j'étais l'un et l'autre! Je devais quand même me battre contre les grandes entreprises qui voulaient exploiter les ressources naturelles — minéraux, pétrole, hydro-électricité, — dans tout le territoire. Je n'ai jamais été un fanatique de l'écologie, mais j'aime la nature et le Canada possède des paysages d'une si grande beauté que je me fis un devoir d'en protéger un certain nombre pour le bénéfice des générations futures. Le jour où j'ai découvert la rivière Nashanni dans les Territoires du Nord-Ouest et la chaîne Kluane au Yukon, je me suis dit qu'il fallait à tout prix protéger ces merveilles naturelles et j'en fis deux parcs nationaux. Un jour, nous volions à basse altitude au-dessus de l'île de Baffin et de l'île de Broughton: des falaises rocheuses, des cimes enneigées, des fjords spectaculaires, bref un paysage tellement beau que j'en fus complètement bouleversé. Sous le coup de l'émotion, je dis à ma femme: «J'en ferai un parc national en ton honneur!» Quelques jours plus tard, un territoire de 5 100 kilomètres carrés au milieu de nulle part devenait un parc.

Une autre fois, je visitais le parc national de l'île du Cap-Breton avec Allan MacEachen, alors ministre de la Santé et du Bien-être social. Il me demanda tout à coup: «Pourquoi ne fais-tu pas un parc dans ton comté?»

À l'époque, il n'y avait aucun parc national au Québec et je savais que toutes les tentatives antérieures du gouvernement fédéral avaient échoué. Si j'essayais encore? La première fois que je parlai d'aménager un parc national dans la vallée du Saint-Maurice, un de mes fonctionnaires plutôt réticent me dit: «Il faut que l'endroit soit exceptionnel: on ne fait pas des parcs nationaux dans des marécages.»

Invité par moi à venir visiter les lieux, il m'envoya un de ses assistants. À pied, je le fis grimper jusqu'à un site naturel au faîte d'une montagne près de Shawinigan, d'où on voyait des lacs magnifiques et innombrables, des forêts vierges, les rochers millénaires des Laurentides. «Voilà mes marécages!» lui dis-je, triomphant.

L'idée d'aménager un parc national en Mauricie fut beaucoup plus difficile à faire accepter au gouvernement du Québec. Au sein du Cabinet de l'Union nationale, il y avait division. Gabriel Loubier, ministre du Tourisme, était en faveur du parc tandis que Marcel Masse, présentement ministre des Communications dans le gouvernement Mulroney, alors ministre provincial des Affaires intergouvernementales, s'opposait au projet pour des raisons d'ordre nationaliste. Loubier aimait bien taquiner Masse en ma présence. «Regarde-le, me disait-il. Marcel a le plus brillant avenir devant lui: il est jeune, intelligent, ambitieux, travailleur et il a belle apparence. Je t'assure, Jean, qu'avec un peu d'expérience... il pourrait devenir...» Ravi, Masse bombait le torse... «... devenir... mon successeur comme ministre du Tourisme!» Masse ne la trouva pas très drôle.

Les négociations traînèrent en longueur jusqu'à atteindre le point mort. Enfin, le gouvernement du Québec déclara officiellement qu'il n'y aurait pas de parcs nationaux fédéraux dans la province. Loubier était furieux. Nous nous étions rencontrés au Forum de Montréal à l'occasion d'une joute de hockey mettant aux prises une équipe de députés fédéraux et une équipe de députés provinciaux. «Nous avons perdu le parc à cause de Masse, me dit-il. Alors, sur la glace, ne le manque surtout pas!» Nous avons joué, en nous amusant beaucoup, devant 12 000 spectateurs. Ayant connu Masse au collège de Joliette, je savais qu'il n'était pas très bon joueur de hockey. Quand il finit par attraper la rondelle, je ne manquai pas ma chance: je lui rentrai dedans et le fis virevolter en l'air. Comme il retombait sur le derrière, le commentateur Jacques Normand lança au micro: «Sur le c..., le petit ministre!»

Je n'abandonnais pas mon idée de parc pour autant, décidé à convaincre nos politiciens provinciaux avec l'aide de tous les groupes de pression imaginables! De la Chambre de commerce aux syndicats ouvriers en passant par les clubs privés, les associations professionnelles, les comités de citoyens, etc. «Êtes-vous pour ou contre le parc national?» demandait-on aux hommes publics, maintenant sur la défensive. Au cours de l'élection provinciale de 1970, le sujet fut abondamment débattu: les libéraux de la région appuyaient le projet tandis que les péquistes s'opposaient à «toute intrusion fédérale». Les libéraux gagnèrent l'élection et, peu de temps après, Robert Bourassa donna son accord au projet.

Mes bonnes relations avec les groupes écologiques aidèrent même les initiatives d'ordre purement économique du ministre du développement du Nord canadien. Mon intérêt envers la protection de l'environnement et la création de parcs nationaux n'excluaient pas mon désir d'assurer le progrès économique du Nord. En autorisant l'exploration des réserves de pétrole dans la mer de Beaufort, il est sûr que je prenais certains risques sur le plan de l'écologie. Après mûre réflexion, il me parut essentiel de connaître les réserves de pétrole de la région et, pour cela, le seul moyen était d'autoriser le forage.

Après mon départ du ministère, un de mes successeurs, Judd Buchanan, essaya d'obtenir du Cabinet l'autorisation de forer par bateau et de prolonger de quelques semaines la période de forage autorisée dans la mer de Beaufort. Sans doute influencé par les écologistes, Pierre Trudeau n'était pas d'accord. À la demande de mon collègue, je plaidai sa cause devant le Cabinet, en expliquant que le forage par bateau était plus sûr que le forage à partir d'îlots artificiels ou sur des plates-formes de glace, procédés pour lesquels les compagnies de forage avaient déjà obtenu une autorisation.

«Mais, au départ, qui leur a donné l'autorisation de forer? demanda le premier ministre, étonné.
— C'est moi, lui dis-je.
— Mais que serait-il arrivé s'il y avait eu une explosion?
— Je pense, monsieur le premier ministre, que j'aurais sauté, moi aussi!»

En toute modestie, je crois pouvoir dire que ma sincérité ne fut jamais mise en doute quand j'appuyai un projet de développement économique: tout le reste de mon activité, dont la création de nombreux parcs nationaux, témoignait de mon vif intérêt pour l'environnement.

*   *   *

Pour mener à bien ses dossiers, un ministre doit pouvoir se retrouver dans les dédales de la bureaucratie et compter sur la coopération des hauts fonctionnaires. Comme je l'ai déjà expliqué, mon maître en la matière fut Mitchell Sharp, qui avait été fonctionnaire avant d'entrer en politique. À l'époque où j'étais son secrétaire parlementaire, je pus observer comment il s'y prenait pour éviter les conflits avec ses hauts fonctionnaires et les amener à accepter ses décisions. Je compris très tôt combien il était important de créer un climat de confiance entre le ministre et ses hauts fonctionnaires, ce qui d'ailleurs est dans l'intérêt de tous. Si le ministre mène à bien ses projets et gagne la confiance du Cabinet, son ministère devient un endroit de travail stimulant, la presse s'y intéresse et tout va pour le mieux dans le meilleur des mondes. Si le ministre est faible, sans autorité sur ses fonctionnaires, incapables de convaincre ses collègues du Cabinet, tout le ministère est démoralisé et les hauts fonctionnaires finissent naturellement par créer des ennuis à leur propre patron. C'est très simple: s'il est fort, ils sont forts; s'il est faible, ils l'abandonnent.

Un ministre doit donc gagner l'amitié de ses fonctionnaires et faire équipe avec eux. Si un ministre n'a pas confiance en ses fonctionnaires, il n'ira nulle part. Pour ma part, j'estime particulièrement les fonctionnaires intelligents, aux idées claires, capables de défendre leur point de vue avec fermeté. Un ministre ne peut pas tout connaître et il doit s'appuyer sur la compétence de ses hauts fonctionnaires. Il tiendra compte des conseils techniques et des opinions des bureaucrates sans oublier, toutefois, les perspectives politiques.

Quand je dis que ministre et fonctionnaires doivent former une équipe, je ne veux surtout pas dire que les fonctionnaires doivent être partisans. J'ai d'ailleurs toujours été étonné de voir accuser la fonction publique fédérale d'être de connivence avec les libéraux. Pour ma part, je ne me souviens pas d'avoir déjà demandé à un fonctionnaire quelles étaient ses allégeances politiques. Ministre des Finances en 1979, mon sous-ministre était Bill Hood, que je croyais conservateur compte tenu des commentaires qu'il faisait à l'occasion. Cela ne me préoccupait nullement et c'est d'ailleurs à ma demande que Pierre Trudeau nomma sous-ministre ce fonctionnaire extrêmement compétent. Ironie du sort, les conservateurs l'ont remplacé à l'arrivée du gouvernement Clark, ce qui a probablement contribué à leur propre chute: un fonctionnaire aussi expérimenté aurait sans doute vu les dangers politiques du budget de décembre 1979.

La fonction publique canadienne jouit d'une longue tradition de loyauté au système et aux institutions. Évidemment, quand ils sont au service d'un ministère, les fonctionnaires sont aussi au service d'un ministre. Ils participent à ses combats, célèbrent ses succès et souffrent de ses échecs. Mais ils n'ont pas à se soucier de la victoire ou de la défaite d'un parti politique, leur objectif étant l'intérêt de la nation. Il est arrivé que la distinction entre les ordres politiques et administratifs ait pu paraître mince parce que les libéraux sont restés au pouvoir bien longtemps. Cependant, cette distinction est réelle, comme on a pu le constater quand les conservateurs ont pris le pouvoir; ils ont été extrêmement bien servis par les mêmes fonctionnaires qui servaient les gouvernements libéraux.

Mon passage au ministère des Affaires indiennes et du Nord canadien coïncida avec une période d'expansion. On juge les ministres en fonction de l'importance des budgets qu'ils peuvent obtenir et il n'y avait pas de limite au nombre d'initiatives utiles et nécessaires qui bourgeonnaient dans le ministère en ces temps d'euphorie économique. Il n'était pas trop difficile de faire accepter les projets valables par le Cabinet, d'autant plus que Pierre Trudeau y était habituellement favorable. Mais il fallait ensuite obtenir l'accord du Conseil du Trésor, le comité qui analyse les décisions du Cabinet et décide comment les financer, dans quel ordre de priorité et à quel rythme. Je ne mis pas beaucoup de temps à comprendre que les ultimes décisions se prenaient au Conseil du Trésor... où je me retrouvai, très tôt dans ma carrière!

Un jour, j'entendis une rumeur selon laquelle Pierre Trudeau songeait à me remplacer au comité du Conseil du Trésor. Par principe, je n'allais jamais me plaindre au premier ministre, ni solliciter quoi que ce soit: cette fois-là, je fis exception et allai lui demander de me maintenir à mon poste. Il fut d'accord.

Bien des ministres s'ennuient au Conseil du Trésor parce qu'il y a des tonnes de documents à lire, de soumissions à évaluer et que les réunions sont interminables. Je m'y suis toujours senti à l'aise parce qu'on y prenait sans cesse des décisions. J'ai toujours préféré l'action à la rhétorique. Je ne manquais pas une réunion, je faisais consciencieusement mon travail, quelle que soit la durée des séances. En fait, rester jusqu'à la fin constituait un élément important de ma stratégie.

À cette époque, le président du Conseil du Trésor était C.M. Bud Drury, député de Westmount, un vrai gentilhomme. Ses antécédents, son éducation et ses manières lui valaient le respect et la confiance du milieu des affaires, mais il était beaucoup moins à droite qu'on le croyait. J'appris à le connaître et je me rendis compte qu'il était fort préoccupé par les problèmes sociaux. Après trois heures ou plus de discussions, la plupart des ministres s'excusaient si bien que, souvent, il ne restait plus que Drury et moi. Je pris donc l'habitude de placer mes propositions au bas de l'ordre du jour, sachant que vers 8h du soir, Drury aurait envie de rentrer chez lui et qu'ainsi mes projets seraient adoptés sans trop de discussions.

Sur la Colline du Parlement, on racontait qu'aucun ministre ne pouvait agir sans la permission du premier ministre. Bien au contraire, je pense qu'il était ravi qu'un ministre mène bien sa barque et ne lui crée pas de problèmes. Je m'occupais de mon ministère, je participais aux importantes décisions du Conseil du Trésor, j'étais heureux de mon travail et j'évitais de déranger le premier ministre. Un jour, il me prit à part et me dit: «Jean, es-tu fâché contre moi? Il y a un bout de temps que tu ne m'as pas parlé...
— Non, tout va bien. Alors, pourquoi voudriez-vous que je vous dérange? Mon travail, c'est de vous éviter des ennuis.»

Une des plus grandes déceptions de la vie politique est de se retrouver avec des tas de collègues mais très peu d'amis. En ce sens, l'existence d'un ministre est bien plus difficile que ne l'imaginent la plupart des gens. Jour après jour, il faut rencontrer les mêmes personnes au Cabinet, ou dans les comités, ou à la Chambre des communes, et chacun est très occupé et toujours pressé. Le soir, il y a les rencontres sociales, les réceptions diplomatiques, les dîners bénéfices et, heureusement, quelquefois, les soirées en famille, de sorte qu'il ne reste pas grand temps pour se faire de vrais amis. Finalement, on tisse des liens plus intimes avec ses collaborateurs, ceux qui sont encore là après les longues journées de travail, quand il reste une demi-heure pour se détendre et bavarder de tout et de rien. Ce sont habituellement des députés ou des assistants, mais rarement des collègues du Cabinet qui eux-mêmes doivent travailler tard dans leur bureau.

Il y en a dont la carrière consistait à faire la cour au premier ministre; quant à moi, je préférais garder mes distances, conserver mon indépendance. Aussi, ne paraissais-je peut-être pas aussi puissant que ceux qui brandissaient le nom de Trudeau à tout venant!

Même si nous n'avons jamais été des intimes, j'ai toujours trouvé les observations de Pierre Trudeau généreuses à mon endroit. Des ministres importants se plaignaient qu'il ne les encourageait pas, ne les félicitait pas assez souvent. Ce n'était pas son genre: il ne croyait pas, dans une relation professionnelle, devoir constamment traiter ses ministres comme des petits enfants. Dans mon cas, peut-être m'encourageait-il davantage parce que je le sollicitais moins!

Quelques années plus tard, nous devions nous rapprocher à l'occasion de la bataille du référendum et du rapatriement de la Constitution. Je ne dirai pas que j'étais devenu son confident car Trudeau ne semble pas avoir besoin de confidents, mais j'ose croire que, s'il faisait la liste de ses vrais amis, mon nom s'y trouverait. C'est un homme très secret, qui se suffit à lui-même, par certains côtés une sorte de moine. Certes, je n'aurais jamais osé m'arrêter chez lui, frapper à sa porte et l'inviter à prendre une bière... Au cours des dernières années, quand nous étions assis côte à côte à la Chambre des communes, je lui passais des articles de journaux qui pouvaient l'intéresser, je lui parlais d'un livre qu'il n'avait peut-être pas lu (il faisait rarement allusion à ses lectures, comme si cela aussi faisait partie de sa vie privée): c'étaient des moments très agréables, même si notre relation s'est toujours limitée à un plan strictement professionnel.

Je me souviens d'au moins une soirée rendue inoubliable par sa présence. En janvier 1984, ma femme avait organisé une fête surprise à l'occasion de mon cinquantième anniversaire de naissance. Elle avait invité Pierre Trudeau et, au cours de la soirée, elle avait réussi à lui faire chanter une vieille chanson de la Bolduc, chanteuse populaire au Québec durant la dépression; très détendu, il chanta, récita des poèmes et fit des blagues toute la soirée. Inoubliable! La fête avait commencé à 5h de l'après-midi pour se terminer à 5h le lendemain matin.

Contrairement à ce que pensent la plupart des gens, Pierre Trudeau écoutait attentivement les ministres aux réunions du Cabinet et acceptait de bonne grâce les compromis. Bien sûr, il avait des opinions personnelles, sa propre vision du pays et des objectifs qui n'étaient pas toujours partagés par le Cabinet ou par le Parti mais, dans notre système, le chef a le droit et le devoir de prendre les décisions. Il n'est pas facile d'être premier ministre et de ne jamais blesser personne alors qu'il faut diriger un pays sous les réflecteurs, avec des députés impatients, des fonctionnaires bavards et des collègues récalcitrants.

Lorsque quelqu'un contestait son point de vue ou lorsqu'il voulait tailler dans le vif du sujet à une réunion du Cabinet, Pierre Trudeau pouvait être sans pitié, soit en posant des questions qui désarçonnaient l'adversaire, soit en utilisant toute la force de sa pensée et de sa dialectique. Quelquefois, je le vis l'emporter en laissant simplement tomber une phrase qui indiquait sa position. Comme la plupart des ministres présumaient que Pierre Trudeau avait déjà tout pesé, tout analysé et qu'ils cherchaient à lui plaire, il ralliait sans effort la majorité de son côté. La flatterie, bien sûr, c'est dans la nature humaine; mais cela devenait agaçant lorsque certains ministres jouaient systématiquement la carte Trudeau. Quelquefois, il mettait les adulateurs à l'épreuve en prenant tout à coup la contrepartie de sa propre argumentation pour découvrir ceux qui tenaient vraiment à leurs idées.

En dépit de ce qu'on a pu dire, Pierre Trudeau n'agissait pas en dictateur. Souvent, alors que je savais bien qu'il pensait le contraire, je le vis accepter les points de vue de ses ministres. Il était extraordinairement patient, laissant chacun s'exprimer, écoutant avec la plus grande attention. Il lui arrivait même d'être trop patient, trop généreux. Quand un groupe de personnes se rencontrent pendant quatre ou cinq heures chaque semaine au Cabinet et de nouveau au sein des comités, on entend à n'en plus finir les mêmes arguments, les mêmes anecdotes, les mêmes envolées oratoires. Et plus souvent qu'autrement, on aurait souhaité que Trudeau joue du marteau et mette fin au débat.

Bien des fois, je me rendis compte que les ministres qui parlaient trop nuisaient à leur propre cause. Leurs arguments devenaient prévisibles et perdaient par conséquent de leur effet. Il m'arriva de dire amicalement à de nouveaux ministres de parler moins... et de me convaincre moi-même de me taire pendant de longues périodes, sachant qu'une seule intervention pertinente, faite au bon moment, attire davantage l'attention du premier ministre qu'une série d'interventions n'ayant pour but que de se faire remarquer ou de flatter le patron. Convaincu que les grands parleurs avaient moins de succès que ceux qui écoutaient, je réprimais mon propre besoin de parler. Je remarquai aussi que Trudeau aimait l'emporter dans les débats et dans les discussions, mais qu'il était moins rigide dans la mise en oeuvre des décisions. Peut-être se rendait-il compte que ceux qu'il avait vaincus sur le plan intellectuel avaient besoin d'apaisement dans la réalité quotidienne. Mais sa nature était de provoquer, d'aller à contre-courant et il se souciait peu de se créer des ennemis. Il adorait convaincre, certes, mais le temps venu de prendre les décisions, il savait composer.

Ayant observé les hommes politiques durant plus de vingt ans, je crois avoir appris quelles sont les qualités d'un chef. La première est le savoir. Un chef doit savoir à fond comment fonctionne le système, non seulement le gouvernement mais tout le mécanisme économique et social, y compris les affaires, les syndicats, l'éducation, etc. Trudeau a étudié le système toute sa vie et, par surcroît, il en connaissait plus sur les affaires qu'on ne le pense généralement. Qu'il ait eu tort ou raison sur certaines questions économiques, on ne peut lui reprocher de n'avoir pas été attentif ou renseigné. Avocat doublé d'un économiste, il avait très bien géré la fortune familiale avant d'entrer en politique. La deuxième qualité d'un chef est de posséder une forte personnalité. Il doit avoir du magnétisme, savoir attirer naturellement les gens, donner une impression de force et d'assurance. Troisièmement, un chef doit être différent et original, de manière à éveiller l'intérêt des gens et à forcer leur attention. Il doit avoir la peau épaisse, les nerfs solides et une bonne maîtrise de lui-même; sans cela, il commettra des erreurs parce que la joute est toujours rude, frustrante, sans pitié. Peut-être en va-t-il de même dans le secteur privé mais, quand on échoue, l'échec n'est connu que de quelques collègues et peut-être de la famille; on n'est pas l'objet de commentaires et de réflexions humiliantes jour après jour dans la presse, à la radio et à la télévision, non seulement devant ses proches, mais devant ses amis, ses électeurs et l'ensemble de la population. En politique, on rencontre trop souvent des gens extrêmement ambitieux qui n'acceptent pas l'échec, qui en sont profondément blessés dans leur amour-propre et ne s'en relèvent jamais. Un chef politique doit donc être capable de vivre et de survivre tout en étant constamment attaqué en public.

On a quelquefois reproché à Pierre Trudeau d'avoir perdu plusieurs ministres importants au cours des ans: John Turner, Donald Macdonald, Mitchell Sharp, Bud Drury. Mais c'est moins sa faute que celle du système parlementaire canadien. Aux États-Unis, par exemple, le président ne peut rester au pouvoir plus de huit ans alors que les membres de son cabinet durent encore moins longtemps. Des hommes comme Henry Kissinger ou George Schultz sont devenus secrétaires d'État après s'être illustrés dans les milieux universitaires ou le monde des affaires. Après quelques années, ils retournent à leurs anciennes occupations avec un prestige accru. Au Canada, le premier ministre peut rester en fonction pendant des décennies et, normalement, ses ministres doivent en faire autant même si leurs ambitions personnelles sont frustrées, car, une fois partis, il ne leur est pas facile de revenir. Évidemment, si un premier ministre a une carrière aussi longue et fructueuse que celle de Pierre Trudeau, peut-être un ministre voudra-t-il abandonner la politique pour faire autre chose, ou se retirer pour donner la chance aux plus jeunes d'entrer au Cabinet, ou enfin rester malgré tout, en étouffant ses ambitions ou en complotant contre son chef! Si Pierre Trudeau avait dû se retirer après huit ans, on peut être certain que John Turner et Donald Macdonald n'auraient pas quitté la politique. Il devient de plus en plus difficile de recruter de bons candidats dans le secteur privé, peu d'entre eux étant prêts à renoncer à leur sécurité et à leur confort, à entrer au gouvernement pour une période indéterminée et à subir les aléas de la vie publique. Lorsqu'ils la quitteront, ils pourront être privés de certains emplois lucratifs à cause de leur affiliation politique. Plusieurs d'entre nous sont restés parce que nous pensions que la politique était le meilleur

86

moyen de changer les choses. Traditionnellement, les francophones ne se sont jamais sentis à l'aise avec les hommes d'affaires ou les banquiers, bien qu'il y ait de notables exceptions comme Paul Desmarais, le président de Power Corporation. Ils ont donc tendance à demeurer en politique toute leur vie alors que leurs collègues anglophones retournent à de plus verts pâturages après quelques années.

Que des ministres quittent le Cabinet, c'est donc une chose parfaitement compréhensible, et Pierre Trudeau ne saurait en être blâmé. Peut-être craignait-il de perdre sa liberté de manoeuvre s'il avait insisté auprès d'un ministre pour le garder au Cabinet. Enfin, il ne crut jamais personne indispensable, lui-même compris, et il n'était pas du genre à se mettre à genoux pour convaincre quelqu'un de quoi que ce soit. Par exemple, je pense que Pierre Trudeau était conscient des problèmes de John Turner quand ce dernier démissionna en 1975. Turner avait consenti de lourds sacrifices personnels, considérant ce qu'il aurait pu gagner dans le secteur privé au cours des années; sa femme et lui avaient l'habitude d'un certain train de vie; ils avaient quatre enfants à éduquer, et tout indiquait que Trudeau avait l'intention de rester premier ministre pour un certain temps encore. Chose certaine, il n'y a pas de mystère autour du départ de Turner. Quand j'entendis la nouvelle, je l'appelai au téléphone et lui dis: «Voyons, John, veux-tu bien me dire ce que tu fais? Ne pars pas maintenant. Les libéraux sont en avance dans les sondages pour l'élection provinciale en Ontario. Attends au moins une semaine ou deux.

— C'est terminé, terminé.

— Tu as probablement eu un petit conflit avec le patron. Laisse-moi lui parler. Accepterais-tu de le rencontrer encore une fois?»

Il acquiesça. Je téléphonai à Pierre Trudeau qui me précisa que Turner partait pour s'occuper de sa famille. Il accepta lui aussi d'avoir une autre rencontre avec Turner et je me disais que je pourrais peut-être arranger les choses. J'essayai d'obtenir l'appui de Donald Macdonald mais il était furieux contre Turner: «Qu'il aille au diable!» me dit-il. C'est alors que je me demandai de quoi je me mêlais... Je jouais peut-être un peu à la mouche du coche, mais je reste convaincu qu'on aurait pu persuader Turner de rester. Le lendemain, je le revis et il me répéta qu'il ne voulait pas que ses ambitions politiques privent ses enfants de tout ce dont il avait lui-même profité dans la vie et que, par conséquent, il avait besoin de gagner de l'argent. C'était aussi simple que cela. Bay Street laissait entendre que Turner avait démissionné parce que sa demande de réduction de deux milliards de dollars dans les dépenses n'avait pas été acceptée. Cela ne peut pas avoir été ébruité par lui pour la bonne raison que ce n'était pas la vérité, et il le savait mieux que quiconque.

En 1973, pour des motifs différents, j'ai moi-même été à un cheveu de quitter la politique. Ma santé laissait à désirer et les médecins croyaient que j'avais eu une crise cardiaque. Ayant une femme, trois jeunes enfants, une maison hypothéquée, une maigre pension, je ne voulais pas laisser ma famille en difficultés financières en cas de décès prématuré. Je venais d'un milieu peu fortuné, la sécurité financière me préoccupait beaucoup et je ne voulais pas que les miens connaissent la gêne après avoir goûté au confort et à l'aisance pendant que j'étais ministre. J'allai donc voir Pierre Trudeau et lui demandai de me nommer juge: «Si j'étais assez bon pour être ministre, dis-je en riant, je devrais être assez bon pour être juge quelque part.» Il était d'accord. Mais bientôt ma santé s'améliora, l'élection de 1974 fut déclenchée et je décidai de rester en politique. Quand on me demande pourquoi il y avait tant de ministres canadiens-français puissants sous Pierre Trudeau, j'ai envie de répondre que c'est parce que nous sommes restés alors que plusieurs de nos collègues anglophones ont choisi une vie plus facile.

Le début des années 70 n'était pas une époque facile pour gouverner. Mais, quelle que soit l'époque, il y a toujours des problèmes économiques, des crises politiques, des tensions sociales. De toute manière, la popularité de Pierre Trudeau commençait à baisser, sans doute parce qu'on attendait trop de lui. Les gens avaient vu dans cet homme, certes hors de l'ordinaire, un homme miracle. Ils avaient donc le sentiment d'être abandonnés.

Les qualités de chef de Pierre Trudeau avaient été mises à l'épreuve durant la crise d'octobre 1970, lorsque les terroristes du F.L.Q. avaient kidnappé James Cross, attaché commercial au consulat britannique à Montréal, et plus tard assassiné le ministre du Travail du gouvernement du Québec, Pierre Laporte. À cette provocation terroriste, le premier ministre avait répondu par la Loi sur les mesures de guerre. Je n'oublierai jamais le pénible débat. En principe, j'étais opposé à l'utilisation de cette loi exceptionnelle et je pensais qu'il fallait trouver un compromis, mais Pierre Trudeau détruisit mon raisonnement en cinq secondes: «Si tu fais un compromis aujourd'hui, m'avait-il demandé, que feras-tu demain et après et après?» Je reconnus qu'il avait raison. D'ailleurs, le premier ministre du Québec, Robert Bourassa, et le maire de Montréal, Jean Drapeau, avaient tous deux écrit au premier ministre pour lui demander l'intervention des Forces armées parce que la population avait peur, que la police était dépassée et que le cours des événements leur échappait. J'appris le meurtre de Pierre Laporte alors que je voyageais dans le Grand Nord. Je vois encore les visages stupéfaits de ceux qui m'entouraient. À des milliers de milles du théâtre des événements, nous avions brusquement compris que la paix et la sécurité de notre pays, que nous prenions pour acquises, étaient pour la première fois compromises. Même nos institutions démocratiques semblaient menacées par les déclarations confuses de citoyens non élus, qui se disaient prêts à remplacer le gouvernement provincial.

Nous faisions face à un terrible dilemme. Comme il n'existait aucune loi appropriée à ce genre d'urgence nationale, nous étions acculés à recourir à cette loi exceptionnelle au nom redoutable: la Loi sur les mesures de guerre. J'illustrais notre dilemme de la façon suivante: pour transporter un réfrigérateur, on a le choix entre une bicyclette et un camion à remorque. On n'ira sûrement pas très loin à bicyclette avec un réfrigérateur et il semble absurde d'utiliser un camion à remorque pour transporter un si petit objet. Ce problème n'a pas encore été résolu dans nos lois. Une chose est évidente: il n'était pas nécessaire que la police arrête tous les gens qui l'ont été; elle n'aurait eu besoin d'écrouer qu'une soixantaine de personnes alors qu'elle en a arrêté plus de quatre cents. Mais un État n'a pas le choix: il doit employer les moyens à sa disposition pour se défendre contre la violence terroriste. Avec le recul, j'admets sans peine que les pouvoirs accordés à la police par la Loi sur les mesures de guerre étaient excessifs, qu'une poignée d'apprentis terroristes ne justifiaient pas un tel branle-bas de combat, etc. Mais comme c'est facile de juger avec le recul!

Personnellement, j'avais moins peur d'être victime d'un enlèvement que je n'étais embarrassé d'avoir des soldats qui me suivaient partout et campaient dans mon garage!

Pierre Trudeau dénoua la crise de main de maître. Il accepta un compromis proposé par Mitchell Sharp, alors secrétaire d'État aux Affaires extérieures qui, au dernier moment, sauva la vie de l'attaché commercial britannique Cross en autorisant la lecture du manifeste F.L.Q. à la télévision et en organisant le départ des terroristes pour Cuba; mais parce qu'il n'a jamais cédé sur l'essentiel, Pierre Trudeau élimina le chantage politique au Canada pour une longue, longue période. À ce moment-là, il était devenu un héros dans tout le pays; deux ans plus tard, personne ne s'en souvenait. Préoccupés par la crise économique, les gens faisaient moins confiance à cet original aux longs cheveux, sa jolie jeune femme au bras; certains intellectuels l'attaquaient ferme et l'accusaient d'être tyrannique et antidémocratique, tandis que la presse semblait vouloir se venger d'avoir elle-même créé la trudeaumanie.

Au cours de la campagne électorale de 1972, il vint parler à une de mes assemblées politiques à Shawinigan. C'était une soirée magnifique, la salle était pleine à craquer, la foule enthousiaste. Pour la réchauffer avant l'arrivée du premier ministre, je fis un discours mordant, rempli de blagues et d'argot québécois: je crois que Pierre Trudeau entendit les dernières phrases parce qu'il commença son discours dans le même style. Il était très emballé par un nouveau projet que je voulais lancer, appelé *Lieux et Parcours privilégiés*. Inspiré du Blue Ridge Parkway de Washington, D.C., le projet consistait à construire une route touristique de Québec à Toronto, donnant accès aux sites historiques, à des sentiers suivis par nos ancêtres coureurs des bois, à des parcs de protection de la faune et de la flore. Voulant exprimer son enthousiasme à l'égard de ce projet, Pierre Trudeau lança: «Ça me rappelle mon enfance, quand on nous donnait des *candies* à Noël!» Il avait employé le mot anglais «candies» comme il nous arrive à tous de le faire à l'occasion, par simple jeu. La presse s'empara du mot et, pendant le reste de la campagne, on accusa Pierre Trudeau d'essayer d'acheter les votes avec des bonbons!

Le gouvernement survécut à peine à cette élection, mais la période de 1972 à 1974 fut plus excitante et plus productive que les autres. Elle constitua un bon test pour Pierre Trudeau, il devint plus souple et apprit l'art du compromis. Il semblait avoir mûri et changé et, en politique, c'est l'image qui compte. Avant longtemps ce fut l'orgueil de David Lewis, chef du NPD, qui sauva Trudeau. En effet, minoritaires en chambre, les libéraux ne pouvaient se maintenir au pouvoir qu'avec l'appui du NPD. Lewis était donc obligé de voter avec nous à la Chambre des communes pour empêcher la tenue d'une élection dont personne ne voulait. Il le fit pendant deux ans mais c'était un homme fier et un doctrinaire qui ne supportait pas de se faire accuser de garder Trudeau au pouvoir. Un jour, il décida donc de se ranger avec les conservateurs pour voter contre le budget Turner, permettant ainsi le déclenchement d'une élection. Dans l'instant qui suivit la déclaration de Lewis, Réal Caouette bondit de son siège et déclara: «Le NPD perdra quinze de ses trente députés et Lewis sera battu dans son propre comté parce qu'il a failli à sa responsabilité devant le peuple canadien, soit de maintenir le gouvernement en place.» Les événements lui donnèrent raison.

Si Lewis avait permis au gouvernement libéral minoritaire de fonctionner plus longtemps, il est probable que Pierre Trudeau aurait attendu 1976 avant de déclencher une élection et se serait retrouvé avec un gouvernement minoritaire. Mais lorsque la population eut l'impression qu'un gouvernement minoritaire ne pouvait fonctionner, elle opta pour le gouvernement majoritaire et donna sa faveur à Trudeau plutôt qu'à Stanfield.

Chapitre IV

La politique des affaires

Après sa victoire de 1974, Pierre Trudeau décida de remanier son cabinet et, entre autres, il remplaça le président du Conseil du Trésor, Bud Drury, par un homme plus jeune, Jean Chrétien. Cette nomination étonna bien des gens qui voyaient en moi un ministre préoccupé uniquement de questions sociales; pourtant j'avais souhaité obtenir un ministère à responsabilité économique depuis le jour où Pearson m'avait en quelque sorte lancé le défi de devenir le premier Canadien français ministre des Finances. C'est pourquoi j'avais insisté pour demeurer membre du Conseil du Trésor sous Bud Drury. Avec enthousiasme, je pris en main mes nouvelles responsabilités, bien décidé à faire ma marque dans le secteur économique. Mon arrivée à la présidence du Conseil du Trésor coïncidait avec une période d'austérité, de sorte que je perdis rapidement ma réputation de dépensier; en fait, mon surnom devint bientôt *Docteur No*.

Le ministre des Finances était alors John Turner. Il avait été élu pour la première fois en 1962 et moi en 1963; on nous considérait comme deux jeunes ambitieux et nous étions de bons amis. Avant qu'il n'accepte le poste de ministre des Finances, je me souviens de l'avoir fortement encouragé. Déjà, j'étais convaincu qu'il rêvait de succéder à Pierre Trudeau un jour, ce qui aurait été conforme à la tradition de l'alternance, dans le Parti libéral, entre un chef anglophone et un chef francophone. Sans doute comptait-il sur mon appui, le moment venu. Au cours de l'une de nos premières rencontres après ma nomination au Conseil du Trésor, il m'annonça qu'il voulait réduire le déficit. Nous sommes donc allés rencontrer le premier ministre, et Turner lui proposa une réduction de 500 millions de dollars, ce qui, à l'époque, représentait une décision majeure; je compris que l'opération serait douloureuse.

Pierre Trudeau me donna le feu vert.

Je consultai mon sous-ministre, Gordon Osbaldeston, qui plus tard devint secrétaire du Conseil privé, le plus haut fonctionnaire du gouvernement. Je lui dis: «Politiquement parlant, il n'est pas plus difficile de couper un millard de dollars que 500 millions. Est-ce possible?» De fait, cette année-là, nous avons réduit le budget de un milliard 70 millions.

Peut-être étais-je allé trop loin. J'avais de terribles accrochages avec mes collègues. À cause d'une de mes décisions, mon ami Eugene Whelan, alors ministre de l'Agriculture, suscita la colère d'un groupe de fermiers: on lui versa même du lait sur la tête devant le Parlement! Pierre Trudeau sentait la tension monter au Cabinet mais il m'appuyait ainsi que John Turner qui, je pense, appréciait beaucoup le fait de n'avoir pas à mener seul le combat pour réduire le déficit. En un sens, j'étais un guerrier heureux: j'avais le pouvoir et le sentiment de faire ce qu'il fallait. De plus, je pouvais compter sur mes collègues membres du Conseil du Trésor: Bud Drury, Robert Andras, Ron Basford, Jean-Pierre Goyer et Daniel MacDonald.

J'insistais pour que chacun prenne connaissance des dossiers avant les réunions au cours desquelles je tolérais mal les questions trop longues. Contrairement à mon prédécesseur et ami Drury, je menais rondement l'étude des différents dossiers.

Bientôt, ce système de gestion attira l'attention: cela ne pouvait durer indéfiniment. C'est au cours d'un dîner à la résidence du premier ministre que s'amorça l'érosion des pouvoirs du Conseil du Trésor. La soirée était organisée en l'honneur de Gordon Robertson, secrétaire du Conseil privé qui prenait sa retraite, grand technocrate qui avait mis sur pied le système des comités du Cabinet, mesure destinée à améliorer l'administration publique. Les grands commis étaient tous présents et, après le dîner et les hommages de mise en pareil cas, une discussion s'éleva sur les forces et les faiblesses de notre système. Tout à coup, quelqu'un sortit le chat du sac: «Je viens de terminer une étude, dit-il. De toutes les propositions soumises aux comités du Cabinet, 95 p. 100 sont approuvées, sous réserve de l'approbation du financement par le Conseil du Trésor; or, seulement 50 p. 100 des propositions reçoivent cette approbation!» Aussitôt, tout le monde se mit à se plaindre des pouvoirs démesurés du Conseil du Trésor: il apparaissait soudain plus puissant que le Cabinet!

Pierre Trudeau se pencha vers moi et me dit: «Jean, nous devrions peut-être changer de place tous les deux!»
— Ce n'est pas une mauvaise idée», lui répondis-je.

Ce fut le commencement de la fin. Peu après, on diminua considérablement le pouvoir de décision du Conseil du Trésor sur les allocations de fonds entre les différents ministères. On introduisit le système dit des «enveloppes», en vertu duquel tous les titulaires des ministères *sociaux* se réunissaient pour découper le gâteau, tandis que ceux qui avaient la responsabilité des ministères *économiques* faisaient la même chose de leur côté. En un sens, c'était une bonne idée: elle permettait à chaque ministre de voir un peu ce qui se passait dans les autres ministères et de participer au processus décisionnel. En 1980, en ma qualité de ministre d'État au Développement social, j'étais président du comité responsable de l'enveloppe sociale. Ce poste était doté de vastes pouvoirs, mais cela ne représentait pas la moitié des pouvoirs dont je disposais jadis au Conseil du Trésor.

La réforme dite des comités, entreprise par Gordon Robertson sous Pearson et continuée par Michael Pitfield sous Trudeau, était à la fois complexe et controversée; elle multipliait la paperasse; elle accaparait beaucoup trop les ministres et diluait leur pouvoir en les soumettant au bon plaisir de leurs collègues. Bien sûr, les intentions étaient louables puisqu'il s'agissait de moderniser le système de planification du gouvernement. D'ailleurs si vous employiez le mot *planification* devant Pierre Trudeau le matin, vous reteniez son attention pour le reste de la journée! Au 24 Sussex, il avait une immense tapisserie de Joyce Wieland sur laquelle on pouvait lire: «Reason Over Passion».

Dans l'ensemble, les réformes proposées étaient intelligentes et nécessaires. Le deuxième objectif: rendre aux ministres les pouvoirs qu'ils avaient perdus aux mains des grands commis; le système des comités permettrait aux ministres de connaître les préoccupations des autres ministères, de participer au processus décisionnel et d'exercer les jugements politiques qui ne coïncidaient pas toujours avec les recommandations des bureaucrates. Trop longtemps, bien des ministres n'eurent aucune idée de l'ensemble du fonctionnement du gouvernement. Avec le nouveau système, il leur suffisait de participer activement aux discussions des comités pour se tenir au courant de l'essentiel.

Évidemment, toutes ces discussions nécessitaient beaucoup de temps et de patience. Or, il arrive que plus on participe, plus on est frustré parce que les décisions ne correspondent pas exactement à ce qu'on veut ou à ce qu'on croit juste: au lieu de se sentir plus puissant, on se sent plus négligé. Très souvent, c'est le premier ministre qui décide, ou encore il délègue certains de ses pouvoirs à des ministres qui deviennent de ce fait même des ministres prééminents. Ainsi, le ministre des Finances est toujours puissant; les présidents de comités possèdent une grande autorité; certains ministres sont influents parce qu'ils ont beaucoup d'expérience, ou de solides connaissances administratives, ou beaucoup de relations, ou une bonne base politique, ou enfin un certain talent pour faire croire qu'ils ont l'oreille du premier ministre sur tous les sujets. Il y a donc toujours des ministres qui exercent plus d'influence que d'autres sur les décisions finales, et des ministres qui croient qu'on ne les écoute jamais.

Le pouvoir ne découle pas nécessairement des fonctions qu'on occupe; il exhale plutôt de la personne. Un ministre fort peut renforcer un petit ministère, alors qu'un ministère important peut être affaibli par un ministre faible. La combinaison gagnante est évidemment un ministre fort dans un ministère influent. Pour demeurer fort, un ministre doit à la fois être prompt à agir et savoir accepter des compromis. S'il peut être tout-puissant dans son ministère, au Cabinet il n'est qu'un conseiller du premier ministre parmi d'autres. Si on lui ordonne de prendre telle ou telle mesure sur des sujets importants, il n'a en vérité qu'une alternative: s'exécuter ou démissionner. Un ministre a toujours l'impression de patiner sur une glace mince, sans savoir jamais où et quand elle cédera. C'est parce qu'ils mènent une vie dangereuse que les politiciens pompent beaucoup d'adrénaline: ils peuvent perdre en un seul jour ce qu'ils ont mis plusieurs années à construire.

Non seulement il faut toujours tenir compte du premier ministre et de ses collègues du Cabinet, mais il ne faut pas oublier le cabinet personnel du premier ministre et le bureau du Conseil privé, pièces importantes sur l'échiquier. La force du cabinet du premier ministre est évidemment de faire partie de l'entourage immédiat du grand patron. En fait, on ne sait jamais si c'est le premier ministre ou ses conseillers qui nous parlent. Quant au bureau du Conseil privé, il tire son pouvoir et son influence de la collecte et de la coordination de l'information. Parfois, la coordination devient plus importante que l'action; on utilise le compromis comme moyen de protéger les intérêts de tout le monde au détriment des solutions qui s'imposeraient. La rapidité, l'efficacité et l'originalité de l'action des différents ministères se dispersent à travers la prolifération bureaucratique et ses enclaves abusives. J'ai vu d'importants ministres devenir doux comme des agneaux lorsque Michael Pitfield fut nommé secrétaire du Conseil privé; apparemment un ami intime de Pierre Trudeau, il était très intelligent, réservé, et il donnait l'impression de parler aux gens de haut. Produit de la grande bourgeoisie de Westmount, il gagnait beaucoup à se faire connaître mais, parfois, son attitude hautaine mettait les gens mal à l'aise. Pour ma part, mes relations avec lui étaient très bonnes. Imaginons, par exemple, qu'un fonctionnaire du ministère des Finances ou du bureau du Conseil privé dise à votre sous-ministre de ne pas faire telle chose. Ou encore que le bureau du Conseil privé ou le cabinet du premier ministre modifie la rédaction d'une décision prise par le comité que vous présidez, sans que vous sachiez s'il s'agit d'une erreur de bonne foi ou la combine d'un collègue, ou la volonté du premier ministre. Enfin, que vous receviez un appel d'un membre du cabinet personnel du premier ministre vous demandant de faire quelque chose que vous ne voulez pas faire, sans que vous sachiez si l'appel vient réellement du grand patron ou si *quelqu'un* est tout simplement en train de se servir de son nom dans une lutte d'influence. Faut-il obéir ou résister? Fléchir ou réagir? Aller à l'encontre du message reçu, faire échec à cette personne ou risquer une confrontation avec le premier ministre? Bien entendu on ne peut pas téléphoner au premier ministre tous les jours et lui demander: «Est-ce vraiment vous qui êtes derrière tout cela?»

C'est alors que l'expérience, le jugement, les qualités de chef d'un ministre sont mis à l'épreuve. C'est alors qu'on distingue les ministres forts des ministres faibles. Si vous ne tenez pas compte de l'ordre reçu et si, en fait, on avait essayé de vous «passer un sapin», vous n'en entendrez plus parler; mais si vous feignez d'ignorer l'ordre reçu et s'il venait du premier ministre, vous en entendrez sans doute parler très rapidement. C'est un jeu, un pari: si vous vous trompez trop souvent, on vous écrasera et vous ne serez bientôt plus personne; si, en revanche, vous ne pariez jamais, vous n'aurez plus de place à table. Mais si vous gagnez, vous avez survécu une journée de plus...

Entre 1980 et 1983, alors que j'étais ministre d'État au Développement social, je fis face à de sérieuses difficultés. Les disponibilités de budget étaient réparties ouvertement: nous avions établi une sorte de système selon lequel tous les ministères mettaient sur la table leur argent, que nous partagions ensuite. On m'a accusé d'être insensible, brutal dans l'utilisation de ce procédé, mais le problème réel provenait de la présence des fonctionnaires. Ils avaient trouvé une excuse pour assister aux délibérations. Ils défendaient ardemment leurs intérêts et protégeaient leur empire, pour aller ensuite raconter à leur maître tout ce qui s'était dit. Le climat de ces réunions devenait malsain et je me suis vite rendu compte que les fonctionnaires acculaient leur ministre au mur en lui disant plus ou moins: «Soyez tenace et vous obtiendrez ce que nous demandons.» Si le ministre réussissait, les fonctionnaires disaient alors: «Ah, mon ministre est réellement puissant, il a obtenu ceci, il a décroché cela, etc.»; ensuite, la presse parlait à son tour de ce puissant ministre et, par la suite, les bureaucrates devenaient encore plus exigeants. Un beau jour, j'annonçai: «À l'avenir, le partage se fera entre les ministres et moi. Tous les autres, dehors!» Puis, je dis à mes collègues: «D'un côté, nous avons des demandes évaluées à 300 millions de dollars. D'un autre côté, nous avons seulement 100 millions de dollars à dépenser. Soyons francs et jouons cartes sur table: si vos fonctionnaires vous demandent quelque chose qui n'est pas vraiment une priorité pour vous, dites-le-moi franchement. Si vous obtenez moins que ce que vous demandez, ne vous en faites pas, jetez-moi le blâme, je ferai face à la musique!»

Par la suite, même s'ils n'avaient obtenu les fonds que pour réaliser un projet sur quatre, ils partaient enchantés. Par contre, les fonctionnaires étaient furieux.

Après ma nomination au poste de ministre de l'Énergie en 1983, quand il a fallu adapter le programme énergétique national aux réalités changeantes du moment, je vécus un exemple classique de patinage politique. Ce programme avait été adopté en 1980 pour protéger nos approvisionnements en énergie, encourager l'autosuffisance et augmenter la maîtrise canadienne dans tout le secteur énergétique. Il était entièrement basé sur les prévisions du prix du pétrole, qui devait s'élever jusqu'à 80 $ le baril; contrairement aux prévisions, le prix tomba à environ 30 $. De toute évidence, après trois ans, il fallait revoir le programme. D'un côté, il y avait des forces non négligeables qui résistaient à tout changement: Pierre Trudeau lui-même appuyait franchement le programme et Marc Lalonde, devenu ministre des Finances, comptait sur moi pour protéger le bébé qu'il avait mis au monde alors qu'il était ministre de l'Énergie. Et quelques hauts fonctionnaires de mon nouveau ministère, qui avaient été intimement liés à la conception du programme, considéraient que tout changement apporté à celui-ci constituait une insulte à leur intelligence. Même si les principaux architectes du programme avaient été mutés à d'autres fonctions après le départ de Lalonde et même si ceux qui étaient restés reconnaissaient de bonne grâce la nécessité de certains changements, l'ensemble du ministère demeurait profondément attaché au programme et résistait aux changements que je m'apprêtais à apporter. Cela devint un sérieux problème lors de mes négociations avec Terre-Neuve sur les ressources pétrolières sous-marines. Certains de mes fonctionnaires rejetaient le marché proposé sous prétexte que je faisais trop de concessions. Le gouvernement de Terre-Neuve utilisa ce désaccord interne comme raison pour se retirer des négociations, prétendant que je ne pourrais pas «livrer la marchandise». Par surcroît, le secrétaire du Conseil privé me dit qu'il devait soumettre mes offres au premier ministre alors en voyage à l'étranger. Plus tard le même jour, je reçus un message selon lequel la réponse de Pierre Trudeau avait été la suivante: «Si c'est acceptable pour Jean Chrétien, c'est acceptable pour moi.» J'avais donc retrouvé toute ma liberté d'action. En réalité, je croyais toujours aux objectifs du programme énergétique national et je n'avais pas du tout l'intention de «vendre la baraque». Je voulais simplement en adapter certains aspects aux nouvelles réalités.

Après m'avoir laissé quelques années au Conseil du Trésor, Pierre Trudeau décida finalement de me déplacer. Pitfield et lui s'étaient rendu compte de la puissance de ce ministère et ils croyaient peut-être qu'ils ne pouvaient pas en diminuer les pouvoirs aussi longtemps que ce diable de Chrétien en demeurait responsable. Naturellement, je m'opposais au changement. Pierre Trudeau prétendait que j'étais le ministre le plus difficile à déplacer parce que je me sentais toujours à l'aise et heureux là où j'étais. Il m'offrit le ministère de l'Industrie et du Commerce et, quand je refusai, il m'envoya Gordon Osbaldeston pour me convaincre. Avant d'être mon sous-ministre au Conseil du Trésor, Osbaldeston avait été délégué commercial à l'étranger et il songeait alors sérieusement à quitter le gouvernement pour un temps indéfini.

«Alors, tu crois qu'il est vraiment important que j'aille au ministère de l'Industrie et du Commerce? lui demandai-je. Tu es réellement convaincu que c'est ce que je dois faire?
— Oui, me dit-il.
— D'accord, je vais y aller, mais seulement à condition que tu acceptes d'être mon sous-ministre.»

Ce pauvre Osbaldeston était pris à son propre piège. En septembre 1976, nous partions donc ensemble pour le ministère de l'Industrie et du Commerce. J'y restai seulement un an mais, selon mon habitude, je voulus régler rapidement un certain nombre de questions controversées. Quelques jours après ma nomination, j'étais déjà au Venezuela pour y décrocher un contrat de construction et de fourniture d'équipement dans le cadre d'un projet ferroviaire. Un autre problème majeur était celui des contingentements dans le secteur du textile et du vêtement importés. À l'époque, il y avait environ 60 p. 100 d'importation contre

40 p. 100 de production nationale dans ce secteur, et la situation continuait de se détériorer. Théoriquement, j'étais favorable à l'ouverture au moins partielle de nos frontières pour aider les consommateurs canadiens et forcer notre industrie à devenir plus concurrentielle. Mais on exerçait d'énormes pressions sur le Cabinet pour le convaincre de protéger l'industrie canadienne jusqu'à ce qu'elle puisse améliorer sa productivité; d'autre part, les pays exportateurs n'importaient presque rien du Canada. Les Américains nous accusaient d'être protectionnistes parce que nous voulions augmenter de 40 à 50 p. 100 notre consommation de produits canadiens, alors qu'eux-mêmes s'approvisionnaient sur leur propre marché à 80 p. 100. Je souhaitais donc en arriver à une entente avec l'industrie canadienne en accord avec les compagnies et avec la coopération des syndicats.

«C'est entendu, leur dis-je, je vais imposer des contingents pendant un certain temps, mais vous devrez améliorer la productivité et vos prix ne devront pas augmenter plus rapidement que le taux d'inflation. Si vous voulez augmenter les profits ou les salaires, augmentez la production. Si vous ne faites pas cela, mes amis, je vais rouvrir les portes aussi vite que je les ai fermées!»

L'industrie tint parole. De fait, les prix augmentèrent moins que le taux moyen d'inflation alors que la productivité s'accrut considérablement, hélas! au prix d'une réduction du nombre d'employés, l'automatisation permettant de produire davantage avec une main-d'oeuvre réduite.

Je pense que l'industrie avait respecté ses promesses parce que je m'étais montré très ferme au cours de nos rencontres. Mes fonctionnaires me disaient qu'aucun ministre n'avait imposé de contingents sans d'abord consulter le Cabinet.

«Mais ai-je l'autorité d'agir seul, oui ou non?
— Oui, mais aucun ministre ne l'a fait dans le passé.
— Ai-je l'autorité, oui ou non?
— Oui, mais...
— Alors, j'agirai!»

Au ministère de l'Industrie le problème le plus pressant et le plus épineux de tous était celui de trouver les fonds nécessaires pour mettre au point l'avion de Canadair, le *Challenger*. Ce dossier dormait sur le bureau de mon prédécesseur depuis des mois et je n'avais que quelques semaines pour agir, avant l'expiration du délai fixé. Les hauts fonctionnaires du ministère étaient divisés sur le sujet mais le projet me paraissait valable. La question de savoir si j'avais raison ou non peut encore être débattue mais rappelons-nous que le *Challenger* a été mis sur le marché au cours d'une période difficile de l'économie mondiale; il était néanmoins apprécié et prometteur pour l'industrie de l'aviation canadienne: Comme Osbaldeston n'avait pas encore quitté le Conseil du Trésor et que mon successeur à ce poste, Bob Andras, n'était pas encore devenu un *Docteur No*… j'obtins plus de 100 millions de dollars pour le *Challenger* en moins de trente jours!

Durant mon séjour dans ce ministère, je réussis à établir un grand nombre de contacts avec nos hommes d'affaires. J'en avais déjà connu plusieurs, particulièrement dans les secteurs de l'industrie minière et du pétrole, à l'époque où j'étais ministre responsable du développement du Nord canadien.

Au cours des années, j'ai donc établi des relations amicales avec le monde des affaires. Cependant, la plupart de mes amis étaient des avocats, des fonctionnaires, des gens de mon comté ou des collègues du milieu politique. Les politiciens se tiennent le plus souvent avec des politiciens et ils rencontrent davantage de journalistes que de grands magnats de la finance. Et comme Ottawa n'est pas un centre de la haute finance, les hommes d'affaires y viennent en passant et, pour ma part, je n'ai jamais senti qu'ils cherchaient à m'influencer indûment. Au temps où les grands partis politiques étaient presque entièrement financés par les hommes d'affaires et les grandes entreprises, il devait être sans doute plus difficile pour les politiciens de conserver toute leur indépendance. Depuis la réforme sur le financement des partis politiques, assez peu de candidats reçoivent des contributions très importantes. Dans mon cas, 95 p. 100 de mes dépenses électorales sont payées à même les contributions des partisans de mon comté; même les dîners à 100 $ le couvert regroupent un mélange d'hommes d'affaires locaux et de cols-bleus de la région. Dieu merci, si l'image d'un super grand argentier du Parti percevant d'énormes sommes d'argent de quelques riches donateurs a déjà été vraie, ces jours-là sont maintenant révolus. Bien sûr, au Canada comme ailleurs, il existe quelques vieilles familles riches, quelques chefs d'entreprise influents, mais ils n'ont pas le pouvoir et l'influence, dans les affaires publiques, qu'ont leurs homologues d'Europe ou des États-Unis. Les chefs de ces grandes dynasties se succèdent à un rythme plus rapide. On dirait que le mouvement ouvrier est doté d'une élite plus stable que le milieu des affaires; les années passent et on retrouve les mêmes chefs syndicaux aux réunions.

Très tôt, je compris que les affaires et la politique étaient deux mondes complètement différents. C'est sans doute pourquoi peu d'hommes d'affaires font de bons politiciens; ils se pensent versés dans tous les domaines parce qu'ils ont amassé quelques millions en creusant des trous pour trouver du pétrole! Le talent et la chance nécessaires pour devenir millionnaire n'ont rien à voir avec le talent et la chance nécessaires pour réussir une carrière politique. On peut être un joueur de base-ball extraordinaire, mais être absolument nul dans une équipe de hockey: à chacun son métier!

Beaucoup d'hommes d'affaires ont des connaissances spécialisées qui leur donnent généralement des vues étroites. Les grands banquiers sont sans doute très versés dans les affaires bancaires mais ne connaissent pas grand-chose de l'assurance ou de l'agriculture; il n'est pas plus raisonnable de prétendre qu'un grand banquier pourrait faire un bon ministre des Finances que d'affirmer qu'un grand chirurgien pourrait faire un bon ministre de la Santé et du Bien-Être social. Il n'y a que les avocats qui s'arrangent pour toujours avoir l'un des leurs comme ministre de la Justice! (En fait, la loi du ministère de la Justice l'exige expressément!)

J'ai bien envie de dire que la plupart des hommes d'affaires canadiens ont besoin de changer leur mentalité et d'étendre un peu le champ de leurs connaissances. Combien de fois au cours de ma vie ne les ai-je pas entendus se plaindre du déficit du gouvernement, ou de ses interventions, et combien de fois, quelques instants plus tard, les mêmes hommes d'affaires ne m'ont-ils pas pris à part pour me dire: «Monsieur le ministre, où en sommes-nous avec ma subvention gouvernementale? Combien le gouvernement me donnera-t-il au chapitre de la recherche et du développement? Je compte sur vous pour empêcher les importations au

Canada dans mon secteur, etc.» Ceux-là mêmes qui réclament la déréglementation lorsque les prix mondiaux du pétrole sont élevés exigent ensuite toutes sortes de mesures de protection lorsque les prix sont à la baisse sur le marché mondial. Ceux-là mêmes qui hurlent des slogans sur la libre concurrence et le marché libre veulent exercer un monopole dans leur secteur parce que, bien sûr, ils sont préoccupés par la fragmentation du marché. Et ceux-là mêmes qui, la larme à l'oeil, font l'éloge du risque en déclarant: «Que le meilleur gagne!» exigent des garanties, des cautionnements et des endossements de la part des contribuables, par l'entremise du gouvernement. Je ne dis pas qu'ils ont toujours tort, mais je dis qu'ils ne peuvent pas gagner sur tous les tableaux en même temps.

Prenons l'exemple de la réglementation. Si, dans certains cas spéciaux, le gouvernement juge à propos d'autoriser l'existence de monopoles ou de quasi-monopoles en vue de créer des entreprises viables, comme par exemple dans le domaine des transports ou des communications, n'est-il pas raisonnable que les prix fixés par ces entreprises pour leurs services soient réglementés pour protéger les consommateurs canadiens? C'est ce qui se passe, par exemple, dans le cas de Bell Canada.

D'autre part, si toutes les activités profitables et rentables des sociétés de la Couronne sont remises entre les mains du secteur privé comme le voudraient les hommes d'affaires, comment le gouvernement payera-t-il les services non rentables, mais socialement souhaitables ou nécessaires, sans augmenter le déficit? Certaines entreprises privées transportent des lettres et des documents d'une ville à une autre à un coût accessible surtout aux hommes d'affaires. Mais seule la Société des postes se chargera de livrer la lettre d'un jeune Indien, étudiant à l'Université d'Ottawa, à sa mère qui habite Old Crow. Et si l'on confie les bonnes affaires au secteur privé et les mauvaises affaires au secteur public, est-ce que les hommes d'affaires ne critiqueront pas la Société des postes parce qu'elle perd encore plus d'argent, l'accusant d'être mal gérée et d'être un exemple typique de l'incompétence gouvernementale?

À un moment donné, le gouvernement fédéral fit adopter une mesure limitant à 10 p. 100 le nombre d'actions des banques canadiennes que l'on pouvait détenir. C'était pour empêcher une prise de contrôle de la Banque Mercantile par des intérêts américains. Ce règlement eut pour effet de protéger nos banquiers contre la prise de contrôle des banques canadiennes non seulement par des intérêts étrangers mais également par les Canadiens eux-mêmes, avec le résultat que nos banques sont sous l'autorité d'une petite clique de banquiers extrêmement puissants. À telle enseigne que le gouvernement canadien se vit obligé de relâcher cette réglementation et de permettre la concurrence des banques étrangères. En 1983, quand j'étais ministre de l'Énergie, le gouvernement libéral a été forcé de sauver Dome Petroleum de la faillite parce que les prix mondiaux du pétrole s'étaient effondrés et que la compagnie avait procédé au mauvais moment à une série d'acquisitions coûteuses. Venir à la rescousse de Dome était la dernière chose que je voulais faire. J'étais convaincu que mon mandat au ministère de l'Énergie consistait davantage à ramener la paix après les luttes sauvages provoquées par le programme énergétique qui comportait trop d'interventions gouvernementales dans le secteur pétrolier. Certains conseillers me recommandaient de laisser tomber Dome et de permettre aux lois du marché de régler son cas. Mais cette décision aurait porté un coup mortel à l'industrie pétrolière canadienne, des centaines de sous-entrepreneurs auraient subi des pertes énormes sans parler des conséquences extrêmement dangereuses pour les banques qui avaient prêté des milliards de dollars à la compagnie. Finalement, je négociai une entente avec les banques et Dome, entente qui les sauva tous sans coûter un sou au gouvernement. Les banques ne nous en donnèrent jamais le mérite!

Un des banquiers concernés était Russell Harrison, le président-directeur général de la Banque canadienne impériale de Commerce. On ne pouvait certes pas le considérer comme un sympathisant libéral! Ministre des Finances, j'avais eu des discussions un peu fortes avec lui. Plus tard, quand je me retrouvai dans l'opposition pendant le gouvernement de Joe Clark, il ne retournait même plus mes appels téléphoniques. Après la signature de l'entente au sujet de Dome Petroleum, je lui dis: «Maintenant que nous sommes associés, j'espère que vous pourrez retourner mes appels!»

Même si je venais tout juste de lui sauver la vie, il devint encore plus embarrassé quand je demandai qu'on prenne une photographie pour marquer le succès de cette entente exemplaire entre le secteur public et le secteur privé. À la télévision, le député conservateur Harvie Andre venait de déclarer que les *communistes* étaient sur le point de s'emparer d'une autre compagnie de pétrole: je voulais évidemment faire la preuve du contraire en publiant la photo des quatre *camarades* banquiers et hommes d'affaires souriant à mes côtés! Ils étaient dans leurs petits souliers et moi je m'amusais ferme... Je regrette de ne pas leur avoir demandé d'autographier la photographie et d'y inscrire: «Merci un milliard de fois!»

Les hommes d'affaires avisés reconnaissent qu'il ne faut pas être trop doctrinaire au sujet de l'intervention du gouvernement dans l'économie nationale. En réalité, sans l'intervention du gouvernement, bien des projets d'une importance majeure pour le Canada n'auraient peut-être jamais été réalisés. La compagnie de chemin de fer Canadien Pacifique a été mise sur pied avec l'aide d'un gouvernement conservateur. Plus récemment, le gouvernement Lougheed de l'Alberta ultra-conservatrice a acheté une compagnie aérienne et il régit toujours les prix du gaz naturel. Les Canadiens doivent s'aider les uns les autres. Avec une population de moins de vingt-cinq millions d'habitants, on ne peut s'en remettre entièrement à la libre concurrence. S'il n'y avait pas de réglementation sur les tarifs de chemin de fer, il n'y aurait pas de chemin de fer. S'il n'y avait pas d'organisations de mise en marché, le niveau de notre production agricole diminuerait. S'il n'y avait pas de contingentements à l'importation, notre industrie du vêtement et du textile aurait disparu depuis longtemps. Les entreprises de l'Atlantique ont besoin de subsides au transport pour leur permettre d'acheminer leurs produits vers les marchés tout en demeurant concurrentielles. Un grand nombre de compagnies à travers le pays reçoivent des subventions spéciales à l'exportation, sans parler de l'appui et des conseils de nos attachés commerciaux à l'étranger. Dans tous les systèmes économiques, les gouvernements doivent intervenir d'une façon ou d'une autre et tous les gouvernements le font, y compris celui des États-Unis. Par exemple la plupart des grandes compagnies aéronautiques américaines reçoivent des subsides du Secrétariat à la Défense pour leur programme de recherche et de développement. D'autre part, si une société de la Couronne du Canada défonçait son budget et encourait les déficits qui sont monnaie courante dans les projets confiés par la Défense nationale au secteur privé américain, on crierait ici au scandale.

Il est sûr qu'il faut laisser le secteur privé fonctionner le plus possible par lui-même, mais je connais peu d'hommes d'affaires qui refuseraient la protection du gouvernement pour des raisons de principe: sans l'admettre, ils savent très bien qu'elle est souvent nécessaire. Si vous voulez terroriser un président ou un directeur de banque, dites-lui que vous songez à supprimer la limite de 10 p. 100 sur le nombre total d'actions que peut posséder un actionnaire. En un sens, c'est cette intervention gouvernementale qui protège les présidents de banque contre leurs mauvaises décisions et leurs mauvais prêts: ils ne dépendent pas d'un seul patron mais de centaines d'actionnaires. Ils vivent donc sous la protection du gouvernement mais continuent à parler du secteur privé avec des trémolos dans la voix. Si les administrateurs de la compagnie d'assurance Sun Life peuvent prendre leurs propres décisions, fixer leurs propres pensions, et s'échanger entre eux les fauteuils du conseil d'administration, c'est parce qu'un jour le gouvernement du Canada a empêché son accaparement par les Américains en permettant à la Sun Life de se tranformer en compagnie mutuelle, où les détenteurs de polices devinrent des actionnaires. Plus tard, alors que j'étais ministre des Finances, j'avais demandé à la compagnie Sun Life de surseoir au transfert de son siège social de Montréal à Toronto parce que ce déplacement donnait des munitions aux séparatistes du Québec quelques mois avant le référendum. On me répondit: «Non; nous, nous sommes du secteur privé, nous prenons nos propres décisions.» Ces hommes d'affaires, plus étroits d'esprit que n'importe quel bureaucrate, n'exerçaient pas leur pouvoir par droit divin. Ils étaient toujours en place grâce à la protection du gouvernement mais refusaient quand même cavalièrement la demande raisonnable d'un ministre élu du gouvernement en période de crise nationale.

Deux secteurs en particulier ont besoin des stimulants du gouvernement canadien. Le premier est le développement régional. Sans les subsides, le développement économique tendra à se concentrer dans la zone industrielle du centre du pays. Déjà, la région qui s'étend d'Oshawa à Hamilton en Ontario devient peu à peu une seule grande ville. C'est une tendance moderne qui me déprime. Je comprends mal que tout le monde doive vivre à Montréal ou à Toronto quand il y a au Canada tellement de jolies villes munies de bons services publics, d'habitations à prix abordable situées près de la grande nature, des villes pleines de gens qui veulent travailler. Dans les grands centres, les familles ordinaires doivent payer des prix exorbitants pour se loger modestement, alors que de grandes maisons sont disponibles à bien meilleur compte dans d'autres régions. Ces maisons sont peut-être disponibles parce que leurs occupants ont été forcés de chercher du travail dans les grandes villes après la fermeture d'une usine «non rentable», qui n'avait pu obtenir un prêt ou un subside de l'État. Cependant, le gouvernement doit imposer des taxes pour construire les routes, les égouts, les aqueducs nécessaires aux nouvelles usines, aux nouveaux gratte-ciel et aux nouvelles banlieues dortoirs où iront s'installer ces immigrants modernes.

D'autres facteurs expliquent encore le phénomène de la concentration urbaine. Les gens veulent être près du patron et veulent vivre là où se déroule l'action. Je peux soutenir qu'ils auraient plus de chances de rencontrer le patron et de lui faire bonne impression lors de ses visites d'inspection régionale que lorsqu'ils le verront rapidement dans ses bureaux, au vingtième étage d'un édifice où se bousculent quelques milliers d'employés; mais la plupart des gens ne sont pas de cet avis. D'autre part, il y en a encore qui préfèrent être quelqu'un dans une petite ville plutôt qu'un simple numéro dans une grande métropole. Il y a encore ceux qui ont choisi une vie plus digne et plus humaine à proximité d'un lac ou d'un terrain de golf, et ils ont bien raison. Quand j'étais président du Conseil du Trésor, nous avons dirigé 12 000 employés fédéraux vers de petits centres, souvent loin d'Ottawa. Par exemple, certains services furent déplacés à Matane, petite ville située sur la rive sud du Saint-Laurent. Mes fonctionnaires m'avertirent qu'on ne pourrait jamais trouver de gens compétents disposés à déménager là-bas; en fait, trois douzaines de candidats surqualifiés posèrent leur candidature aux postes de direction.

Lorsque la technique moderne en matière de communication et d'informatique nous permit d'installer les centres de données fiscales un peu partout à travers le pays, nous avons constaté un accroissement considérable du rendement: en certains cas, les employés dépassaient la capacité des ordinateurs. Ils étaient enchantés d'avoir un bon emploi dans leur ville. Des endroits comme Sudbury et Shawinigan, où l'industrie agonisait, se transformèrent en centres de services, et des régions à taux de chômage élevé reçurent une injection bénéfique dont on n'aurait même pas senti les effets dans une ville comme Ottawa.

Ceux qui prétendent que le développement régional n'est pas rentable devraient étudier la question dans une perspective économique élargie et calculer les coûts à encourir pour la construction de nouvelles infrastructures urbaines. Le développement régional nous soulage-t-il des pressions inflationnistes causées par les grands centres? Qu'en est-il de la qualité de la vie? Le monde entier envie le Canada pour sa beauté, sa propreté, ses grands espaces, sa sécurité mais, si on ne prenait en considération que les aspects économiques, il faudrait probablement fermer le pays et déménager aux États-Unis. Nous avons quand même décidé de rester et, pour les mêmes raisons, nous devons continuer à encourager le développement régional comme un élément-clé de notre politique économique.

À la question de savoir si les énormes capitaux américains investis au Canada font plus de bien que de mal, je ne suis pas sûr qu'il existe une réponse absolument satisfaisante. Mais je suis certain qu'il faut répondre affirmativement. Certaines multinationales américaines sont de bons citoyens *corporatifs*, d'autres ne le sont pas. La différence tient ordinairement à des facteurs intangibles tels que l'attitude du siège social à New York ou la personnalité du PDG au Canada. D'une part, les compagnies américaines ont assez d'expérience dans un nombre imposant de pays étrangers pour savoir comment survivre et s'adapter; d'autre part, il y a des avantages évidents à leur ouvrir au moins partiellement nos frontières: elles apportent avec elles des capitaux, des techniques de pointe et une saine concurrence.

Les investissements américains ne sont donc pas nécessairement désavantageux. À l'époque où j'étais ministre de l'Industrie et du Commerce, j'avais la réputation d'être accommodant avec les compagnies étrangères, parce que je considérais que nous en retirerions des avantages évidents. Mais leur domination dans certains secteurs présente des dangers réels, comme on l'a vu lorsque les Américains voulurent empêcher Ford Canada de vendre ses automobiles à Cuba. Est-il nécessaire de rappeler les problèmes énormes auxquels nous avons dû faire face au cours des dernières années dans le secteur énergétique?

De manière générale, les hommes d'affaires américains répugnent à remplir certaines conditions avant d'acheter une entreprise au Canada. Pour être agréables aux Américains et pouvoir leur dire que l'Agence d'examen de l'investissement étranger avait été abolie, les conservateurs ont vite changé le nom de l'Agence, devenue Investissement Canada. Mais les investisseurs étrangers seront étonnés et peut-être mécontents d'apprendre qu'ils doivent toujours retenir les services d'avocats, répondre à des questionnaires et obtenir une approbation préalable à tout investissement. Quel qu'en soit le nom, il y a une loi, ce que n'aiment pas les Américains. Ils semblent oublier que tous les pays du monde réglementent les investissements étrangers, y compris les États-Unis eux-mêmes. Essayons d'imaginer la réaction américaine si les Arabes essayaient d'acquérir la majorité des actions de General Motors ou de Boeing. Dans certains États américains, il y a déjà eu des réactions violentes devant la perspective d'investissements canadiens d'une certaine importance, mais qui n'avaient rien de comparable aux investissements massifs des Américains dans notre pays. Rappelons le cas à peine croyable d'un citoyen canadien qui voulait s'assurer la mainmise d'une compagnie *canadienne* au *Canada*: il dut faire face aux objections et à l'opposition de l'État de Floride parce que cette compagnie y avait des affaires!

Le fond du problème c'est que bien des Américains considèrent le Canada comme un autre de leurs États, pas tellement différent du Texas ou de l'Ohio. Et ils paraissent toujours étonnés lorsque nous prenons des décisions comme le fait normalement tout État indépendant. Si nous étions membre de l'Union américaine, nous pourrions au moins porter nos plaintes ou faire valoir nos droits auprès de nos sénateurs et représentants à Washington; mais nous ne faisons pas partie de l'Union et nous ne voulons pas en faire partie. Cependant, nous sommes le plus gros client des produits américains dans le monde entier, ce qui, en principe, devrait nous permettre d'obtenir certains privilèges. Ce n'est pas le cas. Lorsque le gouvernement des États-Unis fit adopter une loi pour prohiber ou à tout le moins décourager la tenue de congrès à l'extérieur des États-Unis, le Canada ne réussit pas à obtenir un traitement particulier. Malgré que nous soyons dix fois moins nombreux que les Américains, les touristes canadiens dépensent plus d'argent aux États-Unis que les Américains n'en dépensent au Canada. Aucun autre pays du monde ne pouvait invoquer un tel argument. Je soulevai moi-même la question auprès de Walter Mondale, alors vice-président sous l'administration du président Jimmy Carter; tout en reconnaissant que nous avions raison, il disait qu'il ne pouvait rien faire parce que toute tentative d'exempter le Canada de cette nouvelle loi serait bloquée par deux sénateurs, en guerre contre le Canada pour d'autres raisons. C'est souvent très frustrant de faire affaire avec les Américains; la division des pouvoirs entre le président et le Congrès complique les négociations et nous entraîne dans la politique intérieure américaine. Cela permet au gouvernement américain de nous dire de très belles choses et de ne rien céder.

Certains prétendent que le seul moyen pour le Canada de contourner le protectionnisme américain est de garantir l'accès au marché canadien par l'entremise du libre-échange dans un marché commun. Je ne crois pas que le Canada pourrait survivre politiquement à une telle opération et je pense que la conséquence logique serait à long terme l'intégration des deux pays. Même à l'intérieur du marché commun européen qui comprend un groupe de pays très différents sur le plan de la langue, de la culture et de l'histoire, on hésite beaucoup à abandonner certains droits de peur de porter atteinte à la souveraineté nationale des États membres. Non seulement le Canada serait-il menacé par la loi du nombre et la puissance économique des États-Unis, mais il serait vulnérable aux mêmes forces qui entraînent les entreprises industrielles et la population de la côte nord-est vers le croissant ensoleillé du sud-ouest. Le Canada est plus froid, plus traditionnel et plus éloigné que la Nouvelle-Angleterre: dans un marché libre, il ne nous resterait plus qu'à exporter nos richesses naturelles vers le sud où se trouveraient tous les nouveaux emplois. Sans protection, contingentement ou réglementation, nous serions à la merci des Américains parce qu'ils pourraient tout simplement agir à leur guise. Ceux qui prétendent que le libre-échange est notre seul espoir et que de toute façon il devient inévitable ont déjà abandonné l'idée d'un Canada indépendant et unique, ou bien ils n'ont pas réfléchi aux conséquences de cette mesure pour notre pays, ni aux effets sur nos relations économiques avec des pays comme le Japon. Le défi offert aux hommes politiques canadiens au cours de la prochaine décennie sera de trouver le moyen d'encourager les investissements américains chez nous, et les échanges commerciaux sur une base bilatérale, tout en maintenant l'identité du Canada.

Il y a aussi une autre question épineuse qui relève de nos liens très étroits avec les États-Unis: celle de la paix et de la sécurité. Le Canada est membre de l'OTAN, l'alliance militaire du monde libre, et membre de NORAD, le système de défense nord-américain. Parce que nous demeurons solidaires du monde libre en général et de l'Amérique du Nord en particulier, nous entendons maintenir nos engagements envers ces deux organisations, mais il y a beaucoup de débats autour de cette question. Le gouvernement Trudeau essaya d'examiner de façon réaliste le rôle du Canada dans ces différents systèmes de défense, où le Canada joue un bien petit rôle. Relativement importantes pour nous, nos dépenses militaires apportent une contribution marginale à l'ensemble du système de défense occidentale. Cela étant admis, quelle est la part du budget que doit consacrer le Canada à la défense nationale? En fait, nous nous sommes mis d'accord pour augmenter notre budget de défense de 3 p. 100 par année, sans compter l'inflation, décision difficile à prendre dans une période d'augmentation du déficit. Nos alliés, le ministre de la Défense nationale, ses hauts fonctionnaires, les Forces armées canadiennes, ainsi que tous les groupes de pression qui s'intéressent à la défense en général ont déclaré: «Très bien, c'est au moins une reconnaissance des engagements du Canada». Mais peu de temps après, plusieurs exercèrent de nouvelles pressions pour obtenir 6 p. 100 puis 9 p. 100 et ainsi de suite...

Non seulement les États-Unis jouent un rôle beaucoup plus important dans le monde que le Canada, mais ils ont aussi beaucoup plus de moyens, et leurs dépenses militaires sont directement reliées à leur croissance économique. La défense nationale américaine fait vivre de puissantes compagnies, subventionne de gigantesques programmes de recherche et de développement et toutes les inventions de la technique militaire ont des retombées dans le secteur privé. Les dépenses militaires du Canada ne peuvent pas avoir les mêmes retombées économiques et il est donc illusoire de vouloir imiter les Américains dans ce domaine.

Cependant, après nous être engagés envers nos alliés, nous avons le devoir de jouer notre rôle, si modeste soit-il. C'est pourquoi le gouvernement libéral avait permis aux Américains de procéder aux tests de leurs missiles de croisière en territoire canadien. Ce fut une décision difficile. Nous sommes tous en faveur de la paix, nous avons appuyé les initiatives internationales de Pierre Trudeau en ce sens et défendu sa théorie selon laquelle le meilleur moyen de mettre un terme à la course aux armes nucléaires serait d'arrêter le développement de nouvelles armes. C'était l'objectif vers lequel nous tendions tous. Entre-temps, les Soviétiques augmentaient le déploiement de leurs missiles alors que les Américains avaient cessé de le faire. L'OTAN en vint à la conclusion que l'équilibre n'existait plus entre les deux camps; ainsi nos partenaires européens acceptèrent d'installer d'autres missiles américains sur leur territoire. De son côté, le Canada permettait les tests des missiles sur le sien pour indiquer à l'Union soviétique qu'il restait solidaire de ses partenaires.

Et puis, tout le débat s'est déplacé à l'autre extrémité du pendule; il devient de plus en plus difficile de savoir s'il existe un équilibre au milieu de toute cette confusion autour du nombre de missiles, du nombre d'ogives nucléaires, du nombre de sous-marins, et la peur nous saisit; nous sommes tous convaincus que le temps est venu de mettre fin à cette course hystérique. On pense à celui qui a besoin d'un peu plus de pain pour finir sa sauce et ensuite d'un peu plus de sauce pour finir son pain: une recette infaillible pour mourir d'indigestion!

Les deux camps ont aujourd'hui la possibilité de détruire le monde plus de dix fois, et le danger d'un conflit nucléaire mondial devient de plus en plus réel. Les gens commencent à se rendre compte de la stupidité de la course aux armements et, comme ce fut le cas pour la course aux armes biologiques, on exerce de plus en plus de pressions pour bannir l'usage des armes nucléaires.

C'est ce qui rend encore plus grande la nécessité pour le Canada de bien réfléchir avant de s'engager dans le programme de recherche *Star Wars*. Ce projet représente une force de déstabilisation qui risque de déclencher une nouvelle escalade, cette fois dans l'espace. Même si le Canada est un allié mineur, il est complètement absurde de penser que notre seul rôle consiste à applaudir à tout ce que décide le gouvernement américain. Après une étude sérieuse de la situation, le Canada devrait définir sa position et, s'il le juge à propos, décider librement d'être en désaccord avec les Américains de la même manière qu'il le ferait avec les Britanniques, les Allemands ou les Soviétiques. C'est là le privilège d'une nation adulte. Bien sûr, les États-Unis sont nos meilleurs amis, et c'est précisément pour cette raison qu'ils ne devraient pas s'offenser quand il nous arrive de ne pas être d'accord avec eux. Je ne vois donc pas de raison pour laquelle le Canada devrait se priver du droit de dire non à *Star Wars*, comme le font déjà publiquement des millions d'Américains, dont quelques-uns au sein même de l'administration Reagan. Malgré tout, on trouve encore des Canadiens qui paraissent plus préoccupés des réactions de Washington que ne le sont les gens de Washington eux-mêmes.

*   *   *

Un autre secteur qui aura toujours besoin du soutien gouvernemental est celui des entreprises canadiennes qui doivent compter sur l'exportation de leurs produits, qu'il s'agisse de blé ou de wagons de métro. La concurrence mondiale est extrêmement forte et nos compagnies font face à des concurrents aidés de toutes sortes de façons par leurs gouvernements respectifs: subventions déguisées, bénéfices fiscaux, appuis indirects, etc. Le Canada doit jouer le jeu. Le commerce international exige beaucoup de patience et d'efforts, les méthodes et les pratiques com merciales variant considérablement d'un pays à l'autre, sans parler des normes de moralité qui ne concordent pas nécessairement avec les nôtres.

Dans l'ensemble, je crois que les Canadiens ont été trop modestes au sujet de leurs succès commerciaux à l'étranger. On dirait que nous préférons parler de nos échecs plutôt que de nos réussites. En fait, nous comptons un grand nombre d'entreprises canadiennes dynamiques, efficaces et concurrentielles sur les marchés internationaux. Je m'en suis rendu compte quand j'étais ministre de l'Industrie et du Commerce.

Je ne demeurai pas très longtemps à ce ministère à cause d'une série d'événements qui transformèrent rapidement la scène politique. René Lévesque et le Parti québécois avaient pris le pouvoir, Robert Bourassa avait démissionné comme chef du Parti libéral du Québec, et on exerçait sur moi d'énormes pressions pour que je prenne sa relève sur la scène provinciale. Au même moment, Donald Macdonald, qui avait succédé à John Turner comme ministre des Finances en 1975, songeait à se retirer de la vie publique. Député aux Communes depuis 1962, il souhaitait consacrer plus de temps à sa femme et à ses enfants, et sans doute n'avait-il pas suffisamment envie de devenir premier ministre. Sans m'en rendre compte, j'ai peut-être précipité sa décision de démissionner.

Au cours de l'été 1977, Macdonald et sa charmante femme Ruth étaient venus passer un week-end à ma maison de campagne, près de Shawinigan. À l'occasion d'une promenade, je me suis mis à spéculer sur notre avenir politique. «Il faut que je décide si je me lance en politique provinciale, dis-je à mon collègue et ami. Tu devras alors rester à Ottawa, car je ne pense pas que le gouvernement puisse se payer le luxe de perdre deux ministres importants en même temps. Si, de ton côté, tu décidais de demeurer au gouvernement, je serais sans doute tenté d'aller à Québec à cause des pressions qui s'exercent sur moi. Mais si tu démissionnes, je resterai probablement à Ottawa parce que je crois que Pierre Trudeau me nommera ministre des Finances». Je ne sais quelle influence cette conversation candide avait pu avoir sur Macdonald mais, en septembre, il remit sa démission au premier ministre.

Pierre Trudeau était toujours très méticuleux quand il préparait un remaniement ministériel. Il interrogeait les ministres et il notait leurs préférences dans un petit carnet. Sans aucun doute, il connaissait mon ardent désir de devenir ministre des Finances, désir qui remontait aux années de Mike Pearson. Je savais que le ministère des Finances avait été le cimetière de nombreux politiciens, mais je le briguais quand même. Au mois de septembre 1977, mon souhait se réalisa. Au hasard d'une rencontre au Parlement, Pierre Trudeau s'arrêta et me dit: «Oui, je te nomme ministre des Finances!»

J'avoue que j'étais ravi!

Chapitre V

Sur la corde raide

Je suis de ceux qui aiment agir rapidement et prendre des risques. Cela m'a souvent aidé mais cela m'a aussi causé des ennuis. À la suite de la présentation de mon premier budget comme ministre des Finances au printemps de 1978, je me suis retrouvé dans la pire impasse de ma carrière. Je ne peux pas dire que certains de mes collègues et de mes hauts fonctionnaires ne m'avaient pas prévenu; je ne suivis pas leurs conseils parce que je voulais tenter une chose que je croyais nécessaire et utile au pays.

À ce moment-là, la première condition pour maintenir la croissance économique était de stimuler la demande des consommateurs. Un moyen simple de le faire consistait à réduire le prix des produits de consommation en diminuant la taxe de vente. Cependant, la taxe de vente fédérale étant une taxe indirecte, ajoutée au coût de la fabrication et de la distribution des produits, elle était déjà incluse dans le prix de détail. En réduisant cette taxe, on ne réduisait pas nécessairement le prix au comptoir puisque la réduction consentie pouvait être empochée par les manufacturiers et les distributeurs.

D'un autre côté, la taxe provinciale étant ajoutée au prix de vente au moment de l'achat, toute réduction de cette taxe profitait directement aux consommateurs. Mon plan était le suivant:

consulter toutes les provinces avant le dépôt de mon budget et obtenir leur promesse de réduire les taxes de vente provinciales en échange d'une compensation financière payée par Ottawa. Cela permettait en outre de coordonner, du moins partiellement, les budgets fédéral et provinciaux, évitant ainsi de prendre des mesures aux effets contraires. Brian Mulroney n'a inventé ni la consultation ni la coopération fédérale-provinciale!

Cependant, il m'était impossible de signer un accord formel avec les provinces à cause du secret qui doit entourer la préparation du budget. Je pouvais seulement dire aux ministres des Finances provinciaux: «Si je fais ceci, accepterez-vous de faire cela?» Ils acceptèrent tous. Mes négociations les plus difficiles furent avec le gouvernement du Québec. Je rencontrai Jacques Parizeau, alors ministre des Finances, en même temps que notre collègue de l'Ontario, Darcy McKeough, un politicien intelligent et plein de bon sens. J'avais fait préparer un excellent dîner car je voulais que Parizeau soit en bonne forme. C'est un homme imposant, riche d'une éducation privilégiée qui a développé chez lui le goût des bonnes choses de la vie. Il prenait des allures de lord anglais, l'humilité ne l'étouffait pas. Un jour, au cours d'une réunion des ministres des Finances du Canada, quelqu'un se demandait pourquoi l'inflation et le chômage s'aggravaient de pair, contrairement aux théories traditionnelles de l'économie. Pouces et index enfoncés dans les poches de son gilet, le ton condescendant, Parizeau lança cette phrase lapidaire: «Messieurs, nous devons oublier tout ce qu'on nous a appris à l'université!» Je lui répondis doucement: «Moi, je n'ai rien à oublier parce que je n'ai jamais appris l'économie à l'université!»

Flatter l'amour-propre de Parizeau a toujours été le meilleur moyen de l'amener à comprendre un point de vue. Ce soir-là, autour de la table, je pris mon air le plus modeste et lui dis: «Je suis vraiment dans une impasse. Que ferais-tu à ma place?» Ah! il adorait être consulté! Un peu plus tard dans la soirée, je lui dis encore: «Sapristi, Jacques, tu m'épates! Si tu n'étais pas séparatiste, je te nommerais gouverneur de la Banque du Canada!

— Bah! répliqua-t-il, je suis tellement conservateur que j'aurais fait un bon ministre des Finances pour John A. Macdonald!»

Il ne fut pas difficile de l'amener à proposer lui-même ce que je voulais. Vers la fin du dîner, il se donnait le crédit d'avoir suggéré l'idée de diminuer la taxe de vente provinciale. Évidemment, il n'y avait rien d'écrit, mais je prenais pour acquis que la parole d'un ministre des Finances valait autant qu'un simple bout de papier. Il est sûr et certain que je n'aurais pas été assez irréfléchi pour introduire cette proposition de taxe de vente dans mon budget si je n'avais pas été convaincu que j'avais l'accord de toutes les provinces.

En avril 1978, après la présentation du budget à la Chambre des communes, toutes les provinces anglophones (à l'exception de l'Alberta qui n'avait pas de telle taxe) annoncèrent une réduction de leur taxe de vente. Quant à Parizeau, il déclara qu'il avait besoin de temps pour réfléchir sur la position du Québec. «Ne vous en faites pas, dis-je à mes collègues du Cabinet. C'est un gentilhomme et il m'a donné sa parole.» Quelques amis me trouvaient naïf; je pensais au contraire que j'avais joué franc-jeu et que, par conséquent, le Parti québécois n'essaierait pas de faire de la petite politique. Quand on mettait sa parole en doute, je défendais farouchement l'honneur de Parizeau. Je finis par me rendre compte qu'il était moins honorable que je ne l'avais cru: le Québec ne diminua pas sa taxe de vente mais la supprima sur quelques produits déterminés, tout en réclamant la compensation financière que j'avais offerte aux provinces respectueuses de l'entente.

Par charité, je me disais que ses collègues avaient sans doute forcé la main de Parizeau en l'empêchant de faire un marché avec Chrétien. Mais un ministre des Finances qui a perdu l'appui du Cabinet n'a d'autre choix que celui de démissionner. Si seulement Parizeau avait simplement *menacé* de démissionner, il aurait gagné. Au lieu de cela, il se laissa embobiner par ses collègues qui voulaient marquer des points en refusant toute entente avec le fédéral... tout en réclamant les compensations! «Jamais! dis-je. Un marché est un marché. Pas de marché, pas d'argent.»

Je me retrouvai brusquement au centre d'une polémique incroyable. Les nationalistes du Québec, toute la presse, la plupart des membres du caucus libéral du Québec et presque tous les membres du Cabinet me conseillaient de céder. Je me sentais extrêmement seul. Tous les jours, dans les reportages de la télévision, de la radio et de la presse, mes adversaires faisaient valoir leur point de vue. J'avais très peu d'alliés et aucune tribune pour défendre le mien. De vieux amis et de vieux partisans téléphonaient à ma femme: «Mais pourquoi Jean est-il si entêté? Il avait l'habitude d'être plus souple que ça...

— Il ne lâchera jamais, leur répondait Aline. Et je ne le laisserais pas faire car il a raison puisqu'il avait la parole de Parizeau.»

Je le savais, elle le savait, mes fonctionnaires le savaient, Darcy McKeough le savait, mais personne ne semblait le croire ou ne semblait trouver cela important. J'aurais pu solliciter le témoignage de Darcy McKeough mais, conservateur de l'Ontario, il aurait été placé dans une situation difficile puisque les conservateurs fédéraux faisaient beaucoup de bruit autour de cette affaire. Bien qu'il ne fît aucune déclaration publique, on m'assure qu'il avait confirmé à Joe Clark et à René Lévesque que je disais la vérité. De ma part, ce n'était d'ailleurs pas une question d'entêtement, mais une question d'honneur. Et puis, j'avais donné ma parole aux provinces et je ne pouvais donc pas revenir sur ma promesse et conclure un accord spécial avec le Québec, d'autant moins que j'avais eu beaucoup de mal à convaincre l'Ouest et les provinces de l'Atlantique qu'une réduction de la taxe de vente n'était pas seulement bénéfique à l'industrie du Québec et de l'Ontario. Malgré tout, les pressions exercées sur moi pour que je cède devenaient intolérables.

J'allai voir Pierre Trudeau et lui dis: «Si vous me demandez de changer ma politique, je le ferai; on verra ensuite ce qui restera de la crédibilité de votre ministre des Finances...»

Trudeau m'accorda son appui et me conserva sa confiance.

Je me suis souvenu tout à coup que, lorsqu'il était premier ministre, Diefenbaker avait adressé une lettre personnelle à chaque fermier de l'Ouest, y joignant un chèque pour lequel on lui était encore reconnaissant. Je m'inspirai de ce précédent pour résoudre mon problème: au lieu de remettre une compensation financière au gouvernement du Québec, j'enverrais directement l'argent aux contribuables québécois, à raison de 85 $ à chacun. Il fallut attendre quelques semaines pour sentir l'effet sur la population de cette mesure inattendue. Le premier rayon

d'espoir me parvint un jour où j'étais interviewé par un reporter sur le bord du canal Rideau à Ottawa; au milieu de l'interview, un bateau-mouche passa près de nous et quelqu'un me cria: «Hé, Jean, quand m'enverras-tu mon 85 $?» Une autre fois, je participais à un programme de lignes ouvertes à la radio. Une femme téléphona et me fit un discours sur l'empiétement du gouvernement fédéral dans les domaines provinciaux et sur les mauvais traitements que, paraît-il, nous infligions au Parti québécois. Rien de ce que je disais ne paraissait l'ébranler. Finalement, je lui demandai: «Au fait, madame, qu'avez-vous fait de votre chèque?
— Ah, je l'ai encaissé!
— Ça prouve une chose, chère madame. Votre nationalisme et vos beaux principes ne valent pas 85 $!» Elle raccrocha sans plus insister.

Mais la tempête continuait; je finis par dire à ma femme que je devrais peut-être démissionner. J'étais découragé. Ce matin-là, elle m'apporta mon petit déjeuner au lit: «Prends un bon petit déjeuner. Après, retourne dans la mêlée, c'est ta place!» Une demi-heure plus tard, en route pour le Parlement, j'entendis annoncer à la radio que les libéraux avaient gagné trois ou quatre points dans un sondage d'opinion publique. À la réunion du caucus des députés du Québec, où on continuait de me sermonner, je pris la parole et leur dis: «Vous savez, les gars, je pense que vous avez raison. J'ai commis une très grave erreur et le Parti ne s'en remettra jamais. Ce matin, justement, j'ai entendu à la radio qu'on ne remontait que de trois ou quatre points dans le dernier sondage Gallup!» Après cela, étrangement, pour des raisons sans doute mystérieuses, on cessa d'invoquer les grands principes et, peu après, le gouvernement du Québec déposait les armes.

Cette anecdote est une belle illustration du genre de relation qu'entretenait Pierre Trudeau avec ses ministres des Finances; il les appuyait presque toujours dans leurs projets, il écoutait plus qu'il n'argumentait; s'il n'était pas d'accord, il ne le montrait jamais en public ou en présence des autres ministres. Un jour, Pierre Trudeau me fit venir à son bureau pour discuter de la levée de la réglementation des prix et des salaires, tâche dont j'avais hérité comme ministre des Finances. Je voulais l'abolir plus tôt que prévu afin de bénéficier de l'effet de surprise. Pierre Trudeau et plusieurs de ses conseillers souhaitaient maintenir les réglementations plus longtemps car le programme fonctionnait bien et il était politiquement bien accueilli. Voyant que je ne changeais pas d'idée, Trudeau me dit: «On peut amener le chameau à la rivière, mais on ne peut pas le forcer à boire.» Je me sentais donc libre de faire ce que je croyais le plus indiqué; je fixai donc une date, et tout se passa si bien que les économistes de mon ministère en restèrent éberlués.

Certains prétendent que l'économie est une science occulte: j'en ai eu souvent l'impression! Au cours d'une réception que j'offrais à la suite de la présentation de l'un de mes budgets, je demandai à mes invités, dont plusieurs spécialistes, de me dire quels seraient les effets du budget sur le dollar canadien. Le gouverneur de la Banque du Canada fut assez sage pour s'abstenir de répondre, mais la plupart des savants conseillers présents y allèrent de leurs commentaires. À quelques exceptions près, tous affirmèrent que le dollar monterait; de fait, il baissa! Deux des trois qui avaient prévu la baisse n'étaient pas économistes: mon jeune assistant Eddie Goldenberg et moi-même! Le troisième, Syd Rubinoff, économiste au ministère des Finances, justifia sa prévision de la façon suivante: «Selon les théories des sciences économiques le dollar devrait monter. Mais comme le marché est fou, j'en conclus que le dollar baissera.»

Au ministère des Finances comme ailleurs, le ministre doit former une solide équipe avec ses hauts fonctionnaires. Tous les matins, ils le mettront au fait de la situation économique: taux d'intérêt, inflation, état du dollar, réserves monétaires, production, croissance. Ces données chiffrées constitueront le pain quotidien qui alimentera les décisions ministérielles. Peu à peu, le ministre apprend à cerner les problèmes, les tendances économiques et les grandes lignes de force, qui lui seront commentés en profondeur par une brochette de spécialistes. Le plus souvent, les options offertes sont simples et claires et, par conséquent, les décisions faciles à prendre. Quelquefois, l'instinct l'emporte sur l'avis des spécialistes, quand ce n'est pas la réalité politique qui influence une décision. Supprimer un abri fiscal peut engendrer un bénéfice financier en même temps qu'un désastre politique. Par exemple, quel ministre des Finances voudrait mettre fin au populaire plan d'épargne-retraite même s'il était convaincu que les épargnes des Canadiens sont trop considérables?

Au delà des tracasseries quotidiennes d'ordre politique ou économique, il y a aussi de grands débats au ministère des Finances. Par nature et par définition, les économistes ont tendance à se diviser et à se subdiviser entre différentes écoles de pensée; comme chacun d'eux croit dur comme fer aux solutions qu'il préconise, il ne devrait plus y avoir de problèmes et... tout le monde devrait être riche! Avant la préparation de mes budgets, j'encourageais mes fonctionnaires à avoir de sérieuses discussions sur leurs idées et leurs points de vue. Les partisans de Galbraith s'attaquaient à ceux de Friedman; ceux qui voulaient stimuler l'économie luttaient contre ceux qui souhaitaient plutôt réduire le déficit; tous débattaient la définition de termes tels que *plein emploi, inflation raisonnable, juste imposition*. Est-ce qu'on a atteint le plein emploi lorsque tout le monde travaille ou lorsque l'économie fonctionne à pleine capacité? Doit-on encore encourager la croissance ou la croissance provoquera-t-elle une poussée d'inflation? Faut-il équilibrer le budget en réduisant le déficit ou en augmentant les taxes? Hélas! le ministre ne peut passer des mois et des mois à soupeser les théories, aussi passionnantes soient-elles. Chaque jour il doit prendre des décisions d'ordre pratique. Selon le cours des événements, les problèmes, les priorités et, bien sûr, les solutions peuvent changer du tout au tout: pendant un certain temps, c'est l'inflation qui est l'ennemi à combattre et, tout à coup, elle cède sa place au chômage. Et puis le déficit devient la préoccupation majeure jusqu'à ce qu'une autre priorité s'impose, ou soit imposée par l'opinion publique.

Aucun autre membre du cabinet, y compris le premier ministre, n'est appelé à prendre rapidement un aussi grand nombre de décisions importantes qui touchent chaque citoyen. Autant que possible, le ministre des Finances consultera ses collègues, ses fonctionnaires et, à l'occasion, la population canadienne elle-même.

Un jour, j'eus une longue discussion avec mes fonctionnaires qui proposaient la réduction d'une certaine taxe. À l'occasion, pour mieux comprendre le fond du problème, je m'opposais à leurs propositions, les forçant ainsi à les justifier: j'obtenais alors des renseignements qui pouvaient me servir plus tard. À un moment donné, un de mes fonctionnaires s'exclama: «Ça doit être la première fois dans l'histoire qu'un ministre s'oppose à la réduction d'une taxe; d'habitude, le ministre veut réduire les taxes et les bureaucrates soulèvent des objections.

— Il y a bien dû y avoir un politicien dans l'histoire qui ne voulait pas réduire les taxes, répliquai-je.

— Oui, répondit Tommy Shoyama, le sous-ministre: Herbert Hoover!» On réduisit la taxe.

Les finances publiques sont un domaine qui exige beaucoup de souplesse; c'est pourquoi le gouvernement ne peut pas être doctrinaire sur des questions comme le déficit. Aux États-Unis, par exemple, Reagan s'est fait élire en promettant d'équilibrer le budget américain et, après quatre ans d'efforts, il a si bien *réduit* le déficit qu'il est passé de *50 milliards* à *220 milliards* de dollars! Cela n'empêche pas les Républicains d'employer la même vieille rhétorique qui fascine les membres de leur parti et qui fait pleurer de joie les hommes d'affaires américains et canadiens, y compris ceux qui amassent des fortunes à vendre des bons d'épargne du Canada! Il est bien évident qu'il n'y a pas un seul pays qui souhaite accumuler d'énormes déficits, puisqu'il faut alors utiliser les taxes pour payer les intérêts de la dette, supprimer des programmes, réduire des services existants, etc. C'est ma préoccupation au sujet du déficit qui me valut le surnom de *Docteur No* quand j'étais président du Conseil du Trésor. En fait, mes deux budgets de ministre des Finances ne provoquèrent aucune augmentation du déficit et, relativement parlant, le déficit diminua. Pour un ministre des Finances, la dette nationale est un souci constant qui ne peut pas toujours prévaloir sur les autres considérations humaines, sociales ou politiques.

Les États-Unis, cette nouvelle Mecque des conservateurs canadiens, n'ont eu que huit ou neuf budgets équilibrés depuis 1931, la plupart présentés par des Démocrates entêtés. Le Japon, dont on fait sans cesse l'éloge pour son génie économique, a un déficit par habitant plus élevé que celui du Canada. Au cours d'une rencontre avec les membres d'une délégation japonaise comprenant le ministre des Finances, je lui en avais demandé la raison. La réponse n'est pas sans intérêt: les Japonais épargnent beaucoup d'argent, environ le quart de leurs revenus, si bien que le gouvernement doit encourir d'importants déficits pour remettre l'argent en circulation. Les Canadiens épargnent également beaucoup, environ 14 p. 100 de leurs revenus, soit deux fois plus que les Américains. Le gouvernement encourage l'épargne par le moyen d'avantages fiscaux, ce qui favorise l'accumulation du capital nécessaire au développement économique. Mais, avec les années, cette accumulation de capital est devenue gigantesque. Pour un très grand nombre de Canadiens, une méthode populaire d'épargne consiste à acheter des bons d'épargne; ce n'est peut-être pas le meilleur placement, mais il donne aux gens un sentiment de sécurité. Même mon vieux père avait acheté des bons d'épargne avec ses minces économies, durement réalisées; plus tard, quand j'héritai de quelques-unes de ses obligations, elles ne valaient plus que le tiers de leur valeur originale: l'inflation avait fait ses ravages. Le plus étonnant, c'est que j'achèterai sans doute moi-même quelques obligations d'épargne pour ma propre sécurité et pour assurer celle de mes enfants et de mes petits-enfants: la nature humaine est ainsi faite!

Pour le Canada, c'est une excellente opération: en tenant compte de la dévaluation et de l'impôt perçu sur les revenus de ces obligations, le gouvernement, en réalité, rembourse moins de la moitié de son emprunt. Il n'en reste pas moins qu'on ne peut augmenter le déficit national indéfiniment. À un moment donné, le pays perdrait tout crédit et personne ne voudrait plus lui prêter d'argent ou acheter ses obligations d'épargne. Mais le Canada est bien loin d'en être là et les Canadiens continuent à préférer les obligations d'épargne du gouvernement à celles du secteur privé. Je m'amusais à demander aux hommes d'affaires qui critiquaient la politique économique des libéraux: «Quand il s'agit de vos épargnes personnelles, achetez-vous des obligations du Canada ou des obligations de vos amis Chrysler ou Massey-Ferguson?»

On ne comprend ces contradictions apparentes que lorsqu'on se rend compte que, dans le débat sur le déficit, les intérêts personnels sont aussi importants que les arguments économiques. Les hommes d'affaires républicains adorent toujours Ronald Reagan en dépit du fait qu'il n'a pas réduit le déficit mais qu'il l'a fortement augmenté.

Les hommes d'affaires conservateurs ont hurlé lorsque le ministre des Finances libéral, Allan MacEachen, essaya d'augmenter les revenus en supprimant une série de stimulants fiscaux qui avaient atteint leurs buts ou dont on abusait. En d'autres mots, les hommes d'affaires réclament des restrictions à condition qu'elles ne soient pas proposées par les libéraux! Lorsque les conservateurs supprimèrent d'un trait de plume les généreux programmes de recherche et de développement mis en avant par les libéraux, personne ne s'est plaint. Je me console en me disant que les hommes d'affaires n'ont sûrement pas voté pour les conservateurs dans le but de voir augmenter leurs taxes, mais que c'est précisément ce qui va leur arriver. Tant pis pour eux!

Lorsque les grands seigneurs des conseils d'administration critiquent le déficit gouvernemental et disent: «Si nous gérions nos compagnies comme cela, nous serions en faillite», ils énoncent une vérité de La Palice. Le but d'un gouvernement n'est pas de faire des profits. C'est évidemment celui des entreprises privées qui peuvent se moquer éperdument du chômage, de la pauvreté et, surtout, des services non rentables indispensables aux régions éloignées et défavorisées. Bien sûr, le gouvernement doit être administré aussi efficacement que possible, et la population a le droit d'exiger qu'on lui rende des comptes. Mais si les compagnies privées étaient obligées d'ouvrir leurs livres comme doit le faire le gouvernement, on pourrait mieux juger de leur compétence... De toute manière, comparer le secteur public au secteur privé, c'est comparer des pommes à des oranges.

Malgré les apparences, les relations entre le gouvernement et les hommes d'affaires n'ont pas toujours été mauvaises. Sous le gouvernement libéral, en tout cas, les exemples de consultation et de coopération entre les deux secteurs sont innombrables. Pour ma part, j'ai eu plus de consultations avec les hommes d'affaires au cours de ma carrière qu'avec tout autre groupe de notre société; jamais je n'ai préparé un budget sans d'abord obtenir les points de vue et les avis du Conseil d'entreprises sur les questions d'intérêt national, la Chambre de commerce du Canada, les associations de petites entreprises, etc. Ces divers organismes exercent d'ailleurs des pressions tenaces, bien organisées...et bien financées!

Règle générale, les hommes d'affaires ne se plaignent pas de ce que le gouvernement ne les ait pas consultés; ils se plaignent plutôt de ce qu'il n'ait pas toujours fait, partout et en tout temps, ce qu'ils auraient souhaité. Si les hommes d'affaires veulent prendre les décisions à la place du gouvernement, la solution est simple: ils n'ont qu'à se faire élire eux-mêmes au Parlement!

On pourrait donner le même conseil aux chefs syndicaux. Eux aussi, on les consulte régulièrement. Ils ont toujours participé aux travaux qui précèdent la préparation du budget, et je ne connais pas un seul ministre libéral qui aurait refusé de rencontrer un chef syndical pour discuter d'un problème d'intérêt commun. J'ai trouvé les chefs syndicaux souvent beaucoup plus émotifs que les hommes d'affaires dans leurs revendications mais, hélas! moins tenaces. Leur vrai handicap, c'est leur association avec le NPD. Étant donné que les chefs syndicaux ont la hantise d'avoir l'air de collaborer avec le gouvernement, ils se condamnent eux-mêmes à défendre avec fracas des idées naïves et simples, en espérant que leur influence gagnera des votes au NPD. Cette attitude les paralyse, les rend inefficaces et illustre bien l'incongruité de compter sur un parti politique national comme représentant d'un groupe d'intérêt particulier. Parfois, on dirait même que les syndicats hésitent à s'entendre avec le gouvernement, même sur une mesure bénéfique à leurs membres, de peur d'affaiblir les arguments politiques du Nouveau Parti démocratique. Dans les provinces où le NPD a formé le gouvernement, les syndicats ont tendance à s'en éloigner; ils ont été dans l'opposition trop longtemps et, par définition, ils ne se sentent pas à l'aise avec le pouvoir.

Un autre problème découle des structures mêmes du Conseil canadien du travail, qui est en fait une fédération de syndicats très décentralisée. Chaque chef syndical a son petit empire, son fonds de pension, sa caisse de grève et sa juridiction, de sorte que le Conseil peut difficilement faire accepter par ses membres les accords conclus avec le gouvernement. De plus, la force de chaque syndicat varie d'une année à l'autre, d'un secteur à l'autre et d'une région à l'autre. Par exemple, les postiers de Colombie britannique seront disposés à signer une entente alors que les ouvriers de l'acier de Terre-Neuve seront sur le point de faire la grève. C'est pourquoi il est si rare qu'on puisse en arriver à un accord général et satisfaire tout le monde en même temps. Dans les années 70, c'est ce qui avait empêché le gouvernement libéral d'obtenir un accord volontaire sur la restriction des salaires, le forçant à imposer la réglementation que l'on sait.

Bien des hommes d'affaires pensent que les libéraux sont trop mous avec le mouvement ouvrier, entre autres raisons parce que les travailleurs représentent plus de votes que les banquiers. Il est incontestable que les Trudeau, Marchand et Pelletier avaient travaillé en étroite collaboration avec les syndicats du Québec dans les années 50; moi-même, j'ai fait du droit ouvrier à Shawinigan, comme c'est le cas de plusieurs députés libéraux. Notre gouvernement était-il partial pour autant? Je ne crois pas. Après tout, nous combattions aussi le NPD. A l'élection de 1965, j'avais dû faire face à un adversaire de taille: un médecin extrêmement populaire, candidat du NPD. En dépit de mes racines et de mon style bien connu, je constatais l'influence du NPD sur les électeurs syndiqués. Il m'a fallu contre-attaquer par tous les moyens: «Vos chefs utilisent *votre* argent, ils utilisent *vos* bureaux, ils utilisent *vos* machines à polycopier pour faire élire un riche docteur!» Ce n'était pas très aimable mais c'était vrai. Je connaissais bien les travailleurs, je les fréquentais assidûment et, comme ministre, j'allais les rencontrer à leurs centrales syndicales. Dans l'ensemble, je partageais leurs vues. Mais je savais que le gouvernement ne pourrait jamais compter sur la collaboration de leurs chefs.

Ironiquement, alors que les hommes d'affaires accusaient les libéraux d'être manipulés par les syndicats, les chefs syndicaux nous accusaient d'être dans la poche des hommes d'affaires. C'est le prix à payer pour être au centre.

Plus haut, j'ai mentionné que les ministres se retrouvaient plus souvent avec des hommes d'affaires qu'avec des représentants d'autres secteurs; c'est en grande partie à cause de la nature même de l'entreprise commerciale ou industrielle qui exige plus de contacts avec le gouvernement. Chaque ministère a des responsabilités qui concernent le monde des affaires. Par conséquent, des représentants du monde des affaires viennent souvent à Ottawa pour discuter d'un tarif, d'une taxe, d'un programme de recherche, etc. Les syndicats sentent moins le besoin d'examiner les détails d'un projet de loi, sauf lorsqu'il touche directement leurs membres. Par exemple, quand j'étais ministre de l'Industrie et du Commerce, autant les chefs syndicaux que les hommes d'affaires venaient discuter du contingentement de l'importation de textile et de vêtement.

De nos jours, les grandes questions qui séparent les hommes d'affaires et les chefs syndicaux sont toujours celles-là mêmes qui séparent aussi les économistes: réduction du déficit ou création d'emplois? Restriction ou stimulation? Il n'y a pas de solution simple. Le chômage demeure une tragédie sociale et humaine, même si l'assurance-chômage et le bien-être social en ont atténué les conséquences pour les individus; les familles sont moins nombreuses; davantage de membres de chaque famille ont des emplois stables; il y a enfin plus d'occasions d'augmenter ses revenus par du travail à temps partiel...dont on ne déclare pas toujours les revenus! Par exemple, à Shawinigan, les données statistiques sur le chômage semblent effarantes, mais les maisons sont en meilleur état qu'elles ne l'étaient il y a vingt ans, il y a davantage de boutiques et de magasins et tout le monde possède une télévision et une automobile. On dit parfois que notre système de sécurité sociale mine le goût du travail et du défi et qu'on en abuse: personnellement je pense que ce système est un signe de progrès, de justice sociale et de civilisation. Je reconnais qu'en certains cas le bien-être social peut encourager les gens à ne rien faire. Certes, ce n'est pas une solution de rechange à l'emploi et, à notre époque de profonds bouleversements techniques, le chômage demeure une réalité intolérable. Il faut le combattre par tous les moyens, sans oublier d'assurer un minimum vital à ses victimes.

Autrefois, travailler voulait dire construire et produire des choses concrètes. Un homme allait en forêt, abattait des arbres, les transportait au moulin à scie où on les transformait en bois de construction. Maintenant, le travail de plusieurs mois se fait en quelques minutes, les hommes sont remplacés par des machines ou des robots, on produit dix fois plus avec dix fois moins de travailleurs. Des milliers d'emplois ont donc disparu mais de nouvelles catégories d'emploi ont surgi dans le domaine des soins hospitaliers, des services d'information, des entreprises financières, de l'informatique, de la vente, etc. Malheureusement, les nouveaux emplois ne sont pas apparus aussi rapidement qu'ont disparu les anciens, surtout dans les régions où les richesses naturelles constituaient la base de la vie économique. Ma ville de Shawinigan a grandi grâce à ses chutes, l'électricité à bon marché attirant les usines de pâte à papier et diverses entreprises connexes.

Aujourd'hui, ces avantages ont disparu, la haute technologie réclame ses victimes et plus de 2 500 emplois industriels ont disparu de mon comté. Le secteur public et les services ont aidé à compenser partiellement les pertes, mais les difficultés structurelles de base demeurent. C'est là un problème majeur dans tout le Canada et dans le monde entier.

Bien des gens parlent de la haute technologie et de la planification industrielle comme d'une panacée. Mais la haute technologie exige d'énormes capitaux et la formation de milliers de techniciens qualifiés. Hélas! la planification industrielle est plus facile en théorie qu'en pratique. Par exemple, quelle sorte de stratégie le gouvernement canadien doit-il mettre en oeuvre dans les secteurs du cuivre, du papier ou du pétrole quand il n'y a pas de régie des prix du marché mondial? Le programme énergétique national était une stratégie valable dans le domaine du pétrole, stratégie basée sur les prix internationaux élevés d'il y a quelques années. Il devait décupler le programme d'exploration, créer des milliers d'emplois et, pour l'Ouest canadien, les bénéfices secondaires devaient être exceptionnels. Tout allait pour le mieux dans le meilleur des mondes lorsque, contre toute attente, le marché international du pétrole s'est effondré. L'offre dépassait la demande, et pas un gouvernement au monde ne pouvait y faire quoi que ce soit.

Certains disaient: «Chrétien est trop pratique; il ne croit pas à la planification à long terme.» Ce n'est pas exact. Le Canada a besoin de planification et j'ai largement contribué à satisfaire ce besoin. Je veux bien discuter avec ceux qui rêvent de savoir précisément combien il nous faudra de *microprocesseurs* ou d'ingénieurs des mines dans cinq ans, mais l'expérience m'a appris que de telles prédictions ne sont pas possibles, tout simplement parce qu'il y a trop de décisions prises par trop de personnes, dans notre pays et dans le reste du monde. Même les plans quinquennaux des grandes sociétés modernes sont dépassés après un an ou deux, quelquefois au bout de quelques mois.

Quand j'étais ministre des Finances, je proposai un plan économique formidable pour une période de cinq ans: il fut approuvé par le premier ministre, le Cabinet, tous les premiers ministres provinciaux, y compris les conservateurs et les néo-démocrates.

En moins de cinq ans, à cause de tous les emplois créés, il y aurait pénurie de main-d'oeuvre! Les caisses du Trésor des gouvernements fédéral et provinciaux déborderaient, les déficits seraient effacés. Un plan à la fois ingénieux et réaliste: tout le monde s'extasiait! Mais il fallut déchanter. D'abord, on avait prévu un taux de croissance de 6 p. 100 par année pendant cinq ans, ce qui me paraissait plutôt élevé. Après de longues discussions avec mes conseillers, j'avais réduit ce taux à 5 p.100, assurant encore de très bons résultats. Hélas! la croissance prévue se transforma en récession, et notre magnifique projet n'avait plus de sens. Après coup, comme il fallait s'y attendre, plusieurs critiques affirmèrent que nous n'avions jamais eu de plan!

Il est bien sûr nécessaire de concevoir des plans et des stratégies de développement dans tous les secteurs de l'activité économique, mais il faut rester conscient de leur fragilité et assez souple pour les adapter sans cesse. Quand je fixais les contingentements d'importation de textile et de vêtement, je prenais des mesures pour faire face à un problème temporaire dans un secteur particulier. Il était facile aux rêveurs d'affirmer qu'il aurait fallu remplacer tous les emplois de l'industrie textile par des emplois de haute technologie. Très facile... Combien de fois ai-je dit aux prétendus planificateurs: «Très bien, je vais fermer toutes les usines de textile dans mon comté si vous garantissez que, pour deux emplois perdus dans le textile, il y aura au moins un nouvel emploi en technologie de pointe.» L'ennui, avec les grandes théories, c'est qu'elles font trop rapidement oublier la réalité. Éliminer l'industrie du textile au Canada aurait des conséquences sociales et politiques désastreuses pour le Canada et mettrait le consommateur canadien à la merci des producteurs étrangers; à long terme, cela coûterait plus cher que de maintenir notre industrie locale. Et n'oublions jamais que les politiciens doivent rendre compte de leur administration à leurs électeurs: ils n'ont pas été élus pour fermer leur propre ville et leur propre comté!

Cela étant dit, le Canada doit quand même s'adapter au monde moderne, mais avec réalisme; très souvent, ceux qui prêchent la planification industrielle à long terme sont les mêmes qui se plaignent des trop nombreuses interventions de l'État dans l'économie. C'est pourquoi je prends leurs discours avec un grain de sel...

Au mois d'août 1978, le premier ministre fit une intervention inhabituelle et imprévue dans le domaine économique et, du même coup, mit ma carrière en péril. Nous vivions à l'époque de l'inflation galopante: les prix montaient en flèche, les accords et les conventions sur les salaires coûtaient de plus en plus cher, les profits dépassaient tous les plafonds antérieurs et d'énormes pressions s'exerçaient sur tous les gouvernements des pays industrialisés pour qu'ils réagissent. C'était le principal sujet de discussion du Sommet économique de Bonn, auquel Pierre Trudeau et moi devions participer. En route pour Bonn, après des mois de préparation, le premier ministre et moi avions revu les différentes solutions possibles. Au retour, je pris des vacances pendant que Pierre Trudeau préparait son discours à la nation sur l'économie et les remèdes proposés par le Sommet. Depuis les départs successifs de Turner et de Macdonald, les sondages n'étaient pas très favorables à la politique économique du gouvernement libéral. Dans certains milieux, on avait l'impression que Pierre Trudeau lui-même ne s'intéressait pas suffisamment aux affaires économiques. Les conseillers du premier ministre voulaient qu'il corrige cette impression au moyen d'un grand discours télévisé au cours duquel il devait présenter certaines mesures d'austérité. Mais, au lieu de s'en tenir à des orientations générales, Pierre Trudeau annonça carrément une réduction de deux milliards de dollars dans les dépenses. La presse ne fut pas longue à dire que le premier ministre m'avait tiré le tapis sous les pieds. Ceux-là mêmes qui prétendaient qu'il ne s'intéressait pas suffisamment à l'économie l'accusaient maintenant de s'ingérer dans les affaires de son ministre des Finances. Chose certaine, il m'avait placé dans une situation intolérable.

Je ne sus jamais ce qui s'était réellement passé. Un brouillage dans les communications ou un coup de force des conseillers du premier ministre? Pierre Trudeau me téléphona pour s'excuser et me dit que Jim Coutts, son premier secrétaire, avait essayé en vain de me rejoindre pour me prévenir. Certes, le premier ministre avait le droit en théorie de faire ce qu'il fit, c'est-à-dire de prendre des décisions majeures, dont nous avions discuté en termes généraux, et de me laisser les détails de l'opération. En temps normal et en pareille circonstance, un ministre des Finances aurait démissionné. Je n'en fis rien parce que j'étais inquiet des conséquences possibles de ma démission au Québec où un gouvernement séparatiste était au pouvoir: elle aurait sûrement apporté de l'eau au moulin péquiste.

J'étais en politique depuis assez longtemps pour connaître les petites guerres d'influence, savoir marcher le dos au mur, les coudes levés, avec un grand sourire aux lèvres: ceux qui n'apprennent pas cela sont vite éliminés!

Dans l'arène politique, on doit sans cesse combattre pour survivre: la presse vous guette, l'opposition vous guette, vos collègues et rivaux du Cabinet vous guettent et même certains fonctionnaires en font autant; pour servir ses ambitions, chacun cherche à vous prendre en défaut.

Pierre Trudeau savait bien que l'incident m'avait nui et qu'il avait nui à la solidarité ministérielle. Au moment où je préparais mon second budget, je lui avais dit: «Je veux que celui-ci soit le mien. Je joue quitte ou double: ou je gagne tout, ou je perds tout. — Il n'y aura pas d'ingérence», me promit-il.

Il ne me restait plus qu'à redonner confiance aux fonctionnaires, qui ont tendance à vous rendre la vie difficile dès qu'ils sentent que vous ne faites plus le poids au Cabinet. D'entrée de jeu, je leur déclarai: «Nous allons préparer un bon budget, ce sera mon budget, notre budget, et personne ne nous dira quoi faire.» Je me rappelle encore les mines réjouies de mes collaborateurs...

Comme nous étions à quelques mois d'une élection, tout le monde attendait un budget politique. J'avais déjà été échaudé lors de mon premier budget par la controverse qui avait entouré mon initiative de réduire la taxe de vente et, d'autre part, le fameux discours du premier ministre avait créé une certaine confusion sur le marché et dans l'esprit du public. Je proposai donc des mesures plus conventionnelles qui, dans l'ensemble, furent bien accueillies. Plus tard, quelques-uns de mes collègues prétendirent que ce budget nous avait coûté l'élection de 1979, mais cette élection était perdue d'avance. Après onze ans de régime Trudeau, la population avait tout simplement besoin de changement. J'espérais rallier le plus de monde possible autour des libéraux en présentant un budget financièrement *responsable*. Avec le recul, je pense encore que c'était le mieux à faire mais, pendant un certain temps, je crus avoir démontré une fois de plus que la bonne gestion économique ne fait pas toujours de la bonne politique.

Ce n'est pas vraiment Clark qui gagna cette élection, mais Trudeau qui la perdit. Les libéraux étaient au pouvoir depuis 1963, les gens étaient fatigués de leur chef et aucune crise ne les poussaient à se rallier à lui. Si Pierre Trudeau avait provoqué une élection en 1977, après la victoire du Parti québécois, les libéraux auraient obtenu une écrasante majorité; mais, en 1979, bien des Canadiens se laissaient bercer par l'illusion que la menace séparatiste n'était pas réelle. Enfin, plus Lévesque traitait les Canadiens anglais d'ennemis et d'oppresseurs, plus ils l'applaudissaient; au lieu de le considérer comme une menace nationale, on le trouvait intéressant peut-être parce qu'il fouettait le complexe de culpabilité de nos concitoyens anglophones. Les Canadiens n'hésitèrent donc pas à remplacer Trudeau par Clark... jusqu'à la crise référendaire!

Je me souviens d'une discussion que j'avais eue à Winnipeg avec un groupe de femmes, au cours de la campagne de 1979. J'étais venu donner un coup d'épaule à Lloyd Axworthy lorsque je rencontrai tout à coup ce groupe plutôt hostile mais bien renseigné. Je demandai à l'une des femmes: «Selon vous, quel serait le meilleur député pour votre comté? Lloyd Axworthy ou son adversaire?

— Lloyd Axworthy.

— Et qui préféreriez-vous comme ministre des Finances? Jean Chrétien ou Sinclair Stevens?» La rumeur voulait que Stevens, conservateur très à droite, me remplace dans l'hypothèse d'une victoire conservatrice. «Jean Chrétien, répondit-elle.

— Et qui serait le meilleur premier ministre? Pierre Trudeau ou Joe Clark?

— Pierre Trudeau.

— Alors, logiquement, vous voterez pour les libéraux...

— Non, me lança-t-elle, je veux un changement!»

Chapitre VI

Se battre pour le Canada

L'élection d'un gouvernement séparatiste au Québec en 1976 me prit par surprise. Comme tout le monde. Je savais que les libéraux provinciaux, sous la direction de Robert Bourassa, n'étaient pas très populaires, mais j'avais pris pour acquis que le thème de l'indépendance serait un handicap insurmontable pour René Lévesque. Le Parti québécois fut élu malgré l'indépendance, et non à cause d'elle, comme Lévesque lui-même l'a reconnu le soir de l'élection en exhortant ses partisans à ne pas prendre leurs rêves pour des réalités. La population du Québec avait tout simplement voulu changer de gouvernement. Mais je sentais quand même le danger; le mouvement séparatiste avait de l'élan, il captivait l'imagination de la jeunesse et ses chefs étaient d'habiles politiciens. D'autre part, Pierre Trudeau terminait déjà son troisième mandat comme premier ministre et personne ne savait s'il songeait à partir, ni quelles seraient les conséquences de son départ éventuel. Je sentais que le Canada allait entrer dans une période de lutte acharnée pour sa survivance, période qui pourrait durer plusieurs années. J'étais démoralisé.

Les préjugés favorables de la presse de langue française et même de langue anglaise à l'endroit de Lévesque dépassaient les bornes. On pardonnait à Lévesque des erreurs et des écarts de langage qu'on n'aurait jamais tolérés de la part de tout autre politicien; sa popularité et son exceptionnel talent de communicateur lui permirent de tenir jusqu'en juin 1985, et de passer près de réaliser le principal objectif de son parti.

Même les journalistes qui n'appuyaient pas l'indépendance lui trouvaient des excuses: «Ce n'est pas vraiment un séparatiste, prétendaient-ils. C'est un modéré, on peut lui faire confiance». Ils disaient cela en 1976 et ils le répétaient encore en 1985, malgré toutes les preuves du contraire. Si, à l'occasion, Lévesque s'est éloigné de l'option séparatiste, c'était pour sauver sa peau, politiquement. Retraites stratégiques, vite oubliées dès que la conjoncture politique devenait plus favorable à la thèse de l'indépendance du Québec. Il n'y eut jamais le moindre doute dans mon esprit: Lévesque a toujours été un séparatiste convaincu; je le savais depuis ce jour où nous avions déjeuné ensemble, à Québec, en 1964, alors qu'il essayait de m'attirer en politique provinciale: «Jean, s'était-il exclamé, oublie Ottawa: dans cinq ans, ça n'existera plus pour nous». Il avait aussitôt regretté sa spontanéité mais il était un peu tard. Et dès lors, je me demandai s'il n'utilisait pas sa situation de ministre dans le Cabinet de Jean Lesage pour faire avancer une cause qu'il avait à coeur depuis son enfance, vécue dans un village dominé par les anglophones. Quant à Jean Lesage, c'était un fédéraliste très vulnérable aux accusations d'être «le valet d'Ottawa»; il se laissait facilement influencer par ceux qui considéraient la Révolution tranquille comme une simple étape sur le chemin de l'indépendance. Je reste persuadé que René Lévesque et quelques-uns de ses amis — tels que Jacques Parizeau et Claude Morin, alors hauts fonctionnaires du gouvernement Lesage — étaient déjà sur le chemin de l'indépendance.

Ironie du sort, bien que Lévesque n'eût pas réussi à m'attirer en politique provinciale en 1964, il faillit y réussir indirectement treize ans plus tard. Après la défaite de 1976, Robert Bourassa avait démissionné comme chef du Parti libéral du Québec, et mon nom était mentionné de plus en plus souvent comme un successeur possible. Des inconnus, aussi bien que des amis, m'incitaient à poser ma candidature. Je reçus même un coup de téléphone de Brian Mulroney! Tous faisaient appel à mon sens du devoir et m'affirmaient que la Confédération canadienne traversait une crise majeure et que le Parti libéral provincial paraissait amorphe et découragé. Même si je souhaitais ardemment la défaite de Lévesque et même si je pensais pouvoir y contribuer, je n'étais pas tellement désireux de quitter Ottawa. Même pour devenir premier ministre du Québec. Mais je n'écartai pas cette éventualité du revers de la main.

Au mois de juin 1977, dans les bureaux du journal le *Devoir* à Montréal, j'eus une rencontre avec Claude Ryan pour discuter de la situation politique québécoise. Ainsi que je l'ai déjà mentionné, je considérais Ryan comme un journaliste compétent et influent et, comme tout le monde, j'aimais le consulter. Je lui rendais visite à l'occasion, même si son tempérament d'intellectuel et sa personnalité austère étaient aux antipodes de mon propre style: je le trouvais agréable et impressionnant. Au début de cette rencontre, il demeura un moment sur la défensive, sans doute parce que, avant l'élection, il avait appuyé le Parti québécois dans ses éditoriaux. «Non pas parce que j'étais séparatiste, mais parce que je croyais que c'était le temps de se débarrasser du gouvernement Bourassa». La discussion s'engagea vite sur l'avenir du Parti libéral du Québec; selon lui, il n'y avait que trois personnes capables d'en prendre la direction: Claude Castonguay, Jean Chrétien et Claude Ryan.

Malheureusement, soit que, par pudeur, il eût marmonné son propre nom, soit à cause de la surdité de mon oreille droite, le troisième nom m'avait échappé. Je me lançai donc dans une analyse des capacités et des chances de succès de Castonguay, ancien ministre des Affaires sociales sous Bourassa et...bien sûr, des capacités et des chances de Chrétien! À l'issue de la rencontre, mon adjoint Eddie Goldenberg me demanda: «Mais pourquoi n'as-tu pas parlé de la suggestion de Ryan qui s'est lui-même offert comme chef?

— Il s'est proposé lui-même?» demandai-je fort étonné. Non seulement je n'avais rien entendu mais je n'aurais jamais imaginé que Ryan ait pu entretenir des ambitions politiques personnelles. J'examinai cette perspective un certain temps, puis je retournai le voir.

«Chacun de nous doit faire ce qu'il sait faire le mieux, lui dis-je. Ma vie, c'est la politique, et je crois avoir quelque talent dans ce domaine. Vous êtes journaliste, c'est votre vie et vous excellez dans ce métier difficile et important. Si j'étais vous, je n'entrerais pas dans l'arène politique, je resterais directeur du *Devoir*.» J'essayai de dire tout cela le plus gentiment possible mais je crois que j'aurais dû me taire.

De mes remarques, Ryan tira la conclusion que j'avais l'intention de poser ma candidature à la direction du Parti libéral du Québec et, le lendemain, c'est ce qu'il publia dans le *Devoir*. J'avais cru que notre conversation était confidentielle et, qui plus est, je n'avais certes pas encore pris de décision quant à mon avenir; son indiscrétion eut pour effet de m'y forcer. Je commençai d'abord par évaluer mes chances de succès. Combien de députés libéraux de l'Assemblée nationale étaient prêts à m'appuyer? L'appui de ses pairs est toujours une bonne indication de l'appui général et c'est la preuve qu'ils croient pouvoir gagner avec vous. Après une vérification rapide, mes partisans m'assurèrent du concours d'au moins quatorze députés, une bonne base pour un candidat de l'extérieur. Il me fallait encore aller discuter du projet avec mon chef, Pierre Trudeau. Il était préoccupé lui aussi par la victoire de Lévesque mais, quels que fussent ses penchants, je savais qu'il ne me dirait pas quoi faire. Ce n'était pas dans sa manière. Il ne poussait jamais les gens à prendre une décision entre autres raisons parce qu'il respectait le libre choix de chaque individu. Il n'a donc pas dit: «Jean, tu dois aller à Québec», mais c'est plus ou moins la conclusion que je tirai de notre conversation.

Ma décision n'était toujours pas prise. Comme je devais le confier à Donald Macdonald quelques semaines plus tard, mon avenir dépendait en partie de sa décision de rester ou non dans la vie politique et de la possibilité pour moi de devenir ministre des Finances. Après ma nomination en septembre 1977, certains chroniqueurs ont prétendu que Pierre Trudeau m'avait offert les Finances parce qu'il croyait que je n'avais pas les qualités requises pour être premier ministre du Québec. Bien au contraire, il m'avait dit: «J'ai hésité à te nommer ministre des Finances parce que je craignais que cela ne t'empêche de te présenter à la direction du Parti libéral du Québec. Si tu crois devoir aller à Québec, n'invoque surtout pas le fait que tu es ministre des Finances.

— Monsieur le premier ministre, lui répondis-je, je vous donne ma parole que, si on a besoin de moi au Québec, je n'hésiterai pas à démissionner de mon poste.» Malgré tout, cette nomination prestigieuse fit croire à bien des gens que je n'étais plus disponible. Entre-temps, les partisans de Claude Ryan avaient commencé à s'organiser, convaincus qu'il fallait un intellectuel pour combattre les intellectuels du Parti québécois. De plus, Ryan était considéré comme libre de toute attache avec l'équipe discréditée de Bourassa. Un autre groupe s'était formé derrière Raymond Garneau, l'excellent ministre des Finances du gouvernement Bourassa, devenu mon ami dès l'université. Pour toutes ces raisons, on cessa peu à peu de faire pression sur moi, et j'avoue que je me sentis libéré. Mais le jour où Ryan annonça qu'il avait décidé de ne pas se présenter, les pressions recommencèrent de plus belle.

Aussi étonnant que cela puisse sembler aujourd'hui, c'est Brian Mulroney qui m'annonça la nouvelle de la décision de Ryan. Je ne l'avais jamais rencontré mais le connaissais de réputation depuis sa participation à la Commission Cliche, cette fameuse commission d'enquête sur le banditisme dans les syndicats au Québec. Il m'arriva comme un cheveu sur la soupe, m'annonça la décision de Ryan et me dit: «Tu n'as pas le choix: il faut que tu te présentes.

— Si je dois y aller, j'irai», lui répondis-je.

J'appelai alors Raymond Garneau: «Tu dois savoir que beaucoup de gens me pressent de me présenter à la direction du parti. Quels sont tes plans?»

Quelques mois plus tôt, le nom de Garneau avait été injustement traîné dans un mini-scandale politique et on se demanda s'il se présenterait à la direction du Parti pendant qu'une enquête se faisait à son sujet. Selon lui, le fait de se porter candidat fournirait plutôt la preuve qu'il n'avait rien à cacher. De toute manière, au moment de mon appel téléphonique, l'enquête l'avait déjà exonéré de tout blâme.

«Maintenant, je n'ai plus les mêmes raisons de poser ma candidature et il se peut que j'y renonce. Dans ce cas, tu pourras évidemment compter sur mon organisation.»

Au début de 1978, j'étais sur le point d'annoncer ma candidature quand je décidai de reporter la chose au mois de février, après la conférence des premiers ministres sur l'économie. Au début de janvier, Garneau annonça sa candidature et Ryan avait enfin décidé d'en faire autant: je reprenais donc ma liberté. Claude Ryan l'emporta au congrès et devint chef du Parti libéral du Québec. Je demeurai ministre des Finances jusqu'à la défaite du Parti libéral par les conservateurs dirigés par Joe Clark, en mai 1979. Personne alors n'aurait pu prévoir qu'en moins d'un an, Clark serait lui-même défait à la Chambre des communes, que Trudeau, après avoir démissionné, reprendrait la direction du Parti, que les libéraux fédéraux auraient gagné une majorité absolue à l'élection générale qui s'ensuivit et que je serais moi-même à Québec, aux côtés de Claude Ryan, engagé à fond dans la lutte référendaire sur la présence du Québec au sein de la Confédération canadienne.

En février 1980, après la réélection du Parti libéral à Ottawa, le premier ministre me demanda de devenir ministre de la Justice, avec le mandat particulier d'unir et de diriger les forces fédérales dans la campagne référendaire qui approchait. Accepter cette responsabilité fut la décision la plus difficile de toute ma vie. Habituellement, c'est avec enthousiasme que je fais face à de nouveaux défis, surtout quand ils sont de taille, mais celui-ci me faisait peur: les conséquences d'un échec seraient énormes pour le Parti et surtout pour le pays. En outre, j'étais d'avis qu'il me serait toujours difficile de travailler avec Claude Ryan, nos personnalités étant trop différentes. Avant notre réélection de 1980, je l'avais revu à une réunion d'organisation pour le référendum: il m'avait clairement fait comprendre qu'il ne voulait pas faire affaire avec moi. Peut-être ne m'avait-il jamais pardonné de lui avoir dit qu'il était moins doué pour la politique que pour le journalisme…Il avait été tellement désagréable que Marc Lalonde et André Ouellet m'avaient dit, après la réunion: «Jean, on n'en aurait pas pris autant!» Je racontai l'incident à Pierre Trudeau en

142

lui suggérant que je serais peut-être plus à l'aise au poste de ministre des Affaires extérieures.

«Je ne comprends pas, me répondit-il. La maison brûle et tu veux être à Paris ou à Washington!»

Mes plus loyaux conseillers étaient eux-mêmes divisés, et je ne parvenais pas à me décider. Finalement, je retournai voir le premier ministre et lui dis: «Pourquoi ne feriez-vous pas pour moi ce qu'un grand frère ferait pour son petit frère?

— Très bien. Je te nomme ministre de la Justice, procureur général du Canada, ministre d'État pour le Développement social, et je te charge des troupes fédérales pour le référendum. J'espère que le petit frère ne dira pas que son grand frère n'a pas confiance en lui!»

J'acceptai et je devins dès lors le franc-tireur de Pierre Trudeau.

Selon les règles établies par la Loi provinciale sur le référendum, toutes les forces du *Oui* et du *Non* devaient se regrouper dans deux grandes organisations distinctes, représentant chacune un camp. Ryan, naturellement, devint responsable du camp du *Non*. Joe Clark, quand il était premier ministre, n'avait vu aucun rôle pour le gouvernement fédéral dans cette lutte. Il ne voulait pas s'en mêler sous prétexte que le référendum était une affaire de famille, qui devait se régler entre «Québécois». Il mit fin à la publicité fédérale dans la province au moment même où le gouvernement du Parti québécois recouvrait les murs des villes et des villages avec des drapeaux du Québec et des slogans nationalistes payés par chacun des ministères. Ainsi, par exemple, sur les panneaux-réclame prônant l'utilisation des ceintures de sécurité, on pouvait lire: «Attachons-nous au Québec!» À cause de la stratégie de Clark, même les députés fédéraux du Québec étaient pratiquement exclus de toute participation. Sans douter de sa sincérité, j'ai de sérieuses réserves sur son jugement et je me demande ce qui serait arrivé s'il était resté au pouvoir. Par la suite, à ma grande satisfaction, Clark lui-même vint faire un discours à Shawinigan durant la campagne référendaire. Il fut l'une des nombreuses personnalités publiques ou privées, dont certains premiers ministres provinciaux, à venir nous donner un coup de main pour sauver le Canada. N'oublions jamais que, même avec la contre-attaque des libéraux fédéraux, même avec un important budget de publicité, même avec tous les députés en campagne dans leurs comtés respectifs, même avec les formidables discours de Pierre Trudeau, le camp du *Non* ne gagna que de 60 p. 100 à 40 p. 100.

Malgré tout, après la réélection de Pierre Trudeau, Claude Ryan ne nous accueillit jamais à bras ouverts. Il craignait que son autorité et son prestige ne soient affaiblis et croyait pouvoir gagner la bataille seul. Cette attitude constitua bientôt un problème majeur. Selon Ryan, les députés fédéraux pouvaient l'aider en parlant à leurs frères et soeurs, mais sans aller jusqu'à faire des discours, organiser des assemblées, se tenir en première ligne, sous le feu de la bataille. Le référendum lui paraissait être un grand débat intellectuel et, tandis qu'il gagnait un argument, les séparatistes gagnaient le coeur des gens. Ses idées étaient justes, raisonnables et logiques, mais elles ne captivaient guère ses auditeurs, alors que Lévesque faisait un malheur avec ses discours émotifs sur l'indépendance du pays, la fierté et l'honneur d'un peuple libre, la brisure courageuse avec le passé.

Si Ryan en vint à accepter l'inévitable présence des forces fédérales dans l'équipe du *Non*, il n'accepta jamais de ne pouvoir traiter directement et chaque jour avec Pierre Trudeau et de devoir se contenter de moi comme interlocuteur du gouvernement fédéral. Au début, il voulait me nommer à l'un des nombreux postes de vice-président de l'énorme conseil du *Non*, mais je refusai, ce titre ne reflétant pas réellement l'importance du pouvoir que je représentais. Renonçant au titre, je me fis plutôt nommer au comité exécutif mais, comme ce comité était réduit et que la représentation fédérale y était limitée, ma charge de travail fut extrêmement lourde. J'étais déjà mince et, pourtant, je perdis près de quinze livres durant la campagne! Tous les matins, je rencontrais à Ottawa les députés, les ministres, les conseillers du Centre d'information sur l'unité canadienne et les hauts fonctionnaires afin d'échanger nos vues sur le déroulement de la campagne et de recueillir leurs réactions. Une fois par semaine, après la période de questions à la Chambre des communes, je me rendais à Montréal pour assister à la réunion du comité exécutif présidé par Ryan. Et tous les soirs, je faisais des discours dans un,

Willie Chrétien et Marie Boisvert, jeunes mariés. Ils s'étaient unis à Baie-de-Shawinigan en 1909. Il avait vingt et un ans, tandis qu'elle n'en avait que dix-sept. Elle allait avoir dix-neuf enfants, dont neuf seulement atteindraient l'âge adulte.

Je me trouve ici entouré d'une partie de ma famille devant le duplex où je suis né à Baie-de-Shawinigan: Ma soeur Carmen et son mari Charles Martel se trouvent à côté de mon père et de ma mère tandis que je suis agenouillé à côté de mon frère Guy (à droite sur la photo).

Cette photo de ma mère fut prise en 1952, peu de temps avant sa mort. J'ai toujours regretté que ma mère n'ait pas vécu assez longtemps pour voir ce qu'il est advenu de ses enfants.

Mon père, Willie, en 1980, alors qu'il avait presque quatre-vingt-treize ans. Il m'avait confié, la dernière année de sa vie: "Je peux mourir maintenant, les libéraux sont revenus au pouvoir et le Québec va continuer à faire partie du Canada."

Avec Maurice Duplessis, en 1955. Jean Pelletier, l'actuel maire de Québec, est l'avant-dernier à droite. Le premier ministre rencontrait les finissants de son alma mater, le Séminaire de Trois-Rivières.

Lors de l'ouverture de ma campagne en 1963, en compagnie de mon père et de son ami J.A. Richard, mon prédécesseur libéral.

Avec ma femme Aline après ma première victoire, le 8 avril 1963.

En compagnie de Lester Pearson, le 4 avril 1967, quand je fus nommé au Cabinet comme ministre d'État attaché aux Finances. Pierre Trudeau était le nouveau ministre de la Justice et John Turner le nouveau registraire général.

En compagnie du ministre des Finances, Mitchell Sharp, dans mon comté en avril 1967. À ma droite, Hormidas Prud'homme, maire de Grand-Mère. À la gauche de Mitchell Sharp, le Dr L.P. Lacoursière, maire de Shawinigan-Sud, et Maurice Bruneau, maire de Shawinigan.

Cette photo fut prise au moment où je m'adressais à un groupe d'étudiants sur la colline parlementaire en 1967.

Avec John Rae, mon premier chef de cabinet, alors que j'étais ministre des Affaires indiennes et du Nord.

Me voici en compagnie de Roland Michener, gouverneur général à l'époque, alors que j'étais assermenté à mon poste de ministre du Revenu national en janvier 1968. Aujourd'hui, nous sommes tous deux avocats-conseil pour l'étude légale Lang-Michener.

Au sommet de Bonn en 1978, avec Pierre Trudeau, le président Giscard d'Estaing et Roy Jenkins de Grande-Bretagne.

Avec la reine et la princesse Anne à Resolute Bay, en juillet 1970.

Après la victoire de la campagne référendaire, le 21 mai 1980, j'ai entrepris une tournée des capitales provinciales afin de discuter des réformes constitutionnelles avec les premiers ministres des provinces.

À la Chambre des communes, pendant la dernière phase du débat constitutionnel, je reçois les félicitations de Pierre Trudeau (à gauche) et de John Munro (à droite), ainsi que celles de mes collègues libéraux, de gauche à droite: Charlie Turner, Robert Gourd, René Cousineau et Francis Fox.

Avec mes compagnons d'armes du 5 novembre 1980: Roy Romanow, le procureur général de la Saskatchewan (à gauche) et Roy McMurtry, le procureur général de l'Ontario (à droite).

Je signe la Constitution en présence de la reine, en avril 1982. Je ne sais trop comment, Trudeau avait réussi à briser la pointe du stylo, et mon commentaire en aparté à ce sujet semble avoir amusé la reine.

Acclamé par les délégués durant le congrès à la direction du Parti en 1984.

Cette photo fut prise le jour du baptême de mon petit-fils, Olivier. De gauche à droite: mes fils, Hubert et Michel, ainsi que ma fille, France. À mes côtés ma femme, Aline, et André, mon gendre.

Noël 1984 avec un autre petit-fils, Maximilien.

Dans l'opposition en 1984. Le salut scout semblait un geste de circonstance à l'intention des conservateurs.

deux ou trois comtés pour retourner ensuite à Ottawa et recommencer le lendemain matin. Les sondages d'opinion publique n'étaient pas très encourageants, nous avions les nerfs à vif et les plus simples divergences d'opinion provoquaient des tensions insurmontables. Un jour, Pierre Trudeau se plaignit publiquement du déroulement de la campagne du *Non*; il répétait les plaintes et les inquiétudes de ses conseillers qui n'étaient pas directement engagés dans le comité, de telle sorte qu'ils l'amenèrent à exagérer la situation. Je fus obligé de contredire publiquement le premier ministre, ce que, malgré tout, il accepta de bonne grâce. Du même coup, je remontai dans l'opinion de Ryan, ravi de m'entendre critiquer mon patron!

Notre première grande assemblée publique fut un désastre. C'était à Chicoutimi, dans l'aréna, dont on avait recouvert la glace pour l'occasion. Tout le monde gelait! Il y avait quand même une foule d'environ trois mille personnes, mais comme les organisateurs en attendaient six mille, la presse conclut à l'échec. Le fait qu'on avait rassemblé cinq fois plus de monde que René Lévesque à Portneuf fut passé sous silence. Il avait eu la bonne idée d'entasser ses six cents spectateurs dans une toute petite salle et la presse avait crié au succès. L'erreur majeure de notre assemblée avait été de présenter deux douzaines d'orateurs, chacun devant parler deux minutes. Mais comme nul n'est capable de se contenter de si peu, une envolée oratoire n'attendait pas l'autre. Finalement, quand vint mon tour, les gens commençaient à quitter la salle à cause du froid, de la fatigue et de la faim. J'étais si furieux que je prononçai l'un des plus mauvais discours de *toute* ma carrière, discours émaillé de cris et lourd de frustrations. La leçon porta et, aux autres assemblées, on limita à cinq le nombre d'orateurs: une personnalité locale bien connue qui agissait comme maître de cérémonie, le chef intérimaire de l'Union nationale, Michel Lemoignan, Camil Samson du Crédit social, Claude Ryan et moi-même. Samson et moi étions nés dans la même rue; malgré son esprit conservateur et ses réactions de droite, il était extrêmement amusant et nous avions en commun le style populiste particulier à la Mauricie.

«Qui sera nommé ambassadeur du Québec après l'indépendance? demandais-je dans mes discours. Qui sera assis dans les grosses Cadillac avec chauffeur et «flag sur le hood»? Ce ne sera pas vous, ce ne sera pas moi. Ce ne sera pas les gens ordinaires. Ce sera sûrement les bourgeois de la Grande-Allée à Québec ou d'Outremont à Montréal! Ils auront sûrement du bon temps, mais quel prix devrez-vous payer?»

Mon langage populaire, farci d'argot et même de mots anglais, avait le don de susciter les foudres de nos intellectuels, d'ailleurs séparatistes pour la plupart; à René Lévesque, on pardonnait tous ses écarts de langage mais pas à moi. Il y eut des tollés dans les journaux lorsque je comparai le séparatisme à la gangrène; cependant personne ne protesta lorsque Claude Morin parla du fédéralisme comme d'un cancer. Mais, chose certaine, les gens m'écoutaient et me comprenaient.

Parfois, j'ai l'impression que les intellectuels du Québec ont moins d'influence sur l'opinion publique qu'ils n'en avaient dans les années 50 et même 60. Je suis peut-être resté trop longtemps au gouvernement pour me laisser encore impressionner par les éditoriaux ou les commentaires foireux! Jeune politicien, les opinions du *Devoir* et du *Globe and Mail* me paraissaient extrêmement importantes. Aujourd'hui, je m'en soucie à peine, sachant qu'elles n'influencent personne. À la suite des chanteurs et des poètes, un grand nombre de nos intellectuels se sont laissé séduire par le rêve indépendantiste.

Ayant épousé l'idéologie séparatiste et préféré la passion à la raison, nos intellectuels n'ont pas à s'étonner d'avoir perdu la confiance des masses. Qui pouvait encore les croire quand ils traitaient en martyrs d'une noble cause nos petits poseurs de bombes, alors qu'ils n'avaient que mépris pour des hommes d'idées et de courage comme les Trudeau, les Marchand, les Pelletier, les Lalonde, les Pepin, dont le seul tort était d'être fédéralistes?

En se rapprochant du pouvoir péquiste, plusieurs de ces intellectuels furent avalés par lui et se retrouvèrent sous-ministres, présidents de commission, délégués du Québec, etc. Discrédités comme intellectuels ou comme journalistes, ils n'avaient plus guère le choix! Quoi qu'il en fût, le résultat global de leur engagement a été le déclin de leur influence sur la société québécoise. La

146

violente réaction des intellectuels à mon endroit était due en partie au fait que je dégonflais leur grand rêve.

Depuis que leurs ancêtres perdirent la bataille des Plaines d'Abraham à la suite d'une attaque nocturne des Anglais, les Québécois ont toujours voulu réécrire l'histoire. Pendant la campagne du *Non*, j'amusais mes auditoires en leur disant: «Moi aussi, j'aurais aimé être là pour réveiller Montcalm et lui dire que les Anglais s'en venaient. Mais je n'étais pas là!» C'était ma manière à moi de faire comprendre qu'il fallait accepter la réalité. Je parlais aussi du coût de l'indépendance qui serait énorme.

En fait, le Québec avait déjà commencé à en payer le prix sans en avoir l'euphorie: l'inquiétude et l'incertitude créées par le mouvement naissant avaient déjà fait fuir capitaux et emplois. Je parlais de la richesse de l'Ouest qui faisait partie de l'héritage québécois... et je comparais le prix de l'essence au Québec avec celui de l'essence en France! Je me laissais facilement emporter en pensant qu'on enlèverait, à moi et à mes descendants, le Grand Nord et les montagnes Rocheuses. Je trouvais intolérable que l'on répartisse les Québécois entre «purs» et «impurs», selon leur origine raciale ou leur langue maternelle. «Quand on se met à analyser le sang des gens, disais-je, ça ressemble à du racisme et ça me fait très peur. Parizeau a épousé une Polonaise: alors, comment faut-il classer ses enfants? Claude Morin est marié à une Américaine: alors, ses enfants sont-ils de purs Québécois?» On m'accusait d'employer des arguments simplistes: en fait, j'utilisais des exemples simples pour faire comprendre la vraie nature de l'idéologie séparatiste.

Un jour, René Lévesque fit remarquer à des journalistes étrangers que Pierre Trudeau n'était pas un pur Québécois parce que sa mère était une Elliott. Je rapportai le mot à Pierre Trudeau alors qu'on dînait ensemble et je vis monter sa colère: Canadien français de naissance, il était fier de l'avoir toujours été alors qu'il eût été facile pour lui de s'intégrer à la communauté anglophone. Son indignation lui dicta ce qui fut, selon moi, le meilleur discours de sa carrière. Cela se passa à Montréal, le 14 mai 1980, quelques jours avant le référendum. Alors que partout dans la province on voulait l'entendre, il se limita à trois discours au

Québec pendant toute la campagne référendaire, croyant comme moi qu'il aurait ainsi plus d'impact. Une stratégie risquée mais qui s'est révélée rentable si l'on songe à l'influence incroyable qu'a eue son fameux discours de Montréal. «Oui, dit-il, Elliott est le nom de ma mère. C'était le nom porté par ses ancêtres, arrivés au Canada il y a deux cents ans. Mon nom est un nom du Québec mais mon nom est aussi un nom canadien!»

Un auteur français écrivit un jour: «Le nationalisme, c'est la haine des autres; le patriotisme, c'est l'amour des siens.» Ce fut toujours une de mes devises en politique, et tous mes discours reflétaient d'une façon ou d'une autre mon amour pour le Canada. Comme peuple, nous avons toutes les raisons d'être fiers de nos réalisations et nous savons que des millions de personnes sur la terre donneraient jusqu'à leur dernier sou pour partager nos prétendues misères. Hélas! nous sommes trop souvent hésitants quand il s'agit de célébrer notre pays et nous nous laissons trop facilement impressionner par les divisions du passé et les problèmes mesquins du présent.

J'ai toujours été fier d'être Canadien français. L'origine de cette fierté, c'est bien sûr l'héritage français de ma famille. Ainsi, je n'oublierai jamais l'émotion que j'ai connue en visitant la charmante petite ville de la vallée de la Loire d'où sont issus mes ancêtres. C'est pourquoi je m'indignais quand les séparatistes du Québec me traitaient de «vendu» parce que je défendais le Canada. Mais dans le reste du pays, j'ai toujours défendu le rôle historique joué par les nôtres et sans lequel le Canada n'existerait peut-être pas: «Ce sont des Canadiens français qui ont défait les armées américaines venues envahir le Bas-Canada à des moments critiques. Ce sont des Canadiens français, des gens de ma propre région, tels que Radisson, des Groseilliers et La Vérendrye, qui ont découvert et exploré l'Ouest. Alors, tout ce pays nous appartient autant qu'à n'importe quel autre Canadien, même si nous ne sommes pas présents en grand nombre dans chacune des provinces.» Aux Canadiens anglais autant qu'aux Canadiens français, je parle toujours de la tradition canadienne du partage des richesses entre les différentes régions; je parle de l'avantage d'avoir hérité de deux des langues et des cultures les plus riches du monde. Mais, parce que mon message était aussi sévère pour l'Ouest que pour le Québec et aussi dur à avaler pour les uns que pour les autres, j'ai pris l'habitude de détendre mon auditoire en glissant une blague ici et là. L'humour est le meilleur des baumes...

Par exemple, je raconte souvent l'histoire de ce vieux gentilhomme d'East Kootenays, en Colombie britannique, que je rencontrai durant la campagne électorale de 1968. Avant une réception, on m'avait prévenu que je devais être particulièrement gentil avec lui parce qu'il avait décidé de voter libéral pour la première fois de sa vie. Aussitôt arrivé dans la salle, je le remarquai; on aurait dit un officier à la retraite de l'armée britannique des Indes: droit, rigide, le menton haut, la barbe bien taillée, une canne à la main. «Monsieur, lui dis-je dans mon meilleur anglais, on m'apprend que vous avez décidé de voter libéral pour la première fois de votre vie. Pourriez-vous, je vous en prie, m'en donner la raison?
— Oui! aboya-t-il. C'est parce que ce type, Trudeau, va mettre tous ces m... *frogs* à leur place une fois pour toutes!» Inutile de dire si j'étais interloqué! Mais plutôt que d'entreprendre un débat inutile et de perdre son vote, je lui lançai un «Thank you very much!» et filai à l'anglaise...

Lorsque je raconte cette histoire aujourd'hui, en plus de dérider mon auditoire, j'atteins deux objectifs: je soulève calmement un sujet controversé et je laisse entendre que les Canadiens ont acquis beaucoup de maturité depuis une quinzaine d'années. Il n'y a pas de doute que les haines et les préjugés s'amenuisent aussi bien au Canada anglais qu'au Canada français. On déploie aujourd'hui plus d'efforts pour comprendre, pour communiquer, et on manifeste plus de tolérance. La diversité de notre pays est devenue un élément de notre patriotisme. Autrefois, notre amour du Canada était soutenu par notre loyauté historique envers nos mères patries, la France et l'Angleterre, mais ces deux allégeances nous divisaient et, comme nous prenions ces pays pour modèles, nous négligions d'apprécier nos propres richesses, l'incroyable beauté et l'immense étendue de notre territoire, nos diversités culturelles, notre souci des droits et libertés, la qualité de notre démocratie, l'indiscutable supériorité de nos programmes sociaux. Rappelez-vous combien il nous a fallu de temps et de patience avant de nous doter d'un drapeau distinctif. Quand c'est arrivé, nous étions déjà l'une des sept principales puissances du monde occidental et, depuis longtemps, un pays indépendant. C'était il y a seulement vingt ans!

La veille du référendum, ma femme m'avait demandé: «Penses-tu que nous serons encore Canadiens demain soir?»

Une question troublante à laquelle je répondis en toute candeur: «Oui, je pense que nous allons gagner.» Les sondages plaçaient les deux camps nez à nez, mais je sentais que nous avions de l'élan et que la très grande majorité des indécis se rallieraient à notre cause. Le débat avait été très émotif, passionné, souvent dur, au point que les partisans du *Non* n'osaient pas toujours s'exprimer. Des frères se dressaient contre leurs frères, des enfants contre leurs parents et des petits-enfants suppliaient leurs grands-parents de voter *Oui*. Les fédéralistes s'étaient promis de garder leur sang-froid jusqu'au bout. J'avais confiance: le moment de vérité arrivé, les Québécois choisiraient le Canada, tout comme ils l'avaient fait lorsqu'ils avaient repoussé l'appel des Américains à se joindre à leur révolution et qu'ils avaient chassé les envahisseurs à Chateauguay. Le 20 mai 1980, pour la première fois, la voix du peuple se fit entendre par-dessus celle des élites intellectuelles et elle dit non à la séparation.

Dans presque tous les comtés de la province, le *Non* l'emporta. Inutile de dire que j'étais à la fois soulagé et enchanté d'avoir gagné dans mon propre comté. René Lévesque lui-même y avait plusieurs fois tenu des assemblées, sachant Saint-Maurice plus vulnérable que les comtés de Trudeau et de Ryan qui comptaient un bon pourcentage d'anglophones.

Si ce fut un beau jour pour le Canada, je ne peux pas dire que j'éprouvai l'envie de me livrer à de grandes réjouissances. Au lieu de l'euphorie qui suit habituellement une victoire, nous éprouvions une sorte de vague à l'âme en songeant à la tristesse de ceux qui avaient perdu. Arrivant dans un studio de Radio-Canada à Montréal pour y donner une entrevue, j'avais été accueilli par un silence amer. Seul un gardien de sécurité s'était dit heureux de me voir. Quelqu'un que je connaissais bien se cacha même pour ne pas avoir à me serrer la main.

Les Canadiens anglais ne se doutaient pas vraiment du drame que nous, Québécois, venions de vivre: familles divisées, vieilles amitiés fracassées, tout cela à cause d'une idéologie nébuleuse et irréaliste dont nos élites s'étaient fait les porte-parole irresponsables. Le soir de la victoire, je n'en voulais plus à personne et, au lieu de me réjouir comme j'en aurais bien eu le droit, j'éprouvais une profonde compassion pour ceux d'entre les miens qui pleuraient devant leur rêve brisé.

J'aurais aimé demeurer avec ma famille, à Shawinigan, mais je dus rouler jusqu'à Montréal pour assister à la grande assemblée présidée par Claude Ryan. Une joie à laquelle je ne m'attendais pas me fut accordée le lendemain à Ottawa: une extraordinaire ovation de toute la Chambre des communes.

À la veille du référendum, Pierre Trudeau m'avait fait comprendre très clairement toutes les conséquences d'un échec. «Nos têtes sont sur la bûche», m'avait-il dit. J'en avais conclu que, si nous perdions, tous les députés libéraux du Québec devraient démissionner, privés qu'ils se trouveraient de la confiance de la population. Il y a encore bien des Canadiens qui ne se rendent pas compte à quel point ce référendum fut contesté et combien il était important de le gagner. Il arrive parfois que ces grands débats soient mieux perçus de l'extérieur. En voyage à Washington en avril 1982, je rencontrai Joseph Kraft, l'éminent journaliste américain, qui me dit: «Ce que Trudeau a réussi est sans précédent. C'est la première fois qu'un mouvement nationaliste qui prend ses racines dans la langue, la couleur ou la religion ne dégénère pas en violence. Vous avez parié sur la démocratie et vous avez gagné.» Il est vrai que la violence aurait pu éclater. À certains moments, la tension était si forte qu'une simple dispute dans une taverne de Montréal aurait pu tourner en bagarre.

Je me souviens avoir participé à une assemblée tenue à Alma au début des années 70. À un moment donné, un libéral se leva et me dit: «Chrétien, quand diras-tu aux séparatistes qu'il n'y aura jamais d'indépendance, que le gouvernement fédéral ne permettra jamais que cela se produise? Si les gens du Texas voulaient se séparer des États-Unis, les Marines seraient immédiatement dépêchés pour occuper l'État.» L'auditoire, bien sûr composé en majorité de fédéralistes, se mit à applaudir à tout rompre.

Je n'étais pas d'accord et je répondis: «Nous parions sur la démocratie. Nous convaincrons les gens qu'ils doivent rester dans le Canada et nous gagnerons. Si nous perdons, nous respecterons le voeu des Québécois et nous accepterons la séparation.» Seuls les quelques séparatistes présents applaudirent.

Avec le recul, le référendum apparaît comme la plus grave erreur du Parti québécois. Jusque-là, sa stratégie avait été extrêmement efficace pour le Québec et extrêmement dangereuse pour le Canada. Claude Morin me l'avait décrite il y a longtemps: «Nous nous séparerons du Canada de la même manière que le Canada s'est séparé de l'Angleterre. Nous couperons les liens un par un, nous obtiendrons une petite concession ici, une petite concession là et, finalement, il ne restera plus rien.» Dans un premier temps, c'est exactement ce que fit le gouvernement du Parti québécois. Il exigea de nouveaux pouvoirs, imposa sa présence internationale et, comme chaque demande paraissait raisonnable en elle-même et dans l'intérêt de la province, la population suivit. Avec le temps, le Québec serait devenu indépendant dans les faits, et son indépendance juridique serait allée de soi. Mais le référendum cristallisa le débat et, en dépit de l'ambiguïté extrême de la question posée (le mot «indépendance» en avait été exclu), la population fut forcée de faire un choix. Elle dit *Non* à l'indépendance.

En 1985, René Lévesque reconnaît l'échec de l'idée d'indépendance, et j'aime à croire que Pierre Trudeau et le Parti libéral fédéral ont largement contribué à cet échec. Mais je ne me berce pas de l'illusion que le séparatisme est mort et enterré. Il y aura toujours des Québécois qui voudront «reculer l'horloge et réveiller Montcalm». Sans doute, la survie culturelle des francophones du Québec et du reste du Canada est encore mal assurée et exigera une vigilance de tous les instants. Mais, le monde se transformant en un grand village, le «village global» de McLuhan, peut-être la notion même du nationalisme deviendra-t-elle désuète. Quoi qu'il advienne, je demeure profondément convaincu qu'il est encore possible d'être à la fois fier d'être Québécois et fier d'être Canadien.

Il n'a pas toujours été facile pour les Canadiens français, là où ils étaient minoritaires, de conserver leur langue et leur culture. Mais il y a progrès; les Canadiens anglais eux-mêmes commencent à s'identifier à un pays bilingue et biculturel, et un nombre croissant d'anglophones apprennent le français. Les uns et les autres découvrent les avantages de connaître une deuxième langue, quand ça ne serait que pour la satisfaction personnelle et le plaisir intellectuel que cela procure. Je fis l'un de mes premiers discours comme ministre à la Chambre de commerce de Kelowna, en Colombie britannique, et c'est de cela même que je parlai dans mon anglais de débutant: «Il est difficile d'apprendre une autre langue, surtout quand on a plus de trente ans, mais mes enfants n'auront pas ce problème: ils seront éduqués dans les deux cultures. Vos enfants devraient apprendre le français, non pas seulement pour le parler avec les rares francophones de Kelowna, mais parce que c'est un acquis précieux pour toute la vie.» Les deux tiers de l'auditoire me firent une ovation. Depuis cette époque, on a progressé de part et d'autre. Au moins, reconnaissons-le!

La campagne référendaire fit prendre conscience à tous les Canadiens de la fragilité de leur merveilleux pays. Cette expérience traumatisante, la population a décidé de l'oublier et de rêver à des temps nouveaux, sous le signe de l'harmonie.

Tout comme les Britanniques avaient renvoyé chez lui Churchill, l'homme qui venait de gagner la plus grande guerre de l'histoire et de sauver son pays, les Canadiens avaient également envie de se reposer de Pierre Trudeau, même après l'éclatante victoire référendaire qui, sans lui, n'aurait peut-être pas été possible.

Les Canadiens voulaient tourner la page...

Chapitre VII

Un engagement envers le pays

«Où allons-nous maintenant?» me demanda Pierre Trudeau, le lendemain même du référendum, soit le 21 mai 1980. Au cours de la campagne référendaire, il avait promis que la victoire du *Non* ne serait pas la victoire du statu quo mais plutôt un appel vers un fédéralisme renouvelé. Le temps des promesses était passé, il fallait désormais agir. Deux projets majeurs émergèrent de nos discussions: rapatrier la Constitution et la doter d'une charte des droits.

Première décision: je commencerais sans délai une série de consultations avec les premiers ministres des provinces et, symboliquement, j'irais d'abord dans les provinces de l'Ouest.

Mon intérêt pour l'Ouest et ses problèmes remonte loin. En 1909, la famille de ma mère déménagea de Shawinigan à Saint-Paul en Alberta. Selon la chronique familiale, mon grand-père Boisvert était un heureux aubergiste de Shawinigan qui buvait peut-être autant de verres de bière qu'il en vendait. Sa femme était très religieuse et, dans son esprit, ce genre de comportement conduisait tout droit en enfer. Elle réussit donc à convaincre son mari de vendre ses biens et d'émigrer en Alberta où ils défrichèrent une terre, à Therrien près de Saint-Paul, exactement à trois jours de *buggy* d'Edmonton. Mon grand-père disait souvent: «Arrivé là-bas, je buvais encore plus!» C'est dans ses lettres et celles de ma grand-mère que j'appris l'existence des moissonneuses-batteuses et que je pris connaissance de la situation des agriculteurs de l'Ouest.

À l'occasion des visites de mon grand-père ou de mes oncles en Mauricie, j'en apprenais bien davantage. Je souffrais avec eux quand les récoltes étaient mauvaises et je me réjouissais avec eux quand tout allait bien. En Alberta, on retrouve environ deux cent cinquante descendants de la première famille Boisvert et je leur dis souvent: «Il est regrettable pour les libéraux que vous ne soyez pas tous dans le même comté; ils pourraient avoir au moins un siège en Alberta!» Lors de la campagne à la direction du Parti, la plupart d'entre eux vinrent à mon assemblée d'Edmonton. Je n'étais pas peu fier de les apercevoir dans les premières rangées portant des gilets sur lesquels on pouvait lire: «Chrétien pour l'Ouest!» Ils en sont maintenant à la quatrième génération et, malgré les difficultés et les problèmes auxquels ils ont fait face pour être éduqués en français, plusieurs ont réussi à conserver leur héritage culturel. J'espère que ma modeste contribution aux réformes constitutionnelles rendra la chose plus facile à leurs enfants.

Avec les années, je me sentis de plus en plus près des gens de l'Ouest parce que j'avais l'impression de partager avec eux ce sentiment d'isolement, face au puissant triangle Ottawa-Montréal-Toronto. Ce fameux triangle semblait contenir toute la richesse et le pouvoir, toutes les puissantes institutions financières, tous les postes de commande de la grande industrie, tandis que nous, de l'extérieur, avions une impression d'impuissance. Même si j'ai dirigé des ministères importants et même si j'ai vécu à Ottawa pendant plusieurs années de ma vie, je n'ai jamais pu me libérer de l'impression que les aristocrates du pouvoir me regardaient de haut parce que je venais du Québec rural. Je me souviens encore de cet étrange sentiment d'inconfort que je ressentis quand je fus l'orateur invité à l'assemblée de mise en nomination de Bud Drury à Westmount, circonscription qui regroupe une certaine élite de Montréal. Cela ressemble peut-être à ce que ressent un prospecteur de pétrole de Calgary lorsqu'il pénètre dans une grande banque de Toronto pour solliciter un gros prêt! Cette sorte de complexe est peut-être ridicule, mais on le retrouve tout autant chez les gens de la Mauricie, du Cap-Breton, du Nord de l'Ontario, que chez les gens de l'Ouest. Je ne m'en plains pas parce qu'il m'a permis de m'identifier aux Canadiens de toutes les régions du pays, y compris l'Ouest, où les Canadiens français ne sont pas particulièrement populaires...surtout lorsqu'ils ont le malheur d'être libéraux!

Les gens de l'Ouest ne sont pas conscients du nombre des leurs qui sont devenus de grandes figures de l'administration publique à Ottawa, comme par exemple Tommy Shoyama, Gerald Bouey, Al Johnson, Gordon Robertson, Basil Robinson. Dans les milieux gouvernementaux, on en vient même à parler de la «mafia de la Saskatchewan»! Pour ma part, j'ai probablement eu plus de sous-ministres de l'Ouest que du Québec ou de l'Ontario. La sous-représentation de l'Ouest était un cercle vicieux dont nous ne savions pas comment sortir: moins il y avait de députés libéraux de l'Ouest, plus l'Ouest se sentait aliéné; plus l'Ouest se sentait aliéné, moins il votait pour les libéraux et moins il était représenté dans le gouvernement. Ce fut la grande frustration de Pierre Trudeau; il tenta par tous les moyens de faire une percée dans l'Ouest et fit adopter nombre de mesures et de programmes favorables à cette région. Sans jamais en recevoir le crédit. Les quelques députés libéraux de l'Ouest, tels Otto Lang et Lloyd Axworthy, devenaient toujours des ministres influents, tout comme les sénateurs libéraux de l'Ouest, tels Bud Olson et Jack Austin, que Pierre Trudeau nomma ministres en dépit des protestations contre la présence au Cabinet de ministres non élus. Si j'avais obtenu pour le Québec rural les sommes d'argent et les avantages qu'Otto Lang obtint pour la Saskatchewan, mon siège de député serait devenu plus sûr qu'un siège au Sénat. Mais peu importaient les innombrables subsides aux fermiers de l'Ouest, peu importaient les milliers de wagons construits pour transporter leur grain. D'ailleurs, il ne s'agissait pas d'un problème d'argent: on ne peut acheter quelqu'un qui est déjà riche ou à l'aise et rien ne saurait compenser le sentiment d'être rejeté. En fait, nous avons peut-être perdu le peu de respect dont nous jouissions

157

dans l'Ouest en prenant pour acquis que les subsides allaient nous attirer des votes.

Un jour, à l'époque où j'étais ministre des Finances, je rencontrai à Vancouver un groupe d'hommes d'affaires qui se plaignaient amèrement des difficultés que leur causait le gouvernement libéral d'Ottawa: la salade habituelle qu'ils nous servaient avant de solliciter des subsides, des subventions, des déductions sur leurs revenus, etc. «Ah, mes chers amis, comme je vous comprends, leur dis-je. Ce matin, en tirant les rideaux de ma chambre d'hôtel pour admirer votre belle ville, j'ai aperçu tous ces magnifiques yachts dans le port et je me suis dit: «Pauvres gens! Ça doit leur coûter terriblement cher pour entretenir ces gros bateaux.» Et je les plaignais... «Ensuite, j'ai marché dans le centre-ville. En 1967, quand je suis venu à Vancouver pour la première fois, l'édifice le plus élevé était l'Hôtel Vancouver. Mais on a construit tellement de gratte-ciel sous l'affreuse administration libérale que je me suis égaré, ne pouvant plus retrouver mon hôtel dans cette forêt de pierre et de béton. Alors, mes amis, je comprends que la vie ne doit pas être facile...»

En réalité, l'explosion économique de Vancouver, de Calgary et de plusieurs autres villes de l'Ouest se produisit sous un gouvernement libéral mais personne ne veut en convenir. Quand l'Ouest s'enrichissait sous les libéraux, les gens de là-bas pensaient qu'ils auraient pu faire encore mieux sous les conservateurs. Et quand arriva la récession économique, on blâma les libéraux plutôt que l'effet de la chute des prix mondiaux du pétrole. Il est sans doute salutaire d'avoir un gouvernement conservateur à Ottawa pour un certain temps: nos amis de l'Ouest apprendront vite qu'il y a des limites à la croissance et que cela ne dépend pas seulement du parti au pouvoir à Ottawa. Par exemple, les conservateurs pourront bien libérer les prix du pétrole pour qu'ils atteignent le niveau international, mais cela ne changera pas grand-chose si les prix se stabilisent ou diminuent.

L'Ouest pourra également apprendre que l'influence de l'Ontario et du Québec n'est pas le fait du Parti libéral. Elle jouera tout autant avec le gouvernement actuel comme bien des conservateurs de l'Ouest ont déjà pu l'apprendre à leurs dépens. Brian Mulroney doit beaucoup à la machine électorale de l'Ontario et à ses partisans du Québec et il sait mieux que quiconque que le centre du Canada n'est pas une quantité négligeable sur le plan électoral: il rassemble la majorité de la population, des grandes entreprises, des maisons d'affaires. Il est incontestable que l'Ontario a toujours été le principal bénéficiaire de la Confédération et, par conséquent, on ne peut s'étonner des tensions qui ont existé et qui continueront d'exister entre l'Ontario et l'Ouest. Devenu économiquement plus fort, l'Ouest essaye par tous les moyens d'obtenir une plus large part du secteur industriel et manufacturier, ce qui ne peut se faire qu'aux dépens de l'Ontario. Le perpétuel défi auquel font face les ministres fédéraux est d'apporter des changements favorables à l'Ouest sans heurter le Canada central. Et vice-versa. Ce n'est pas facile mais quand nous réussissions un bon coup, personne n'en donnait le mérite à Pierre Trudeau. Par exemple, chaque fois que je parvenais à signer un accord favorable à l'Ouest, on me félicitait, moi, mais en réalité rien n'aurait été possible sans la collaboration et l'appui du premier ministre.

On se rappelle encore la façon courageuse avec laquelle le gouvernement Trudeau régla, en 1982, le problème centenaire des taux privilégiés du Nid-de-Corbeau. Depuis trop longtemps les fermiers de l'Ouest bénéficiaient d'énormes subsides absolument injustifiés. Le prix pour transporter un boisseau de blé des plaines de la Prairie vers les ports avait été fixé par Wilfrid Laurier à la fin du siècle et personne n'avait osé y toucher depuis lors. Les fermiers avaient fini par croire qu'il s'agissait d'un droit de naissance. Mais il existait un tel abîme entre le prix demandé et les coûts réels que l'économie du transport dans l'Ouest était devenue une farce. Il coûtait moins cher d'envoyer un boisseau de blé qu'une lettre de Moose Jaw à Vancouver! Par contre, le transport des autres produits de base devenait anormalement cher car les chemins de fer devaient compenser les pertes causées par le transport du blé. Enfin, cet état de choses nuisait à l'investissement industriel dans l'Ouest puisqu'il fallait payer plus cher pour le transport des produits finis vers les marchés. Bien entendu, les fermiers n'étaient pas très contents de perdre leur régime privilégié, même si les revenus additionnels créés par l'abolition des privilèges allaient servir à doubler la voie de chemin de fer.

Cette amélioration devenue nécessaire éliminerait les goulots d'étranglement et rendrait possible de transporter davantage de produits et, bien sûr, davantage de grain. Aussi controversée qu'ait pu paraître cette mesure préconisée par les libéraux, l'opposition battit en retraite et les conservateurs n'apportèrent pratiquement aucun amendement au projet de loi. On aurait dû s'attendre à ce que nos amis de l'Ouest reconnaissent le courage du premier ministre qui avait réglé ce vieux problème et manifesté une fois de plus son intérêt pour le développement de leur région. Pierre Trudeau ne fut payé que d'ingratitude.

En 1980, le programme énergétique national provoqua le même genre de réactions. Par ce programme, le gouvernement voulait assurer la sécurité d'approvisionnement en gaz et en pétrole et augmenter la maîtrise canadienne dans ce secteur. Mais tout cela exigeait certaines concessions des provinces productrices de gaz ou de pétrole. Or, les gens de l'Ouest, grisés par la richesse qui surgissait tout à coup de leur sol, avaient oublié cette notion de partage fondamentale sans laquelle le Canada n'existerait peut-être pas. Ils prétendaient que leurs ressources et leurs richesses leur appartenaient en exclusivité et qu'ils n'avaient pas à se préoccuper des autres régions du pays. Par exemple, l'Alberta accumula en fiducie un énorme fonds, le *Heritage Fund*, et se mit à pousser des hurlements lorsque Ottawa proposa d'en faire bénéficier les régions défavorisées. L'Ouest avait déjà oublié les multiples subsides que le gouvernement fédéral lui avait octroyés pour lui permettre de survivre au creux de la dépression des années 30. On ne se souvenait pas davantage de ce que les libéraux avaient été défaits en 1957 parce qu'ils avaient voulu construire trop rapidement un gazoduc destiné au transport du gaz naturel jusqu'aux marchés de l'Ontario, mesure partiellement responsable de la prospérité et du développement de l'Ouest. Cependant, le vrai problème du programme énergétique national c'est que nous nous étions trompés dans nos prévisions. Les compagnies de pétrole elles-mêmes, les banques, les plus grands experts, au Canada et dans le reste du monde, s'étaient trompés en 1980 dans leurs pronostics sur les prix du pétrole. Tous prenaient pour acquis que la demande, dans le cas d'une ressource essentielle devenue rare, ferait monter les prix. En réalité, la surproduction de pétrole et la réduction de la consommation les firent chuter. Mais, bien entendu, rien n'empêcha l'opposition de jeter le blâme sur les libéraux!

En 1983, lorsque je devins ministre de l'Énergie, le prix international du pétrole avait déjà décliné pour se stabiliser finalement à un niveau beaucoup plus bas que prévu: il me fallait donc revoir l'ensemble du programme énergétique national. Le domaine de l'énergie était pour moi un monde nouveau et complexe où, je le savais, les incidences politiques seraient nombreuses. C'est précisément pour cette raison que, après le rapatriement de la Constitution, j'avais sollicité le ministère de l'Énergie.

Le secteur de l'énergie est si vital pour l'économie, si important sur le plan stratégique et si lucratif que beaucoup de Canadiens se demandent s'il n'est pas dangereux de l'abandonner aux multinationales américaines. Lors de la crise de l'OPEP en 1973, nous avions été presque saisis de panique lorsque quelques navires-citernes d'Exxon, en route pour le Canada, furent détournés vers les États-Unis sur l'ordre du siège social américain. Justifiée ou non, notre réaction collective nous aida à comprendre jusqu'à quel point nous dépendions de décisions prises en dehors du Canada. Ce sursaut de conscience incita le gouvernement fédéral à créer Pétro-Canada, la société pétrolière nationale qui jouit maintenant de l'appui presque unanime de la population. Le rôle de Pétro-Canada consiste à informer le gouvernement canadien de ce qui se passe dans l'industrie pétrolière, à stimuler la prospection, l'exploration et le développement de mégaprojets à risques élevés dans des territoires éloignés, et à garantir l'approvisionnement canadien en pétrole par des négociations directes avec les producteurs étrangers. Plus tard, en 1979, lorsque éclata la deuxième crise de l'OPEP, alors que la révolution iranienne provoqua une augmentation fulgurante des prix mondiaux du pétrole, nous avions décidé d'accroître la propriété canadienne dans le secteur énergétique jusqu'à ce qu'elle atteigne 50 p. 100. C'est ainsi que les compagnies canadiennes bénéficièrent de nouvelles subventions et de nouveaux avantages.

Évidemment, les Américains n'étaient pas très heureux. Leur gouvernement et leurs multinationales se braquèrent sur un seul aspect du programme énergétique national: ils s'opposaient à ce

161

que le gouvernement fédéral exige 25 p. 100 de la production dans toute réserve de gaz ou de pétrole découverte sur les terres de la Couronne. Les Américains prétendirent que cette clause équivalait à une expropriation rétroactive; ce n'était pas le cas, mais ils devinrent obsédés par leurs propres slogans et ne tinrent aucun compte des arguments que je leur faisais valoir à titre de ministre de l'Énergie. Je connaissais très bien le problème qui remontait au début des années 70 alors que j'étais ministre des Affaires indiennes et du Développement du Grand Nord, responsable des terres de la Couronne. À cette époque, le gouvernement fédéral avait le droit de s'approprier jusqu'à 50 p. 100 de toute découverte de gaz ou de pétrole sur ces terres, sans avoir à payer quelque compensation que ce soit. Les représentants de l'industrie pétrolière trouvant ce pourcentage excessif, je leur dis être prêt à négocier un nouvel accord. Mais les négociations furent vaines parce que la question n'était pas encore urgente et peut-être aussi parce que l'industrie espérait mieux s'entendre avec un prochain ministre, peut-être moins dur que moi! Entre-temps, les multinationales continuèrent à forer sur les terres de la Couronne sans trop se soucier des droits qu'il leur faudrait bien payer un jour. C'est un peu comme construire une maison sur un terrain qui ne vous appartient pas: vous ne pouvez pas vous prétendre lésé si le paiement qu'on finira par exiger est plus élevé que ce que vous aviez prévu. C'est ce que ne comprirent pas les Américains. En 1983, je leur faisais remarquer: «Vous auriez dû conclure un marché avec moi en 1970 car, alors, j'étais vraiment souple!» Mais, en 1970, ils ne voulaient rien entendre et continuaient de forer à qui mieux mieux parce qu'ils avaient un grand besoin du pétrole. Sans doute se fiaient-ils à la belle nature des Canadiens, ces bonnes poires! Maintenant qu'on leur demandait de payer, ils trouvaient cela moins drôle.

La clause du 25 p. 100 était très raisonnable; après tout, nous aurions pu nous en tenir à la vieille loi qui exigeait 50 p. 100! Toutes les nations productrices de pétrole, de la Norvège à l'Indonésie, imposent des droits et des redevances bien plus élevés que ne le fait notre programme énergétique national. Aux États-Unis, le droit de forage sur les territoires fédéraux est vendu aux enchères et les compagnies de pétrole doivent quelquefois payer des centaines de millions de dollars sans savoir si elles trouveront du pétrole. Au Canada, on ne doit payer qu'après en avoir découvert. Par surcroît, s'il exige des droits de 25 p. 100, le gouvernement subventionne le quart des coûts de forage. Malgré tout, les conservateurs se firent les porte-parole des multinationales et promirent de cesser toute perception de droits s'ils formaient le prochain gouvernement.

À un moment donné, ma principale tâche consista à calmer la méfiance et à combattre les préjugés soulevés par la mise en place du programme énergétique national. Je déployai tous les efforts possibles pour établir de bonnes relations avec mes collègues provinciaux et les représentants de l'industrie pétrolière. Il fallut quelques mois avant de sentir un allégement de l'atmosphère et un retour au bon sens; à la fin, je pouvais même me permettre de blaguer avec eux: «Ne faites pas trop mon éloge ou j'aurai des problèmes dans l'Est!»

La clé du succès consistait à apaiser mes amis de l'Ouest sans contrarier mon premier ministre ni mes amis de l'Est. Par exemple, un jour, B.P. Canada fut mis en vente à bon prix et Pétro-Canada désirait l'acquérir. Contrairement à mes amis conservateurs, je n'avais pas d'objection d'ordre doctrinal, mais mon mandat était clair: rétablir la paix dans le secteur pétrolier. Je voulais à tout prix éviter une controverse comme celle qui avait fait rage lorsque Pétro-Canada avait acquis Pétrofina en 1981. Cet achat devait être financé par une taxe spéciale sur l'essence. Pétro-Canada s'installait sur le marché de la vente au détail; ses postes d'essence feraient donc une concurrence directe aux multinationales, au grand déplaisir des Américains. Avec l'achat de B.P. Canada, Pétro-Canada aurait disposé d'un plus grand nombre de postes d'essence dans plusieurs nouvelles régions du pays, particulièrement en Ontario. Cela me paraissait une bonne affaire à condition que ne fût pas imposée une nouvelle taxe spéciale. «D'accord, vous pouvez acheter B.P., dis-je à Pétro-Canada, mais vous devrez vous financer sur le marché, comme n'importe quelle entreprise.» Ce compromis satisfaisait à la fois l'industrie et mes collègues du Cabinet.

*   *   *

Mais revenons à nos moutons, c'est-à-dire au grand projet du rapatriement de la Constitution. C'était loin d'être une idée nouvelle, mais les gouvernements n'avaient pas réussi à la réaliser en cinquante-quatre ans d'efforts. Le Canada avait été créé en 1867 par une loi du Parlement britannique, connue sous le nom de l'Acte de l'Amérique britannique du Nord. Cet acte établissait les institutions et les règles qui nous gouvernent encore. Au fil des années, l'autorité réelle de la Grande-Bretagne sur les affaires canadiennes ne cessa de s'amenuiser jusqu'au Statut de Westminster qui, en 1931, remit au Canada l'entière gestion de ses affaires et de sa Constitution. Désormais, les Canadiens n'auraient plus l'obligation de demander au Parlement de Westminster la permission d'amender l'A.A.B.N.; même si cette formalité ne préoccupait pas la moyenne des gens au point de leur en enlever le sommeil, elle n'en demeurait pas moins humiliante. Légalement, jusqu'en 1931, le Canada avait été une colonie de la Grande-Bretagne et ceux qui le comprenaient voulaient que cela change.

L'embûche imprévue, qui devait nous paralyser pendant plus de cinquante ans, fut l'impossibilité pour le gouvernement fédéral et les provinces de se mettre d'accord sur une formule d'amendement. Comment pourrait-on amender la Constitution une fois rapatriée au Canada? Ottawa pourrait-il agir seul? Sinon, faudrait-il l'accord de toutes les provinces ou seulement celui de la majorité des provinces, ou celui de la majorité de la population? Notre amour-propre fut mis à l'épreuve tant et aussi longtemps qu'on ne put se mettre d'accord sur une formule d'amendement. En 1970, à la conférence de Victoria, Pierre Trudeau avait été sur le point d'obtenir un accord mais, à la dernière minute, le gouvernement du Québec avait fait marche arrière sous l'inspiration de Robert Bourassa. L'accord proposé aurait été à l'avantage du Québec puisqu'il lui garantissait son droit de veto, un droit que ne reconnaissait jusque-là aucun texte juridique. Seules la coutume et la tradition britanniques exigeaient que l'on arrive à une certaine forme d'entente avant d'apporter un amendement à la Constitu-

164

tion. Comme condition à son accord, Bourassa voulut obtenir encore plus de pouvoirs et tout le projet s'écroula. Le problème: on se servait de la formule d'amendement comme élément de marchandage pour obtenir des pouvoirs accrus.

L'insertion dans la Constitution d'une charte des droits était un vieux rêve de Pierre Trudeau et, pour bien des Canadiens, c'était également un noble objectif à atteindre, surtout depuis que John Diefenbaker avait fait adopter la Loi sur les droits de la personne au début des années 60. En dépit des bons sentiments qui l'avaient inspiré, le projet de Diefenbaker n'était rien de plus qu'une loi fédérale et n'avait aucune répercussion juridique en dehors de cette juridiction. Les provinces pouvaient donc ne pas en tenir compte et les tribunaux n'étaient pas trop sûrs de l'étendue de son application. Finalement, cette loi ne garantissait pas grand-chose puisque personne n'y était soumis. Mais enchâsser une charte des droits dans la Constitution du Canada aurait des effets radicalement différents et bien plus importants.

Ma première préoccupation était de garantir les droits linguistiques des minorités dans tout le pays, plus particulièrement ceux des francophones en dehors du Québec et des anglophones au Québec. Je voyais une chance unique de corriger l'injustice historique commise lorsque les Canadiens français de l'Ouest perdirent le droit aux écoles françaises. Cette injustice eut pour effet d'accélérer l'assimilation des francophones et d'empêcher bien des Québécois d'aller s'établir dans les provinces de l'Ouest. Le Manitoba, la Saskatchewan ou même l'Alberta auraient pu être des provinces francophones, n'eussent été les circonstances particulières dans lesquelles se déroula l'histoire de ces provinces. En pratique, je savais que la réintroduction du français dans les écoles ne changerait pas l'histoire ni les caractéristiques de l'Ouest canadien, mais cela me paraissait important comme gage de l'unité nationale.

Étant donné la longue série d'échecs dans les tentatives de réforme constitutionnelle, Pierre Trudeau et moi ne nous faisions pas tellement d'illusions sur nos chances de succès. Certains conseillers et certains collègues nous disaient qu'Ottawa devrait agir unilatéralement, aller sans délai à Londres réaliser le rapatriement, avec une formule d'amendement et une charte des droits à portée limitée. Mais nous croyions devoir d'abord tenter une autre ronde de négociations avec les provinces et profiter de l'esprit de solidarité qui régnait à la suite du référendum. À la demande du premier ministre, j'entrepris donc, le lendemain même du référendum, une série de visites aux premiers ministres provinciaux. Épuisé par les campagnes électorale et référendaire, je devais partir pour la Floride et prendre des vacances avec ma femme...qui fut fort contrariée par ce changement de programme! Elle menaça même de me réclamer la «souveraineté-association»!

À Toronto, au Club Albany, je rencontrai d'abord le premier ministre conservateur William Davis et ses conseillers. J'étais assez impressionné par Davis; en 1971, il avait gagné de justesse la direction de son parti et survécu à deux gouvernements minoritaires en trois élections grâce à sa ténacité et à ses exceptionnels talents de politicien. Même si je le trouvais un peu trop prudent, il réussit à gagner l'admiration et l'appui du NPD par ses prises de position modérées et ses attitudes réalistes. Au cours de la campagne référendaire, il se demandait s'il devait faire un discours au Québec; je l'avais fortement encouragé parce que je trouvais que trop peu d'anglophones se faisaient entendre. Il ne fut pas très bien reçu, surtout parce qu'on lui reprochait d'avoir refusé de garantir le bilinguisme officiel en Ontario; pourtant, en dépit des clameurs des séparatistes, je crois que sa participation eut quand même un effet bénéfique et apaisant. C'est au cours du débat constitutionnel que je l'admirai le plus. Il refusa de se laisser entraîner dans la petite politique et sa participation se situa toujours au plus haut niveau. À partir de la première rencontre et jusqu'à la fin, il maintint une attitude franche, claire et ferme, et resta fidèle à ses convictions malgré les pressions de Joe Clark et des autres premiers ministres conservateurs. «Ce n'est pas une question d'option politique, disait-il. Nous ne sommes plus des libéraux et des conservateurs parce que l'intérêt national est en jeu. D'une part, le Canada ne peut pas continuer à laisser un Parlement étranger amender sa Constitution et, d'autre part, une charte des droits et libertés m'apparaît indispensable à une société adulte et libre.» Tout libéral que je sois, je n'ai pu m'empêcher de me réjouir lorsqu'il obtint un gouvernement majoritaire en 1981 après

166

avoir pris une position aussi courageuse au cours du débat constitutionnel. C'est ce qui lui permit, trois ans plus tard, de quitter la politique la tête haute, au faîte de sa renommée.

Bien entendu, j'aurais préféré que Davis rende l'Ontario officiellement bilingue avant de quitter ses fonctions mais, pour éviter une réaction négative dans sa province, il choisit finalement la stratégie des petits pas. De notre côté, nous ne pouvions le forcer à accepter une chose que nous ne pouvions imposer aux autres provinces.

Tôt le lendemain matin, je m'envolais pour aller prendre le petit déjeuner au Manitoba avec le premier ministre conservateur Sterling Lyon, pour ensuite rejoindre au lunch le premier ministre NPD de la Saskatchewan, Allan Blakeney; vers quatre heures, je prenais le thé avec le premier ministre conservateur de l'Alberta, Peter Lougheed, et, le soir, dînais avec le premier ministre créditiste de la Colombie britannique, William Bennett. Ils étaient tous enchantés de la victoire du *Non* au référendum et me parurent beaucoup plus réceptifs à la perspective de rouvrir le débat constitutionnel. Cependant, chacun d'eux avait ses réserves et ses hésitations au sujet de la formule d'amendement et de la charte des droits. Chacun des premiers ministres de l'Ouest a apporté une contribution utile au débat constitutionnel mais, pendant la conférence, je considérais Lougheed comme le chef de file. Sûr de lui, calme, intelligent, il semblait avoir beaucoup d'influence sur ses collègues. Bien souvent, ses silences étaient aussi éloquents que ses paroles et les autres essayaient de lire ses pensées sur son visage. Même Allan Blakeney, l'intellectuel socialiste, hésitait à contredire Lougheed. La force du premier ministre albertain lui venait de sa ferveur et de sa passion à défendre les intérêts de sa province, ce qui parfois limitait considérablement sa compréhension de l'intérêt national.

À l'occasion, Peter Lougheed pouvait être très dur. Mais, chose étonnante, je ne crois pas qu'il ait jamais été aussi dur avec les libéraux qu'il le fut avec les conservateurs de Joe Clark: même en public, il était impitoyable avec Clark, et bien des gens l'ont accusé d'avoir contribué à sa chute. Personnellement, je n'ai à me plaindre de rien; il s'est toujours montré très correct et très aimable avec moi, même s'il aurait préféré négocier directement avec

167

le premier ministre Trudeau. Après l'élection fédérale de 1980, le bruit courut que Lougheed souhaitait me voir nommer ministre de l'Énergie. Nous avions déjà établi de très bonnes relations quand j'étais ministre des Affaires indiennes et du Grand Nord: je me retrouvais alors souvent dans l'Ouest pour régler des problèmes concernant les Indiens, le développement économique, les parcs nationaux, etc. Plus tard, président du Conseil du Trésor, je lui avais prêté main-forte pour empêcher l'écroulement du fameux projet Syncrude, un consortium de plusieurs milliards de dollars auquel l'Alberta et l'Ontario s'intéressaient pour l'exploitation des sables bitumineux. Donald Macdonald, alors ministre de l'Énergie, m'avait invité à une réunion à Winnipeg. Je me suis vite rendu compte que le projet Syncrude n'allait nulle part: certains partenaires se retiraient, l'Ontario et l'Alberta se prenaient à la gorge et les discussions tournaient à l'affrontement. Comme j'étais nouveau au dossier, on me considérait comme neutre, ce qui me permit de servir d'agent de liaison entre les participants, particulièrement entre Lougheed et Davis. À la fin de la journée, nous nous étions mis d'accord.

L'histoire du Canada, c'est l'histoire des plus riches partageant avec les plus pauvres. Je réfléchissais à cela pendant que je survolais le pays d'ouest en est. Je fis une courte escale à Ottawa pour refaire le plein et dire bonjour à ma femme... avant qu'elle n'engage des procédures de divorce! En 1867, à la création de la Confédération, les Maritimes étaient les partenaires riches, si bien que, dès 1869, Joseph Howe proposait la séparation de sa province, convaincu que la Nouvelle-Écosse payait trop pour le reste du Canada. Aujourd'hui, le tableau n'est plus le même; la richesse s'est déplacée d'Halifax vers Montréal, puis vers Toronto, et enfin vers Calgary et, au fur et à mesure que se produisaient ces bouleversements, c'était au tour de ceux qui avaient reçu d'aider les autres. C'est cela le Canada! Qui sait si les provinces de l'Atlantique ne redeviendront pas riches dans vingt-cinq ou cinquante ans alors que l'Alberta redeviendra pauvre? Renoncer au principe du partage, ce n'est pas seulement manifester son égoïsme mais sa courte vue.

Ayant pris mon petit déjeuner à Victoria, j'arrivai à Charlottetown à temps pour prendre le thé avec le premier ministre conservateur Angus MacLean et, plus tard, le dîner à Halifax avec le premier ministre conservateur John Buchanan. Tôt le lendemain matin, je m'envolai vers Saint-Jean où je devais rencontrer pour la première fois le premier ministre conservateur Brian Peckford. Ce fut une bonne rencontre mais je n'ai jamais pu m'habituer à cet homme étrange et déroutant, d'un commerce difficile. En vérité, je n'ai jamais pu le comprendre! Tantôt je le croyais sincère, tantôt je le trouvais faux. À Fredericton, je rencontrai un homme beaucoup plus agréable, et quelquefois surprenant, le premier ministre conservateur Richard Hatfield. Tout au long du débat sur le rapatriement de la Constitution, il s'est montré désireux de nous aider à régler ce problème. Je ne peux pas en dire autant de René Lévesque, le seul premier ministre qui ait refusé de me rencontrer au cours de ma tournée éclair.

Je rentrai finalement à Ottawa pour rendre compte au premier ministre avant de repartir — enfin! — pour la Floride avec ma femme. Ce fut une longue, longue journée commencée à 5h du matin à Halifax pour se terminer vingt-quatre heures plus tard à Boca Raton. Tout se mit brusquement à aller mal. D'abord notre automobile louée tomba en panne en plein milieu de la nuit. Bref, à 5h du matin, sur quelque route de Floride, le ministre de la Justice et madame Chrétien faisaient de l'auto-stop! La fin d'un long, long voyage...

Au cours de mon entretien avec Pierre Trudeau, je lui avais dit que les premiers ministres des provinces s'étaient montrés ouverts et réceptifs et que, malgré quelques objections à certains aspects du projet constitutionnel, ils étaient tous d'accord pour tenter une fois de plus de réaliser une réforme majeure. En juin, le premier ministre fédéral et les premiers ministres provinciaux s'étaient rencontrés et avaient convenu d'un ordre du jour. On mit donc sur pied une série de conférences ministérielles qui se tinrent à travers le Canada au cours de l'été 1980: une semaine à Montréal, une semaine à Toronto, une semaine à Vancouver et une semaine à Ottawa. Il s'agissait d'établir une base commune pour la conférence constitutionnelle de l'automne: il fallait donc discuter à fond le rapatriement, la formule d'amendement, la charte des droits et toute révision du partage des pouvoirs entre Ottawa et les provinces. Pour éviter que les représentants des provinces n'utilisent les discussions sur la formule d'amendement comme moyen de négocier une augmentation de leurs pouvoirs, on orienta les premières discussions sur les droits et libertés des gens. Je me lançai dans ces discussions avec toute l'énergie que je pouvais avoir, énergie stimulée par la fascination d'un débat à la fois intellectuel et concret de la plus haute importance pour l'avenir du pays.

Jour après jour, les délégations fédérales et provinciales se réunissaient et débattaient des problèmes passionnants. Est-ce que certaines provinces doivent avoir un droit de veto sur les amendements constitutionnels? Quelles sont les conséquences de l'enchâssement de la liberté de l'information? Que veut dire l'expression «droit aborigène»? Doit-on apporter des réformes au Sénat ou à la Cour suprême? Quel gouvernement doit avoir juridiction sur les communications, ou sur les richesses sous-marines, ou sur le droit familial? Nous faisions des progrès sur certains points, nous revenions sur des sujets plus difficiles, et nous commencions à discerner la position de chacun. Après chaque réunion, qui commençait habituellement tôt le matin pour se terminer tard le soir, les avocats et les fonctionnaires transposaient les idées des ministres dans des textes juridiques à faire approuver le lendemain. Hélas, trop souvent, ces textes suscitaient de nouvelles discussions. Véritable cours accéléré de droit et de sciences politiques, ces réunions étaient absolument fascinantes. Coprésident avec Roy Romanow, procureur général de la Saskatchewan, je me trouvais toujours en pleine mêlée.

J'essayais de donner l'impression que j'étais le meilleur ami des provinces à Ottawa mais, bien souvent, je me retrouvais seul porte-parole du point de vue fédéral. Tout le monde présumait que je n'étais qu'un représentant de mon patron, le premier ministre, comme c'était le cas des ministres provinciaux. En réalité, j'avais beaucoup plus de liberté qu'eux et, souvent, l'un ou l'autre demandait un ajournement des discussions afin de consulter son premier ministre par téléphone. Pour ma part, j'ai bien rarement téléphoné à Pierre Trudeau; je me fiais à mon jugement et à mon interprétation de sa pensée. Je croyais savoir ce qu'il voulait, je lui faisais rapport régulièrement ainsi qu'au Cabinet, prenant pour acquis que ses conseillers le tenaient au courant des détails. J'ai toujours été agréablement surpris de la grande confiance qu'il m'accordait. On a dit de lui qu'il traitait ses ministres comme des marionnettes et qu'ils ne pouvaient bouger d'un poil sans sa permission. Bien au contraire, Pierre Trudeau accordait la plus grande latitude aux membres du Cabinet et ne les ramenait à l'ordre que lorsqu'ils s'écartaient carrément de la politique convenue.

On a également accusé Pierre Trudeau d'avoir été un premier ministre centralisateur. Une autre baliverne. En réalité, les années du règne Trudeau furent une période de grande décentralisation. Si l'on compare la proportion du produit national brut dépensée par le gouvernement fédéral lorsque Pierre Trudeau prit le pouvoir avec celle dépensée par le gouvernement lorsqu'il le quitta, on constate que l'influence d'Ottawa dans l'économie canadienne a considérablement diminué. En 1967-68 le gouvernement fédéral percevait 50 p. 100 de tous les impôts canadiens alors que les provinces en percevaient 55 p. 100. En 1983-84 le fédéral n'en percevait plus que le tiers alors que le secteur provincial avait augmenté sa part aux deux tiers. Par le mécanisme des paiements de transfert, des paiements de compensation et des paiements sans condition, les provinces ont obtenu la part du lion des dépenses nationales, au point qu'Ottawa, forcé de faire des virements de fonds automatiques dans le cadre des ententes fédérales-provinciales, a virtuellement perdu la maîtrise de son déficit.

Pire encore, Ottawa ne peut pratiquement plus influencer la façon dont l'argent est dépensé. Au lieu de lier les versements fédéraux à des conditions qui garantissent des normes nationales, par exemple en matière de santé ou d'éducation, le gouvernement fédéral s'est incliné devant les hauts cris des provinces qui prétendaient qu'il s'agissait d'intrusions dans leur champ de juridiction. Dans certains cas, plusieurs provinces se sont emparées des contributions du fédéral et les ont utilisées à des fins autres que celles pour lesquelles elles étaient versées. Lorsque Ottawa commença à contribuer l'équivalent de 50 p. 100 des coûts totaux de l'éducation postsecondaire, avec pleine indexation, les provinces réduisirent peu à peu leur propre contribution et dépensèrent l'argent ailleurs. Ainsi donc, la participation fédérale ne cesse d'augmenter, au point d'atteindre des proportions absurdes. Dans certains cas, Ottawa paye *120 p. 100* des coûts de l'éducation postsecon-

171

daire; même si le gouvernement sait qu'au moins 20 p. 100 de ces fonds servent à construire des routes, il demeure impuissant. Non seulement personne ne se rend compte que le gouvernement fédéral verse une contribution aussi importante, mais personne ne veut accepter qu'Ottawa ait son mot à dire, par exemple sur les normes de base qui devraient être communes à tous les étudiants canadiens. C'est ainsi qu'on a pu voir les provinces former des régiments de coiffeurs quand tout le monde portait les cheveux longs, ou former plus d'anthropologues que de spécialistes des technologies de pointe parce que cela coûtait moins cher.

En dépit de ses efforts, Pierre Trudeau ne fut jamais remercié des concessions qu'il avait consenties aux provinces, bien au contraire. Parce qu'il aimait tant l'emporter dans les discussions, on en vint à croire qu'il était incapable de tout compromis. Alors, quand il concédait un point, on pensait qu'il le faisait pour des raisons cachées, comme un joueur d'échecs qui, tout à coup, lâche une pièce. Pourquoi a-t-il fait cela? se demandait-on. Que me prendra-t-il plus tard si je prends maintenant cette petite pièce? Tous les yeux étaient braqués sur lui et on oubliait de regarder ce qu'il faisait réellement. Et c'est ainsi qu'il paraissait plus fort — et plus intransigeant! — que ses prédécesseurs plus souples en apparence mais qui ne donnaient rien. De même, bien qu'il eût tenu plus de conférences fédérales-provinciales que n'importe qui avant lui, il ne fut jamais considéré comme un conciliateur. Il déconcertait tout le monde en s'attaquant aux vrais problèmes d'une façon directe et rationnelle, au lieu d'endormir ses collègues provinciaux en leur servant des paroles aimables et creuses.

Toujours, il donnait une telle impression de force qu'il ne venait à l'idée de personne qu'il pouvait avoir besoin d'un appui moral quelconque. Même dans le Parti ou au Cabinet, nous ne croyions pas nécessaire de lui témoigner notre appréciation comme nous l'avions fait pour aider Pearson à traverser de mauvais jours. En temps de crise, tout le monde comptait sur Trudeau; quand lui était en difficulté, on prenait pour acquis qu'il s'en sortirait seul. Plus extraordinaire encore, bien des fédéralistes sincères avaient tendance à sympathiser avec les provinces qui l'attaquaient. Pierre Trudeau finit par se rendre compte qu'il n'y avait aucun moyen de satisfaire les provinces. Plus on leur faisait de

172

concessions, plus elles en exigeaient. Il choisit donc de servir les intérêts du Canada, que cela plaise ou non aux provinces.

Bien entendu, maintenir de bonnes relations avec les provinces reste un objectif de tout gouvernement fédéral. Mais ces relations demeurent toujours plus ou moins tendues car il est dans la nature même des gouvernements provinciaux de réclamer toujours plus d'argent et plus de pouvoirs, sans jamais rien offrir en retour. Ils acceptent allégrement les fonds fédéraux pour élaborer des projets ou fournir des services mais très souvent ils ne reconnaissent pas la contribution fédérale...quand ils n'essayent pas de la cacher!

Par exemple, on se souvient des difficultés que les provinces me faisaient avant de me céder un bout de forêt que je voulais transformer en parc national qui profiterait d'abord à leurs propres citoyens et à leur propre économie.

Le pouvoir des provinces pour l'amour du pouvoir avait pour effet de diminuer considérablement l'assiette fiscale du gouvernement fédéral et sa capacité de redistribuer les fonds aux provinces selon leurs besoins. Les plus exigeantes étaient évidemment les provinces riches et fortes...ou les pauvres qui s'attendaient à devenir riches! Naturellement, les premiers ministres du Nouveau-Brunswick et de la Nouvelle-Écosse plaidèrent avec le plus d'éloquence afin que soit inscrit dans la Constitution le principe de la péréquation. Pour les satisfaire, il ne fallait pas tout céder aux riches! Un jour que Pierre Trudeau et moi examinions une liste interminable de requêtes de certaines provinces, nous n'avons pu nous empêcher d'éclater de rire: si nous avions accédé à ces demandes, il ne serait plus rien resté du Canada!

Au début du débat constitutionnel, j'avais présenté à mes collègues provinciaux un document sur l'union économique canadienne. Anticipant le résultat du référendum du Québec, je voulais savoir quels étaient les pouvoirs minima dont Ottawa avait besoin pour assurer la viabilité et la prospérité du Canada. J'avais demandé à Tommy Shoyama, sous-ministre des Finances à la retraite, de prendre la direction d'une équipe de hauts fonctionnaires, d'analyser cette question et de me proposer des solutions. Quels étaient les pouvoirs vraiment essentiels et importants? Dans un monde de télévision par satellite et de vidéo-cassettes, importait-il que les communications soient de juridiction fédérale ou provinciale? Même question pour le droit familial. Le débat aboutit à l'impasse parce qu'Ottawa voulait céder les pouvoirs qui ne lui paraissaient pas indispensables alors que les provinces refusaient de renoncer à ceux qui nous étaient essentiels. Pire encore, plusieurs premiers ministres provinciaux s'indignaient de ce qu'Ottawa ose demander des pouvoirs nécessaires au fonctionnement de l'union économique canadienne! Ils semblaient croire que nous étions prêts à «vendre la baraque» pour obtenir le rapatriement de la Constitution et la Charte des droits, comme si nous n'avions pas aussi à défendre l'intérêt supérieur du pays. La plupart des premiers ministres provinciaux, ne trouvant aucun argument sérieux pour contrer la logique de notre position, se mirent à crier à la centralisation, oubliant du même coup toutes les mesures de décentralisation proposées par Ottawa et ne tenant aucun compte des préoccupations nationales du gouvernement fédéral sur la mobilité de la main-d'oeuvre et des capitaux, et la levée des restrictions sur les politiques d'achat des gouvernements provinciaux. En un mot, ils s'intéressaient plus à leur province qu'au Canada, ils voulaient demeurer plus puissants et plus prestigieux que les gouverneurs des États américains. Aussi incroyable que cela puisse paraître, le Canada n'a pas pu mettre sur pied son propre marché commun, à l'intérieur de ses frontières. Aujourd'hui, je trouve encore aberrant que ceux qui hurlent si fort en faveur d'un marché commun avec les États-Unis deviennent muets lorsqu'il est question d'établir un vrai marché commun à l'intérieur même du Canada. En fait, ce marché commun n'existe toujours pas; une multitude de barrières paralysent le commerce entre les provinces, allant de la protection de l'emploi à l'achat préférentiel, en passant par la kyrielle des permis et des règlements provinciaux. Et quand Ottawa propose de limiter ces barrières, les provinces clament que nous essayons de leur arracher leurs pouvoirs, soutenues en cela par leurs hommes d'affaires qui veulent protéger leur petit empire. Tous sont favorables à la libre circulation des biens et des personnes, sauf s'ils en sont touchés; en principe, tous sont contre les régimes de protection, sauf lorsqu'ils croient pouvoir en retirer un bénéfice. Selon moi, ce problème doit être résolu avant que l'on pense à négocier un marché commun avec les États-Unis.

Parce que la presse et le public ont été habitués à voir les pauvres petites provinces se débattre pour obtenir une concession mineure du gros méchant d'Ottawa, ils sont choqués et étonnés lorsque le gouvernement fédéral veut renverser la vapeur. Il n'en va pas de même aux États-Unis où un préjugé joue en faveur du gouvernement central; au Canada il joue en faveur des provinces. C'est ce qui explique pourquoi le gouvernement fédéral doit sans cesse convaincre la population que son point de vue peut avoir quelque mérite. Si, dans un cas de confrontation avec les provinces, il n'y réussit pas, il n'a qu'à renoncer à la lutte car elle est perdue d'avance.

Cette constante tension entre les deux ordres de gouvernement est inhérente au système fédéral et, dans un sens, il est bien qu'il en soit ainsi. Les uns et les autres rivalisent d'ingéniosité pour convaincre la population qu'ils ont raison, de telle sorte que le moindre problème d'ordre économique, social ou politique ne risque pas de passer inaperçu. Par exemple, dans les pays centralisés comme la France ou la Grande-Bretagne, il est plus facile de feindre d'ignorer les mécontentements des régions éloignées de la capitale, puisqu'elles n'ont pas d'unité administrative qui puisse se faire leur champion et soulever l'opinion publique, comme savent si bien le faire les gouvernements provinciaux. Même lorsque le premier ministre fédéral et le premier ministre d'une province appartiennent au même parti politique, leurs intérêts respectifs les obligeront à essayer de marquer des points l'un contre l'autre. Le dynamisme du système fédéral, c'est précisément cette lutte perpétuelle pour gagner la faveur populaire. Pour des raisons qui diffèrent selon les circonstances, un ordre de gouvernement pourra l'emporter sur l'autre mais, en fin de compte, c'est la population qui y gagnera. On s'en rendit compte dans le cas des parcs nationaux. Il y eut un conflit entre Ottawa et les provinces jusqu'à ce qu'un protagoniste, le gouvernement fédéral, réussisse à convaincre la population de la justesse de sa position et donne l'occasion au public de s'exprimer. Dès lors, les provinces n'avaient plus qu'à s'incliner, le conflit était terminé.

Dans une fédération, la meilleure stratégie pour un politicien est d'être crédible. La bonne foi, la sincérité, la franchise permettent de réduire les confrontations au minimum. Lorsque vous vous braquez, vous avez perdu l'initiative, peut-être même la partie. Au fond, il faut partir du principe que le monde politique est essentiellement une grande fraternité; quel que soit le parti ou l'ordre de compétence de vos collègues, les uns et les autres sont des élus qui doivent avoir à coeur l'intérêt commun. Quand nous ne discutons pas d'affaires, nous parlons de nos problèmes comme politiciens, de nos succès et de nos échecs, et très souvent l'esprit partisan s'estompe. La chaleur de l'amitié aide beaucoup à réduire les tensions ou à dégeler de froides négociations techniques. Pierre Trudeau avait la malheureuse habitude de retourner directement chez lui après les rencontres fédérales-provinciales. Même s'il se montrait aimable et correct durant toute la journée, il disparaissait en soirée, laissant ainsi échapper l'occasion de se rapprocher de ses interlocuteurs sur un plan personnel et d'apaiser leur ressentiment.

J'ai la réputation d'être un batailleur mais, comme à peu près tout le monde, j'aime être aimé et c'est pourquoi je me suis toujours donné la peine de tisser des liens personnels avec mes collègues des provinces. Une fois, la fille d'un ministre provincial de l'Alberta vint passer deux semaines avec ma famille, à la campagne. Une autre fois, un ministre du gouvernement de Terre-Neuve déclara à son auditoire que j'étais le meilleur ami de la province, bien que la tension fût alors très élevée entre les deux gouvernements. Mais jamais mes efforts pour me rapprocher de mes collègues ne furent si bien récompensés qu'au cours de l'été 1980; après nos longues sessions de travail sur la Constitution, nous allions manger ensemble, assister à une partie de base-ball ou de football, nous nous parlions, nous nous amusions, nous finissions par devenir de vrais amis. Le lendemain, les négociations devenaient plus faciles...

Quelquefois, seul l'humour nous permettait de poursuivre nos interminables débats. Un jour, nous étions paralysés dans nos tentatives de définir la liberté de conscience. «Mais pourquoi faut-il la mettre dans la Charte?» demanda quelqu'un. La journée avait été longue, j'étais épuisé. De guerre lasse, je répondis:

«Oui, pourquoi? Enlevons-la!» Aussitôt, quelqu'un donna un bon coup de pied sur ma chaise. C'était mon ami Pierre Genest, un costaud, très drôle, un des meilleurs conseillers juridiques du gouvernement fédéral. «Je pense qu'on devrait garder la liberté de conscience, dis-je. L'espion de Trudeau vient de me donner un coup de pied dans le derrière!» Le geste de Genest avait été plus efficace que les réactions de ma propre conscience...

Le choc des personnalités les plus diverses constituait un étonnant spectacle. L'équipe fédérale comprenait des négociateurs intelligents et avisés, tels que Roger Tassé, Michael Kirby, Gérard Veilleux, Fred Gibson, Barry Strayer, mon assistant Eddie Goldenberg. Le père de Goldenberg ayant été mêlé aux négociations fédérales-provinciales du temps de Mackenzie King, et sa mère Shirley enseignant l'économie à l'Université McGill, je m'amusais à dire que nous bénéficiions de trois esprits brillants pour le prix d'un. Nous pouvions également compter sur mon collègue du Cabinet, John Roberts, ministre de la Science et de la Technologie et ministre de l'Environnement. J'avais demandé à Pierre Trudeau de me prêter Roberts parce que je le trouvais compétent, intelligent et sûr de lui. Les gens confondaient cette dernière caractéristique avec de l'arrogance, ce qui arrangeait bien les choses: je laissais Roberts jouer le rôle du dur et moi, j'étais l'homme gentil et aimable qui venait à la rescousse et proposait un compromis.

Les équipes provinciales comprenaient des ministres et des sous-ministres de grande qualité: Roy McMurtry et Tom Wells de l'Ontario, Garde Gordom de la Colombie britannique, Dick Johnston de l'Alberta, Gerry Mercier du Manitoba, Roy Romanow de la Saskatchewan, Gerry Ottenheimer de Terre-Neuve, Harry Howe de la Nouvelle-Écosse et le premier ministre Richard Hatfield lui-même qui représentait le Nouveau-Brunswick. La province de Québec délégua Claude Morin et Claude Charron, tous deux intelligents, vifs et farouchement indépendantistes.

Je ne peux pas dire que je me liai d'amitié avec Claude Morin. Je le trouvais hautain, infatué, plein de mépris pour les gens qui l'entouraient et toujours en train de chercher le moyen de faire échouer mes efforts. D'autre part, il était facile de communiquer avec Claude Charron. J'avais l'habitude de soutenir devant lui que le Parti québécois devait reconnaître qu'il avait perdu le référendum et commencer à travailler avec le Canada. «Si nous réussissons à négocier la Constitution maintenant, lui dis-je, vous pourrez obtenir beaucoup pour le Québec, et la population vous en sera reconnaissante.» Je sentais parfois que Charron avait la tentation de collaborer, mais il était prisonnier de l'article premier du programme de son parti. «Jean, avait-il l'habitude de me répondre, tu sais que nous sommes séparatistes. Alors, comment veux-tu que nous signions la Constitution d'une nouvelle confédération canadienne?»

Le dilemme des séparatistes, c'était d'être en même temps des sociaux-démocrates. Dès qu'Ottawa commençait à parler des droits et libertés, Québec était bien obligé d'écouter. Comment des sociaux-démocrates comme René Lévesque et Claude Morin oseraient-ils dire aux Québécois qu'ils n'étaient pas en faveur de la liberté de parole ou de la liberté de religion? Ils pouvaient toujours prétendre que certaines libertés concernaient des domaines de juridiction provinciale mais, dès qu'ils considéraient une liberté, ils étaient pris au piège et se faisaient aspirer toujours plus loin dans le processus. Comme je m'amusais à le dire, ils avaient la cravate prise dans le tordeur! Une fois acceptée la liberté de parole, comment pouvaient-ils refuser la liberté d'association ou le droit au cautionnement? Une fois acceptée toute une série de droits et libertés, comment pouvaient-ils en toute logique rejeter l'ensemble de la Charte? Pour défendre leur point de vue, il aurait été plus aisé d'adopter la position du premier ministre du Manitoba, Sterling Lyon, qui appuyait le rapatriement sans formule d'amendement et sans Charte des droits. Lyon soutenait qu'il fallait tout simplement adopter la règle de l'unanimité pour amender la Constitution, quitte à s'entendre plus tard, entre Canadiens, sur une formule d'amendement plus appropriée. En fait, il rejetait la Charte comme incompatible avec la tradition britannique. Cette position n'était peut-être pas très populaire politiquement mais, au moins, elle était plus honnête et plus logique que la position du Parti québécois qui essayait de gagner sur tous les tableaux.

À la fin de l'été 1981, malgré tout ce qui nous séparait encore, nous avions nettement l'impression d'avoir progressé dans plusieurs domaines et nous jugions possible d'en arriver, dès septembre, à une sorte d'accord entre les premiers ministres provinciaux et le premier ministre Trudeau. Évidemment, n'importe quel accord peut échouer à la dernière minute, mais nous étions tous passablement optimistes. Notre relation était si bonne que je me suis souvent demandé ce qui serait arrivé si nous avions pu négocier l'accord final entre nous, sans les premiers ministres. Mais, comme leur accord était évidemment indispensable, le dossier fut remis à la conférence des premiers ministres. En quelques heures, l'affaire tourna au désastre.

Avant même le début de la Conférence, les premiers ministres provinciaux étaient tous furieux de la fuite d'un dossier fédéral confidentiel, fuite rendue possible par un fonctionnaire sympathique aux séparatistes. Un des documents laissait entendre que, à défaut d'un accord sur le rapatriement et sur la Charte, Ottawa pourrait aller de l'avant sans les provinces. En réalité, ces documents de stratégie analysaient *toutes* les options possibles, y compris celle de l'action unilatérale en cas d'échec de la Conférence; mais hélas! ils donnaient une excuse aux premiers ministres provinciaux, qui voulaient empêcher Pierre Trudeau d'arriver à ses fins. Cette affaire nous avait nui considérablement. Toute la bonne volonté et le travail de l'été se révélèrent vains: les premiers ministres provinciaux s'apprêtaient à attaquer bassement le premier ministre du Canada. Ils se déchaînèrent au cours d'un grand dîner offert par le gouverneur général, à la veille de l'ouverture de la Conférence. Jamais je n'avais encore assisté à un spectacle aussi disgracieux. Je n'en croyais pas mes oreilles: tout ce beau monde s'injuriait copieusement d'un bord à l'autre de la table du banquet. «Est-ce que ces gens-là sont les mêmes qui, il y a quelques mois à peine, voulaient à tout prix garder le Québec dans la Confédération? me demandais-je. Est-ce que ce sont les mêmes qui priaient pour que Pierre Trudeau réussisse à maintenir le pays uni? Aujourd'hui, ils se jettent sur lui comme des fauves!» Notamment, ils soutenaient avec la plus grande violence verbale que le premier ministre du Canada ne devrait plus jamais présider seul les conférences fédérales-provinciales. Il devrait partager la présidence avec l'un des premiers ministres provinciaux. Trudeau était tellement hors de lui qu'il voulait se lever et quitter la salle mais, heureusement, le protocole l'empêchait de le faire avant le gouverneur général, Edward Schreyer. Comme il était assis à ses côtés, il lui glissa à l'oreille: «Je vous en prie, partez dès que vous aurez fini de manger; je veux sortir d'ici le plus tôt possible.»

À la réunion du lendemain matin, l'humeur générale n'avait pas changé. À un moment donné, Brian Peckford de Terre-Neuve déclara: «Je préfère le Canada de René Lévesque au Canada de Pierre Trudeau!» Il ne semblait aucunement se rendre compte à quel point cette remarque était offensante pour tous ceux qui avaient combattu dans la bataille sans merci du référendum. Pierre Trudeau, qui devait recevoir les premiers ministres provinciaux à dîner au 24 Sussex, déclara à son tour: «J'imagine que j'aurai beaucoup de saumon de reste parce qu'il ne sert à rien de continuer les négociations avec vous.» La Conférence fut un échec total.

Après cet événement, le Cabinet fédéral décida d'aller de l'avant; on avait fait une promesse au pays et on devait la tenir. Après plus de cinquante ans d'efforts infructueux, le gouvernement fédéral n'avait plus le choix: il demanderait unilatéralement à la Grande-Bretagne le rapatriement de la Constitution du Canada.

Chapitre VIII

Une nouvelle Constitution

Le plan d'action du gouvernement fédéral consistait à faire adopter par le Parlement une résolution approuvant le rapatriement de la Constitution avec la formule d'amendement acceptée par toutes les provinces en 1970 à la conférence de Victoria et une Charte des droits comprenant tous les éléments sur lesquels on s'était entendu lors des négociations de l'été 1980. Nous avions résolu de faire ce qui devait être fait, de le faire vite et bien, et d'en subir les conséquences politiques.

Le Nouveau Parti démocratique, les gouvernements de l'Ontario et du Nouveau-Brunswick décidèrent alors de donner leur appui à la résolution. Une décision extrêmement courageuse de la part d'Ed Broadbent, le chef du NPD à Ottawa. Il avait subi des pressions incroyables de la part de ses collègues du gouvernement de la Saskatchewan et même de la part de quelques-uns de ses propres députés qui discutaient *ad nauseam* chaque virgule et accusaient Broadbent de coucher avec Trudeau. Mais deux de ses prédécesseurs, Tommy Douglas et David Lewis, l'encourageaient dans sa prise de position. Un jour, Lewis me téléphona pour me dire: «Ne lâche pas, Jean, continue à te battre!»

Les conservateurs provinciaux étaient pris dans le même dilemme que le Parti québécois. La grande majorité des Canadiens souhaitaient de tout coeur le rapatriement de la Constitution et une Charte des droits et libertés. S'y opposer ne relevait pas d'une grande sagesse politique. Une fois de plus, lorsque les conservateurs commencèrent à débattre de la Charte, ils furent pris à leur propre jeu parce qu'il est difficile d'appuyer certaines libertés et certains droits et de ne pas les supporter tous jusqu'au bout. Je m'amusais à taquiner Flora MacDonald, présentement ministre de l'Emploi dans le gouvernement Mulroney, l'accusant de nier l'égalité de l'homme et de la femme en s'opposant à la Charte des droits. Malgré tout, les conservateurs s'engagèrent dans une épuisante bataille à la Chambre des communes, et la limite ultime des débats, prévue par le gouvernement pour le mois de décembre, fut repoussée à la nouvelle année; les longues audiences publiques du Comité sur le rapatriement de la Constitution nous imposèrent encore de nouveaux délais.

Le Comité était coprésidé par le Sénateur Harry Hays de l'Alberta et Serge Joyal, le jeune député de Montréal-Hochelaga. Ils formaient une drôle d'équipe. Hays était un ranchero typique de l'Ouest avec des vues un peu vieillottes et un bon sens de l'humour qui l'amenèrent souvent à se plonger dans l'eau chaude; Joyal était un avocat montréalais sérieux, raffiné et très ambitieux. Mais ils faisaient une bonne paire, Joyal conservant aux discussions le sérieux qui s'imposait et Hays aplanissant les heurts par ses manières affables. Le travail du Comité dura beaucoup plus longtemps que prévu parce que des milliers de gens voulaient se faire entendre. L'activité de ce comité fournit un bon exemple du rôle extrêmement utile que peut jouer un comité parlementaire. On présenta plus de mille mémoires, la plupart préconisant des améliorations à la Charte des droits, quelques-uns seulement discutant de la distribution et de la séparation des pouvoirs entre le gouvernement fédéral et les provinces. Pour ma part, j'ai dû témoigner pendant plus de cent heures pour définir certains mots-clés, expliquer certains articles et donner des éclaircissements sur la position fédérale.

Depuis ma nomination au poste de ministre de la Justice, je m'étais familiarisé avec le droit constitutionnel mais je craignais toujours de me mettre les pieds dans les plats. Je savais que des professeurs et des avocats réputés avaient étudié pendant des années les moindres aspects de la question constitutionnelle; je savais aussi que tout ce que je disais au Comité pouvait éventuellement être utilisé par les tribunaux dans leurs délibérations futures sur la Constitution. Il n'est donc pas étonnant que l'angoisse m'ait saisi chaque fois que j'avais à témoigner en présence d'une telle batterie d'éminents juristes. Mais je réussis à survivre, et je n'en suis pas peu fier. Bien sûr, je laissais mes conseillers répondre aux questions les plus techniques, mais j'expliquais toujours moi-même les grandes lignes de notre politique, à partir des mémoires que j'avais étudiés à fond et de ma propre expérience des négociations de l'été précédent. J'en vins à goûter particulièrement les questions les plus difficiles et les débats les plus ardus. Cependant, au milieu des audiences, je dus être hospitalisé à cause de douleurs qui semblaient être d'origine cardiaque. Il n'en était rien: je souffrais d'épuisement général et les médecins me gardèrent alité pendant une semaine.

Alors que le projet de résolution faisait son chemin à travers le processus parlementaire, certaines provinces qui s'y opposaient décidèrent de mettre sa légalité en doute devant les tribunaux du Manitoba, de Terre-Neuve et du Québec. Seule la Cour suprême de Terre-Neuve en vint à conclure à l'illégalité pour Ottawa d'agir unilatéralement, mais les raisons invoquées étaient faibles. Dans le but de régler au moins l'aspect juridique du problème et de contourner les tactiques adoptées par les conservateurs à la Chambre des communes, on crut bon de repousser encore une fois le délai pour permettre à la Cour suprême du Canada de rendre son jugement. Nous espérions une opinion favorable en juin 1981 mais les juges de la Cour suprême nous gardèrent en suspens jusqu'à la fin de l'été. En plus de toutes ces frustrations, nous sentions que notre élan faiblissait et que l'appui populaire dont nous avions besoin se détériorait: la population commençait à en avoir assez de toute cette histoire qui traînait en longueur depuis plus d'un an. En avril, pour aggraver les choses, des premiers ministres provinciaux s'unirent pour former le fameux *gang des huit*. Ils se mirent d'accord sur le rapatriement à condition que soit abandonnée la Charte des droits et que la formule d'amendement, proposée par le gouvernement fédéral, soit remplacée par une autre selon laquelle n'importe quelle province pouvait se soustraire à n'importe quel amendement constitutionnel avec pleine compensation financière. Suprême aberration, le Québec était entré dans la bande et avait renoncé à son droit de veto. Pour ma part, je m'étais toujours opposé à ce que le Québec renonce à ce droit, même au prix de m'aliéner d'autres provinces; il me paraissait à la fois un symbole et une garantie réelle dont les Québécois ne devaient pas être privés. Je n'en revenais pas de ce que Lévesque et Morin aient allégrement cédé ce droit à seule fin d'ennuyer Pierre Trudeau encore un peu plus. À mon sens, le *gang des huit* ne s'était formé que par peur des conséquences politiques d'un accord avec Pierre Trudeau, peu populaire dans leurs provinces. Le courage de Davis et de Hatfield consistait à prendre le risque politique de s'entendre avec lui dans l'intérêt du Canada. En définitive, leur courage fut récompensé: au lieu de perdre de l'influence, ils virent augmenter leur prestige dans leurs provinces respectives. Par contraste, la peur des autres faisait peine à voir. John Buchanan de la Nouvelle-Écosse m'a toujours donné l'impression qu'il était d'accord avec ce que nous proposions mais qu'il tergiversait en pensant à sa prochaine élection provinciale et aux conséquences possibles d'un accord avec Pierre Trudeau. La même chose est vraie d'Allan Blakeney de la Saskatchewan bien que lui, il redoutât autant la colère de Peter Lougheed que l'opinion de ses électeurs. Chaque fois que je croyais que nous avions réussi à lui faire quitter le *gang des huit*, il finissait par me demander: «Oui, mais qu'en pense l'Alberta?» C'était décevant de la part d'un homme que je tenais pour intelligent et attaché à ses principes. Bien qu'il comprît parfaitement toutes les nuances de la position d'Ottawa et bien qu'un accord l'eût aidé à se rapprocher du NPD fédéral, Blakeney ne pouvait s'empêcher de lorgner son voisin. À la fin, il perdit tout.

Un jour, en lisant le journal, je vis que Romanow avait déclaré la Saskatchewan prête à joindre le camp fédéral à trois conditions. Je lui téléphonai aussitôt: «Je ne peux pas t'en donner trois, mais je peux t'en donner deux. Penses-tu que ton premier ministre s'en contenterait?

— Je pense que oui», me répondit Romanow.

J'allai donc voir Pierre Trudeau: «J'ai un accord avec la Saskatchewan si nous renonçons à ces deux points.»

Il me répondit, sceptique: «Tu n'as pas d'accord et tu n'auras pas d'accord. Blakeney ne signera jamais.
— Si vous en êtes si certain que cela, lui dis-je, acceptons les trois points de Romanow et parions un dollar...»

Pierre Trudeau accepta les trois conditions et le pari fut conclu. Aussitôt, la Saskatchewan présenta de nouvelles demandes... et je dus payer un dollar à Pierre Trudeau!

L'été de 1981 fut exaspérant. Je sentais monter l'impatience de Pierre Trudeau à cause des nouveaux délais que nous imposait le retard de la Cour suprême du Canada à rendre sa décision. Lorsque nous étions assis côte à côte à la Chambre des communes, il me demandait souvent si j'avais eu vent des rumeurs au sujet de la décision: il paraissait sérieusement ennuyé par le bouleversement de calendrier. Toujours extrêmement ordonné dans tout ce qu'il entreprenait, il avait prévu que le rapatriement serait chose faite le premier juillet 1981, jour de la fête du Canada, mais il fallait nous résigner à attendre. Contrairement à Roy McMurtry qui avait lui-même plaidé devant la Cour de l'Ontario, je ne comparus pas au nom du gouvernement fédéral mais je pris place parmi le public pour écouter les plaidoiries de nos avocats, J.-J. Robinette et Michel Robert. En septembre, quand la décision de la Cour suprême fut finalement rendue, le premier ministre faisait une tournée de l'Asie du Sud-Est. J'étais dans mon bureau et j'essayais désespérément de comprendre la très mauvaise transmission télévisée du jugement. Non seulement la voix du juge en chef Bora Laskin était à peine audible, mais plusieurs points du jugement semblaient ambigus. En résumé, il disait que l'action unilatérale du gouvernement fédéral était légale mais contraire aux coutumes et aux traditions qui nécessitaient l'accord des gouvernements provinciaux pour procéder à des amendements constitutionnels. Je sautai sur le mot «légale» et j'oubliai le reste.

Je rejoignis Pierre Trudeau en Corée: «C'est légal! Je vais donner une conférence de presse et crier victoire sans plus tarder.» Il manifesta son accord et me dit que nous reparlerions des détails plus tard.

Je rencontrai aussitôt la presse et déclarai que nous avions gagné et que nous étions prêts à procéder avec notre projet de résolution, comme prévu: «La coutume ne tient pas, expliquai-je.

Il y a bien une coutume qui veut que l'on fasse des élections tous les quatre ans bien que la loi dise que c'est obligatoire tous les cinq ans. Alors, suivre ou ne pas suivre une coutume peut nous être reproché par les électeurs mais pas par les tribunaux.» McMurtry acceptait mon interprétation.

Je restai en communication avec Pierre Trudeau et, vers la fin de cette journée, il donna lui-même une conférence de presse dans laquelle il disait que, même si Ottawa avait eu gain de cause en Cour suprême, il voulait bien faire l'essai d'une dernière conférence des premiers ministres. Ce soir-là, Roy Romanow et Roy McMurtry vinrent à la maison, ce qui permit à Romanow de m'apporter la bouteille d'excellent scotch qu'il avait pariée avec moi au sujet de la décision de la Cour suprême. Contrairement à ce qui fut rapporté plus tard dans la presse, nous ne nous étions pas enivrés (j'ai toujours cette bouteille à la maison!), mais nous avions longuement parlé de ce qui pourrait désormais arriver. Y aurait-il une autre conférence? Est-ce que la Saskatchewan nous appuierait? Quels changements pourrions-nous apporter à la Charte des droits pour la rendre plus acceptable? Qu'en était-il du droit du veto du Québec dans la formule d'amendement? Et ainsi de suite. Bien entendu, rien ne fut décidé ce soir-là mais, dans les semaines qui suivirent, je poursuivis les mêmes discussions avec mes conseillers. Romanow et McMurtry en firent autant dans leur province et à travers tout le pays. Le seul élément nouveau: le premier ministre Trudeau et les premiers ministres provinciaux avaient convenu de se rencontrer en novembre.

La conférence de novembre était sans aucun doute notre dernière chance d'arriver à un accord et tout le monde le savait. Il y eut plusieurs rencontres. Trudeau se réunissait avec Davis et Hatfield, seuls ou avec leurs ministres, pour apaiser leurs inquiétudes selon lesquelles le projet de charte allait peut-être trop loin. Le *gang des huit* se réunissait dans son coin tandis que Pierre Trudeau, Bill Davis et Richard Hatfield en faisaient autant de leur côté. Par la suite, toutes les délégations s'assemblaient au Centre des conférences. Entre-temps, j'avais mes propres rencontres avec les premiers ministres provinciaux, leurs ministres ou leurs conseillers officiels. Après deux jours de négociations ardues, nous semblions marquer quelques points, mais Pierre Trudeau commençait à croire que la seule porte de sortie était de tenir un référendum national sur la formule d'amendement et sur la Charte. En général, le caucus libéral était favorable à l'idée, mais je m'y opposais vivement. J'avais trop bien vu tous les déchirements que le référendum du Québec avait provoqués pour vouloir renouveler une expérience pareille. Jusque-là, je n'avais pas pris cette proposition trop au sérieux, ni étudié à fond tous ses mécanismes. Je me souviens d'une réunion au cours de laquelle Michael Pitfield appuyait l'idée de Pierre Trudeau selon laquelle le peuple devait décider si Ottawa et les provinces ne parvenaient pas à se mettre d'accord. Pitfield citait des exemples empruntés aux Américains et s'engagea dans un savant discours sur la démocratie aux États-Unis, avec référence aux hamiltoniens et aux jeffersoniens et tutti quanti. Impatienté, je l'interrompis: «Dis-moi, Michael, pour quelle équipe de base-ball ces gars jouent-ils?» À la rigueur, je voulais bien qu'on utilise la menace du référendum comme stratégie dans les négociations avec les provinces; je n'y croyais vraiment pas mais je me rendais compte que Pierre Trudeau était prêt à y recourir.

Le troisième jour, la conférence risquait d'éclater parce que Sterling Lyon devait retourner poursuivre sa campagne électorale au Manitoba et que René Lévesque menaçait de partir; c'est alors que Pierre Trudeau laissa tomber l'idée d'un référendum... et que Lévesque décida de s'en emparer! Il y aurait un référendum sur la formule d'amendement et un autre sur la Charte des droits, et Lévesque exigea que, pour être valable, chaque référendum soit gagné dans l'Ouest, l'Ontario, le Québec et les provinces de l'Atlantique. Je protestai auprès de Pierre Trudeau: «L'Ouest ne votera jamais pour une formule d'amendement qui donne un droit de veto au Québec et le Québec ne votera jamais pour une formule qui le lui refuse. Avec la Charte, on peut probablement gagner au Canada anglais, mais Lévesque nous combattra au Québec en utilisant la vieille rengaine des empiétements fédéraux sur les droits provinciaux. Nous perdrons tout!» Mais Pierre Trudeau était ravi que Québec ait mordu à l'hameçon parce qu'il divisait ainsi le *gang des huit*, ce qui faisait évidemment partie de notre stratégie. Lévesque s'accrochait à l'idée d'avoir une deuxième chance de gagner un référendum contre le gouvernement fédéral mais ses alliés répugnaient à l'idée de combattre Ottawa sur la Charte des droits dans leurs provinces. Ils rejetèrent la proposition, mais leurs visages reflétaient leurs sentiments quand ils virent Lévesque se ranger du côté de Trudeau. Ce dernier exploita immédiatement son avantage en annonçant à la presse qu'Ottawa et Québec s'étaient mis d'accord sur un point. Presque aussitôt, la colère gagna les rangs du Parti québécois et, au cours du déjeuner, le *gang des huit* donna une sévère raclée à René Lévesque. À la réunion de l'après-midi, Lévesque se mit à faire marche arrière, prétextant qu'il n'avait pas très bien compris la proposition de Trudeau. Furieux, celui-ci menaça de mettre un terme à la Conférence. «On ne va nulle part, dit-il. La réunion a assez duré. Ottawa agira seul!» Le reste de l'après-midi, j'allai d'un ministre provincial à l'autre en faisant pression sur eux pour qu'ils reviennent sur leurs décisions. «Croyez-moi, leur disais-je, on tiendra un référendum. Je n'en veux pas et vous n'en voulez pas, mais je vous promets que j'irai dans chacune de vos provinces et que je dirai que vous êtes contre la liberté de religion, contre l'égalité des femmes, contre les minorités, etc. Je serai sans pitié!»

Le matin du même jour, à l'occasion d'un petit déjeuner avec Romanow et McMurtry, j'avais griffonné sur un napperon un compromis que Pierre Trudeau pourrait accepter. En fin d'après-midi, Romanow me demanda si je pensais que ce compromis était toujours possible. C'est alors que nous nous étions réunis dans la petite cuisine du Centre de conférences afin de travailler tranquilles et en secret. Les grandes lignes de la proposition fédérale précisées, Romanow s'en fut consulter les autres et revint avec Roy McMurtry. Tous trois, nous avons mis au point un projet d'accord assez près de l'accord final. Il s'agissait essentiellement d'un échange: les provinces accepteraient une Charte amendée qui tiendrait compte de leurs principales objections à condition que le gouvernement fédéral accepte leur formule d'amendement, elle-même amendée pour satisfaire aux objections d'Ottawa. Cela revenait à dire que, au lieu d'avoir un droit de veto, chaque province qui le désirerait pourrait se soustraire à un amendement constitutionnel mais sans recevoir de compensation financière. En pareil cas, les compensations seraient toujours inacceptables pour Ottawa car elles auraient pour effet d'inciter les provinces riches à se soustraire à tout amendement qui les obligerait à partager leurs richesses avec les provinces pauvres; par exemple, un programme national d'assurance-chômage comme celui que nous avons aurait été impossible.

Quand je quittai Romanow et McMurtry, je n'étais plus très sûr de pouvoir faire accepter ce compromis par Pierre Trudeau. Je fis d'abord un test auprès de Serge Joyal et de Jim Peterson, mon secrétaire parlementaire: leurs réactions furent favorables. J'allai ensuite voir le premier ministre qui m'écouta sans broncher. Pour le convaincre, je lui dis enfin: «Pourquoi ne pas demander l'opinion d'un député ou deux?» Et je fis entrer Joyal et Peterson... sans dire à Pierre Trudeau que je leur avais déjà parlé! Finalement, j'insistai pour qu'on poursuive les négociations: «Je suis sûr que la Saskatchewan proposera quelque chose de nouveau.»

De retour à la salle de conférences, le premier ministre annonça à ses collègues: «Apparemment, la Saskatchewan a un compromis à nous proposer.» Mais Romanow n'était pas au bout de ses instances auprès de Blakeney de sorte qu'il ne se produisit rien: la réunion fut ajournée au lendemain. Il régnait une atmosphère de pessimisme et d'échec mais je conservais une lueur d'espoir puisque Pierre Trudeau n'avait pas rejeté ma proposition. Au cours de la soirée, je participai à une réunion au sommet convoquée par le premier ministre au 24 Sussex. Elle avait pour objet d'informer les ministres les plus importants, tels que Lalonde, MacEachen, Roberts, Leblanc, Ouellet, Gray et Regan, de l'état des négociations et de faire le point sur l'ensemble de la situation. Bientôt, il devint évident que Pierre Trudeau favorisait encore la tenue d'un référendum national comme solution à l'impasse alors que, de mon côté, je croyais toujours qu'il fallait en venir à un accord. Naturellement, l'opinion du premier ministre exerçait une forte influence sur les ministres, et tous étaient d'avis qu'on ne pouvait plus diluer davantage la Charte des droits. À un moment donné, Pierre Trudeau quitta la pièce pour recevoir un appel de William Davis et je profitai de l'occasion pour faire valoir mon point de vue: «Si, à la fin de cette réunion, vous optez pour un référendum, ne comptez pas sur moi. J'ai déjà trop vu de familles déchirées, de villages divisés et je ne veux pas revivre cela. En ce sens, un référendum national sera encore pire que l'autre: l'Est se dressera contre l'Ouest, les protestants contre les catholiques, les anglophones contre les francophones, etc.» Et, me retournant vers un ministre qui n'avait pas la réputation d'être un grand *vendeur* d'idées, je lui dis: «Tu iras vendre les propositions d'Ottawa à travers le pays; moi, je resterai ici. Un référendum dans une vie, c'est déjà trop!» Mon petit discours fit de l'effet et, quand Pierre Trudeau revint dans la salle de réunions, il trouva les esprits encore plus confus qu'à son départ. Comme d'habitude, il écouta attentivement les discussions sans beaucoup intervenir. À la fin de la réunion, il me prit à part et me dit: «Si tu peux convaincre une majorité des provinces représentant la majorité de la population d'accepter ta proposition, je pense que je serai d'accord; mais laisse-moi dormir là-dessus.»

Je rentrai chez moi tout ragaillardi! Plus tôt dans la soirée, on m'avait remis un message de Garde Gardom, le pittoresque et sympathique ministre des Affaires intergouvernementales de la Colombie britannique. L'ayant rejoint au téléphone, je l'entendis me dire: «Qu'est-ce que ce bout de papier que Romanow montre à toutes les délégations? Peux-tu vraiment nous obtenir un accord là-dessus ou est-ce encore une feinte, sacré *Frenchman*?

— C'est très sérieux, lui répondis-je. Si vous êtes d'accord, l'affaire est dans le sac.

— Alors, mon vieux, tu l'auras ta nouvelle Constitution car la Colombie britannique est d'accord, de même que la Saskatchewan, l'Ontario, le Nouveau-Brunswick, l'Île-du-Prince-Édouard, la Nouvelle-Écosse et Terre-Neuve. On ne sait encore rien de l'Alberta, du Manitoba et du Québec.»

Je raccrochai et annonçai à ma femme que le Canada avait une nouvelle Constitution. Cette nuit-là, j'avais du mal à dormir... Je voulais téléphoner à Pierre Trudeau mais je connaissais ses habitudes: il n'apprécierait guère être réveillé en pleine nuit, même pour une raison importante. J'essayai en vain de rejoindre Roy Romanow. Contrairement à ce qu'on a prétendu par la suite, je n'eus finalement rien à voir avec les tractations de cette fameuse nuit.

Je ne pouvais m'empêcher de penser que le Québec traînerait de la patte. Je me souvenais d'une conversation avec Claude

Charron, plus franc et plus direct que les autres membres de la délégation québécoise. Il m'avait laissé entendre qu'il n'y avait pas une seule proposition globale acceptable pour le Québec. Je le regrettais profondément, mais cette obstruction systématique d'une seule province, fût-elle le Québec, ne pouvait plus nous arrêter dans notre projet de rapatriement.

Finalement, vers 6h30 du matin, je rejoignis Romanow qui, pour pouvoir agir librement, n'avait pas mis les pieds dans sa chambre d'hôtel de la nuit. «Dans une demi-heure, me dit-il, Dick Johnston réveillera Lougheed et l'informera de notre projet d'accord; on s'attend à ce que l'Alberta accepte.

— Et le Québec?

— Les Québécois ne signeront jamais rien, me dit Romanow. Nous allons les informer de ce qui a été convenu et nous verrons bien leur réaction.

— Dans ce cas, il vaudrait presque mieux que le Manitoba refuse de signer. Ce serait embêtant pour Ottawa que le Québec reste seul dans son coin...

— Ne t'en fais pas, Lyon ne signera jamais.»

Mais, peu après 7 h, Romanow m'avait rappelé pour me dire que Lougheed avait déjà accepté et tenterait de convaincre Lyon d'en faire autant au nom de l'unité de l'Ouest. En pleine campagne électorale, Lyon avait déjà quitté Ottawa. Il se rendait compte des conséquences politiques de se retrouver à l'écart, avec Québec; malgré cela, il hésitait toujours et voulait remettre sa décision au lendemain de l'élection. Il finit par donner son accord à certaines conditions. La valse-hésitation de Lyon ne lui profita guère puisqu'il perdit l'élection. C'est le nouveau gouvernement NPD dirigé par Pawley qui signa l'accord constitutionnel au nom du Manitoba. Entre-temps, on informait René Lévesque que les autres provinces s'étaient mises d'accord sur un nouveau compromis qui serait présenté à Pierre Trudeau à l'ouverture de la réunion du matin et, par Chrétien, on savait déjà qu'Ottawa accepterait. À 7 h 30, je téléphonai au premier ministre: «Monsieur le premier ministre, si vous êtes d'accord avec ma proposition d'hier soir, alors, vous avez une nouvelle Constitution», lui dis-je, énumérant la liste d'une majorité de provinces représentant la majorité de la population.

191

Pierre Trudeau n'est pas connu pour sa grande exubérance, mais il me répondit: «Jean, si tu étais là, je t'embrasserais!»

Comme il n'avait pas encore vu les documents, j'allai immédiatement déjeuner avec lui au 24 Sussex où, déjà, quelques-uns de ses conseillers se demandaient si Chrétien n'avait pas «vendu la baraque». L'atmosphère était détendue et je savourais la délicieuse satisfaction que procurent le travail accompli et la réussite. Un peu plus tard, alors que nous roulions vers le Centre des conférences, Pierre Trudeau me dit: «Quand je pense que Lévesque et Morin prétendent que tu n'es pas assez instruit!
— Et quand je pense qu'ils disent que vous êtes trop instruit!» répliquai-je.

Les sept provinces avaient convenu que le premier ministre Brian Peckford présenterait la proposition de compromis, apparemment parce qu'il était le plus jeune premier ministre; il le fit avec une belle assurance, comme si tout cela venait de lui. Pierre Trudeau étudiait soigneusement le texte pendant que la délégation du Québec surveillait ses réactions. Tout à coup, il grimaça: Lévesque et Morin se mirent à sourire. Mais ils n'avaient pas remarqué que Trudeau m'avait donné un coup de pied sous la table pour que je saisisse son bluff. Finalement, il déclara: «C'est plein de bon sens!» Il y avait encore quelques détails à retoucher, des précisions à apporter, des difficultés à aplanir, mais tous se sentaient heureux et soulagés d'en venir finalement à un accord. Tous, excepté Lévesque, bien sûr. Il déclara qu'il ne pouvait pas accepter le projet d'accord pour trois raisons.

«Très bien, répondit Pierre Trudeau, voyons s'il n'est pas possible de régler ces trois points.» Mais le fond du problème, c'est que les délégués du Québec avaient déjà décidé de ne rien signer et de partir en claquant la porte. À la fin, le premier ministre leur dit: «Si vous ne voulez pas trouver un compromis, nous devrons terminer le travail entre nous.»

Ce fut un des moments les plus tristes de ma vie que de voir le Québec à ce point isolé. Lévesque osa même ajouter: «Ne pourriez-vous pas me remettre mon droit de veto?» Personnellement, je crois que le Québec, représentant une population minoritaire aux préoccupations linguistiques et culturelles particulières, devrait avoir un droit de veto. Hélas! il était trop tard. Dans son maquignonnage avec le *gang des huit*, Lévesque avait joué le tout pour le tout et il avait perdu. Maintenant, il faisait payer le prix de ses bluffs à tous les Québécois. Dès que l'une des autres provinces refusa de prendre cette demande en considération, l'affaire était réglée. Au cours des semaines qui suivirent, je poursuivis mes efforts pour satisfaire les demandes du Québec, au point d'amender le principe de l'éducation pour les groupes minoritaires et d'ajouter une compensation financière en matière de culture et d'éducation dans le cas où le Québec déciderait de se retirer de ces programmes. Il me fallut tous mes talents de persuasion pour convaincre Pierre Trudeau qui finit par accepter, de même que les neuf autres premiers ministres provinciaux, encore disposés à reconsidérer leur entente pour satisfaire le Québec. Mais Lévesque ne pouvait ni ne voulait rien accepter. Finalement, c'est Ottawa qui inclut ces changements dans le projet final, permettant ainsi au Québec de signer l'accord plus tard.

Il y eut encore d'autres changements. Pour rallier la majorité des provinces, le gouvernement fédéral avait dû accepter un compromis sur le principe de l'égalité de la femme et renoncer à l'insertion définitive des droits des peuples autochtones. Allan Blakeney de la Saskatchewan s'était opposé à l'égalité des femmes pour de vagues raisons rattachées à la juridiction de l'Assemblée législative provinciale. C'était sans doute un raisonnement intelligent, mais en politique, les raisonnements intelligents sont quelquefois moins importants que l'impression qu'ils créent chez les citoyens. Or, en l'occurrence, cette impression était très défavorable. Par contre, Blakeney ne s'opposait pas personnellement aux droits des autochtones mais il s'était quand même rallié aux objections de l'Alberta et de la Colombie britannique pour obtenir en retour leur appui sur la question des droits de la femme. Ainsi donc, ces trois provinces de l'Ouest avaient forcé le reste du Canada à abandonner les femmes et les aborigènes! Notre seule consolation était de savoir qu'on pourrait revenir sur ces articles plus tard et j'étais convaincu qu'on y reviendrait avant longtemps. «Attends un peu que les femmes et les Indiens réclament les scalps de ces gars-là!» avais-je lancé à Bill Davis à la fin de la Conférence.

On n'attendit pas longtemps. En quelques heures, des associations de femmes et d'autochtones se rendirent compte qu'on les avait laissés tomber et, le jour même, la presse connut les coupables. En moins de temps qu'il n'en faut pour le dire, Blakeney se retrouva le seul adversaire de l'enchâssement des droits de la femme; ce fut une grande humiliation pour le NPD dans tout le pays; il y eut démonstration et campagnes d'opinion publique contre le gouvernement de la Saskatchewan. De mon côté, j'exerçais des pressions sur Romanow: «Roy, lui disais-je, je suis sur le point de faire un discours à la Chambre des communes. Si vous donnez votre accord, je dirai que ton patron est un type extraordinaire, mais si vous refusez, je lui en ferai voir de toutes les couleurs!» De plus, je réussis à convaincre l'Alberta et la Colombie britannique de se dissocier de Lyon et, en fin de compte, la Saskatchewan emboîta le pas.

Au milieu de toute cette controverse, j'avais rencontré Lougheed à une partie de football. «N'as-tu pas trouvé ça amusant de voir ton voisin socialiste se dresser tout seul contre les femmes du Canada?» lui dis-je en me tapant sur les cuisses; nous avons ri de bon coeur. Reprenant mon sérieux, j'ajoutai: «Peter, j'espère que, la semaine prochaine, tu ne te retrouveras pas, à ton tour, seul contre les Indiens?

— Cela me préoccupe... Ne pourrions-nous pas trouver un compromis qui les satisferait dès maintenant?»

Les délégués de l'Alberta s'inquiétaient de la reconnaissance des droits autochtones parce qu'ils ne savaient pas exactement ce que cela voulait dire. Après avoir discuté pendant des heures et des heures sur le sens des mots, je suggérai finalement au procureur général Crawford: «Pourquoi ne parlerions-nous pas tout simplement des *droits existants?*» L'addition du mot *existant* embarrassait nos spécialistes en droit constitutionnel et ne plaisait pas tellement aux chefs autochtones, qui se voyaient déjà aux prises avec le fardeau de prouver l'existence de leurs droits. Malgré tout, je restais convaincu que la présomption jouerait en leur faveur. Les conseillers juridiques du gouvernement fédéral nous déclarèrent finalement qu'un droit existe ou n'existe pas: il fallait y penser! D'autre part, ce changement suffisait à assurer l'accord de l'Alberta, très important pour nous. Ce n'était pas une solution parfaite, mais dans ce genre de situation, rechercher la perfection c'est risquer de tout perdre.

En décembre 1981, le pacte constitutionnel fut rapidement approuvé par la Chambre des communes et une résolution aussitôt envoyée au Parlement britannique qui la débattit pendant quatre jours en mars 1982. Nous avions dû consentir encore de nouveaux délais frustrants car le gouvernement britannique n'aimait pas se faire bousculer; il était encore plus déprimant d'entendre les interventions de quelques députés du Parlement de Westminster, tout excités de se faire faire la cour par le Québec et les Indiens. Ironiquement, les séparatistes du Québec suppliaient la Grande-Bretagne de les maintenir dans leur état de colonisés. Il était carrément gênant de voir des Canadiens bafouer leur pays dans une capitale étrangère et donner aux députés britanniques l'occasion de nous dire ce que nous devrions faire ou ne pas faire. Je suivis une partie des débats de la tribune du public et il y eut des moments où j'avais envie de sauter dans la mêlée, de mettre quelque vieux colonialiste à sa place ou de dénoncer les énormités qui se proféraient sur le traitement des autochtones au Canada. Pierre Trudeau avait déclaré que le rôle du Parlement britannique se résumait à «se boucher le nez et à adopter le projet». Il avait raison.

La dernière étape consistait à obtenir la sanction royale. Je retournai à Londres, cette fois pour remettre la Proclamation canadienne à la reine Élisabeth II. Le haut-commissaire du Canada en Grande-Bretagne, madame Jean Wadds, m'accompagnait au palais de Buckingham. J'avais rencontré la reine la première fois en 1970, quand j'étais ministre des Affaires indiennes et du Grand Nord; ma femme et moi l'avions accompagnée ainsi que le prince Philip, le prince Charles et la princesse Anne au cours d'une tournée du Grand Nord. Après cinq jours de voyage, nous étions arrivés à Fort Providence pour le dévoilement d'une plaque à la mémoire d'Alexander Mackenzie, le découvreur du fleuve qui porte aujourd'hui son nom. Quelques minutes avant le début des cérémonies, le président de la Commission des sites historiques me prit à part pour m'informer du grand embarras dans lequel il se trouvait; selon le programme, il devait s'approcher du micro et entonner l'hymne national: «Mais, monsieur le ministre, me dit-il, j'ai une voix affreuse, j'ai le trac et je suis incapable de chanter en public.» J'ai moi aussi une voix affreuse, forte et éraillée, mais je ne connais guère la gêne; j'acceptai donc d'entonner le *Ô CANA-DA*. Le moment venu, je me rendis au microphone et commençai à chanter. Hélas! je ne connaissais que les paroles françaises de notre hymne national mais, comme la foule ne savait que les paroles anglaises, personne ne se joignit à moi, si bien que je dus chanter un solo. Plus tard, ma femme m'a avoué qu'elle n'avait jamais été aussi embarrassée de toute sa vie!

Quelques mois plus tard, je rencontrai le prince Charles à une réception officielle à Ottawa. J'étais plutôt étonné qu'il me reconnaisse et qu'il m'appelle par mon nom. «Mais comment pourrais-je vous oublier? me dit-il. Votre interprétation de *Ô CANA-DA* dans le Grand Nord l'été dernier fait maintenant partie du folklore royal!»

Pour une raison ou pour une autre, je rencontrai la famille royale cinq fois en moins de deux ans. Un jour que j'étais à Londres avec ma femme et ma fille, le haut-commissaire me dit que, le lendemain, la reine offrait une réception au palais de Buckingham en l'honneur des vétérans de la Première Guerre mondiale: «Ce serait bien si les vétérans canadiens étaient accompagnés d'un de leurs ministres, me dit-il. Pourquoi ne viendriez-vous pas avec votre famille?» Nous ne pouvions guère refuser. À titre de ministre, je suis membre du Conseil privé de la reine, et le protocole exige qu'elle me reçoive en audience privée. On ne lui avait pas dit qui était le ministre qu'elle devait rencontrer et, quand elle entra dans la grande pièce où je l'attendais, elle s'exclama: «Encore vous!

— Votre Majesté, lui répondis-je, je suis le *seul* royaliste du Québec!»

En 1982, lors de ma visite à Londres, j'avais pour mission de renseigner la reine sur les péripéties du débat constitutionnel. Je m'aperçus bientôt qu'elle était déjà très bien informée. À sa demande, notre conversation se déroula en français, ce qui devait étonner bien des gens de Shawinigan et d'ailleurs! — et l'entretien dura environ une heure au lieu des vingt minutes protocolaires. En avril, la reine vint au Canada signer la Proclamation royale, et le premier ministre Trudeau, dans un geste spontané et magnanime, m'invita à signer mon nom sous celui d'Élisabeth II, bien qu'il n'y eût aucune raison protocolaire qui justifiât ma signature sur ce document historique.

Voilà! Le but était atteint, nous avions enfin rapatrié la Constitution! Je l'avoue sans honte: j'étais heureux et fier de notre réussite. Nous avions une formule d'amendement acceptée par neuf des dix provinces, même si ce n'était pas tout à fait la formule souhaitée par le gouvernement fédéral. Nous avions aussi une Charte des droits et libertés qui, malgré les controverses et les compromis qui entourèrent sa préparation, est l'une des meilleures au monde.

J'étais également fier d'une autre chose: avoir combattu aux côtés d'un homme de la trempe de Pierre Trudeau. Jour après jour, j'avais été le témoin souvent impuissant des attaques injustes dont il était la victime: on le trompait, on l'injuriait, et jamais on n'a réussi à abattre son moral. Il avait une certaine idée du Canada, il savait ce qu'il voulait et il s'est battu jusqu'à la victoire. Il m'apprit ce que c'est que d'être un chef.

Chapitre IX

Rue Principale... Bay Street

Au printemps 1983, je fis encore un voyage à Londres à l'occasion de l'approbation définitive de la nouvelle Constitution canadienne par le Parlement britannique. J'étais en pleine forme. Sans le moindre complexe, je me relaxais dans le confort douillet d'un avion du gouvernement. Au dîner, j'invitai quelques journalistes à se joindre à moi et, naturellement, ils me demandèrent si je serais candidat à la direction du Parti libéral après le départ de Pierre Trudeau. «C'est possible», répondis-je comme j'en avais l'habitude mais, cette fois, sans doute à cause du caractère public de mon voyage, ma réponse fit les manchettes dans tout le Canada: «Chrétien candidat du Parti libéral après le départ de Trudeau.» Pour la première fois, ma candidature était prise au sérieux.

En fait, cette pensée avait effleuré mon esprit lors de la première démission de Pierre Trudeau en novembre 1979. Une histoire assez confuse. Quelques semaines après l'annonce de la décision de l'ancien premier ministre, les libéraux, les néo-démocrates et les créditistes s'unirent pour défaire le gouvernement conservateur minoritaire de Joe Clark et provoquer une élection. Les libéraux se retrouvèrent donc dans la situation embarrassante de devoir en même temps se lancer en campagne pour la direction du Parti et en campagne électorale. Certains prétendirent que Pierre Trudeau lui-même avait machiné tout cela afin qu'on le force à revenir sur sa décision et à reprendre la direction du Parti. Je n'en crois absolument rien mais je pense qu'il saisit l'occasion quand elle se présenta. Je me souviens de son sourire malicieux quand je lui dis que les créditistes voteraient probablement contre le budget, assurant ainsi la défaite des conservateurs. Je me souviens du ton ferme avec lequel il annonça que les libéraux tenteraient de renverser le gouvernement. Même s'il ne révélait jamais ses pensées ou ses émotions autrement que par un éclair dans les yeux ou une intonation de la voix, j'avais l'impression qu'il voulait rester à condition de pouvoir compter sur l'appui des membres du Parti; sans doute souhaitait-il participer à la bataille référendaire du Québec à titre de premier ministre du Canada... Il fallut un certain temps avant que Pierre Trudeau ne se décidât; le Parti lui-même était divisé entre ceux qui le suppliaient de rester et ceux qui voulaient le laisser partir.

J'étais ambivalent. Je me souviens de lui avoir dit au cours d'une conversation téléphonique: «Il est difficile d'entrer en politique mais il est encore plus difficile d'en sortir. Vous avez démissionné, on a loué votre décision et, par surcroît, vous avez envie de vous consacrer davantage à vos trois fils; il serait peut-être préférable pour vous de ne pas revenir sur votre décision. Mais, bien sûr, si vous restez, nous serons tous derrière vous. Et si vous étiez aussi fou que moi, vous resteriez!»

Peut-être les libéraux auraient-ils pu gagner l'élection sans lui. Un congrès aurait donné une publicité énorme au Parti et au nouveau chef quelques semaines seulement avant l'élection et, de toute façon, Joe Clark était loin d'avoir la faveur des électeurs. Mais le jugement de Pierre Trudeau valait sans doute le mien et, de toute évidence, son retour allait être très important au moment du référendum. Je dois confesser que mon opinion personnelle était un peu influencée par mon vague désir de briguer la direction du Parti même si je ne me faisais pas d'illusions quant à mes chances de succès et si la plupart de mes amis tentaient de me dissuader.

L'obstacle majeur à ma candidature était la tradition d'alternance du Parti libéral entre un chef anglophone et un chef francophone. Malgré le nombre étonnant de collègues anglophones qui me disaient: «Bah, on se f... complètement de cela», un nombre aussi étonnant de collègues francophones s'en préoccupaient. Pour ceux-ci le principe de l'alternance servait l'intérêt de notre minorité et ils hésitaient à s'en éloigner de crainte d'ouvrir la porte à toute une série de chefs anglophones. Par contre, plusieurs partisans paraissaient d'avis qu'il fallait un bon candidat du Québec. Et si je ne gagnais pas, je risquais d'être celui qui déciderait du choix final. Je me rappelle avoir dit à Joe Clark, en 1976, alors qu'il hésitait à se présenter comme candidat à la direction du Parti conservateur: «Si tu ne te présentes pas, une chose est certaine: tu ne gagneras pas.»

En 1979, je croyais que mes adversaires seraient John Turner et Donald Macdonald. Étant donné qu'ils étaient tous deux des anciens ministres prestigieux devenus d'éminents avocats de Bay Street à Toronto, j'estimais avoir sur eux un léger avantage dans le Parti et dans le pays. Je comptais sur tous ceux qui préfèrent un homme politique populiste, issu d'une région rurale, à un avocat torontois. En fait, Turner décida de ne pas poser sa candidature et je me retrouvai en face de mon vieil ami Donald Macdonald: il se voyait déjà gagnant mais me poussait quand même à me présenter contre lui pour rendre le congrès plus intéressant. Bien entendu, nos projets s'envolèrent en fumée dès que Pierre Trudeau annonça sa décision de reprendre la direction du Parti.

Au cours des années qui suivirent, je laissai circuler mon nom comme candidat éventuel tout en évitant d'encourir la colère de Pierre Trudeau.

On racontait que des députés et des ministres allaient fréquemment voir John Turner à Toronto; d'autres ministres augmentaient subitement leur personnel sans raison apparente. De mon côté, je demeurais loyal à Pierre Trudeau mais je ne refusais pas pour autant de participer à des discussions de nature privée sur le prochain congrès.

Ron Irwin, mon ancien secrétaire parlementaire, homme agréable et chaleureux qui avait été joueur de football et maire de Sault-Sainte-Marie avant de devenir député, ne cessait de mousser ma candidature. Je lui avais dit un jour que je devais pouvoir compter sur l'appui de vingt-cinq députés. Quand on a les députés, on a les délégués. Je disais souvent: «Avant de plonger dans la piscine,

j'aimerais bien savoir s'il y a assez d'eau!» Un peu d'eau francophone, un peu d'eau anglophone... et un peu d'argent liquide! De
sa propre initiative — mais je ne faisais rien pour l'en empêcher!
— Irwin se mit donc à recruter des partisans au sein du caucus.
Bientôt, sa liste comptait les noms de vingt-huit députés. «Mais
Trudeau en avait trente-cinq quand il se présenta à la direction du
Parti en 1968», lui dis-je. Aidé de quelques amis, Irwin se remit en
campagne. Emporté par son enthousiasme, il lui est parfois arrivé
de dépasser les bornes en présence de la presse, m'obligeant à
l'exhorter à plus de prudence et de discrétion. Même Pierre Trudeau s'en aperçut.

«Qu'est-ce qui se passe? me demanda-t-il un jour.
— Oh, vous savez, les gars s'excitent un peu...
— Sois prudent!» me répliqua-t-il simplement.

Bref, Ron Irwin, Robert Gourd, coprésident du caucus, et
David Dingwall, mon secrétaire parlementaire, rassemblaient un
bon groupe de députés parmi les plus progressistes. Je compris alors
que ma candidature était possible. J'avais beaucoup d'amis et peu
d'ennemis au sein du caucus, je ne refusais jamais les invitations
des députés à aller parler dans leur comté à l'occasion d'assemblées ou de dîners bénéfices, ma porte leur était toujours ouverte.
Pour rester en bons termes avec tout le monde, j'avais refusé
l'offre de Trudeau de devenir le leader du Québec après le départ
de Jean Marchand en 1975; je ne voulais pas être contraint de
prendre des décisions qui forcément déplaisent toujours à quelques-uns.

L'aspirant le plus sérieux à la succession de Pierre Trudeau
était John Turner qu'on estimait assez fort pour gagner une élection générale; aussi attirait-il tous ceux qui voulaient garder le
pouvoir à tout prix. Mais je me rendis compte que sa réputation
d'homme de droite inquiétait bien des députés libéraux et que,
par conséquent, il ne pouvait compter sur l'appui de la majorité
des membres du caucus. Un jour, alors que j'étais ministre des Finances, j'avais dîné avec Turner à Toronto: il me parut avoir perdu contact avec la réalité politique. J'en conclus que, s'il décidait
de se présenter, il ne serait pas un adversaire invincible.

À ce moment-là, je croyais encore que Donald Macdonald
serait candidat. Connaissant la rivalité qui l'opposait à Turner, je

prévoyais que leur lutte serait dure: en cas d'impasse, le seul compromis acceptable pour les deux camps serait le bon vieux Chrétien. À condition qu'il fasse bonne figure! Avant que Pierre Trudeau ne démissionne, je rendis visite à Macdonald: il me déclara n'avoir pas l'intention de se présenter et m'assura de son concours. Évidemment, l'appui officiel de Macdonald au milieu de la campagne aurait eu le plus heureux effet sur les délégués. Malheureusement pour moi, cela lui fut interdit à partir du moment où il devenait président de la Commission royale sur l'union économique.

Le 29 février 1984, Pierre Trudeau présenta sa démission et un congrès fut convoqué pour le mois de juin. Je ne fus pas étonné car je n'avais jamais cru les rumeurs laissant entendre qu'il pourrait s'accrocher au pouvoir. Par exemple, au cours de l'été 1981, alors que la Cour suprême tardait à rendre son jugement sur la constitutionnalité de notre proposition de rapatriement unilatéral, je sentais son impatience augmenter de jour en jour, comme s'il y avait eu une limite au temps dont il disposait. Je lui disais: «Tant pis! Si le jugement de la Cour n'arrive pas en juin, il arrivera en septembre!» Mais son agacement me poussait à croire qu'il avait déjà plus ou moins fixé la date de son départ. Le 29 février 1984, en route vers Montréal, j'entendis la nouvelle de sa démission à la radio. Le soir même, je participais à une émission télévisée de Radio-Canada sur la carrière de Pierre Trudeau. À mon très grand étonnement, on présenta au cours de l'émission un reportage sur la carrière de John Turner! J'en pus constater les effets illico. Après avoir vu le reportage, un député du Québec qui participait comme moi à l'émission se déclara immédiatement en faveur de Turner. Sans doute voulait-il ainsi s'assurer une place au Cabinet mais, hélas! la défaite l'attendait à l'élection générale. Je persiste à croire que l'incroyable engouement manifesté dès le premier jour par la presse à l'endroit de Turner a, en fin de compte, largement contribué à ma défaite. Certains députés qui m'avaient incité à me présenter et m'avaient promis leur appui, ceux-là mêmes qui criaient: «Turner, jamais!» ou «N'importe qui sauf Turner!», sautèrent dans le train Turner avant même qu'il n'annonçât sa candidature, tout simplement parce que la presse proclamait d'avance sa victoire.

C'est alors que Marc Lalonde déclara, péremptoire, que «ce n'était pas le tour d'un chef francophone». Sans espérer un appui enthousiaste de sa part, je ne m'attendais pas non plus à ce qu'il me tire le tapis sous les pieds dès le premier jour. Lalonde était intelligent, brillant, très efficace dans les débats et les discussions, mais souvent maladroit sur le plan des relations humaines... même s'il arborait toujours un large sourire dans les cocktails! Comme franc-tireur de Trudeau, sa tâche était certes difficile, mais il ne faisait aucun effort pour être sympathique ou pour dire les vérités désagréables avec une certaine délicatesse... ou un brin d'humour! Il m'avait promis de rester neutre, mais je sais qu'il a influencé plusieurs délégués au cours de la campagne. Je n'étais pas sûr que sa remarque au sujet de l'alternance avait été ou non préméditée mais, lorsque j'entendis Jacques Olivier, son homme à tout faire au caucus, déclarer le même jour: «Cette fois, je suis pour un anglophone», je tirai mes conclusions.

«Alors, tu es pour Turner? demanda-t-on à Olivier.

— Non, il se peut qu'une femme se présente...» répondit-il.

Bien sûr, il pensait à Iona Compagnolo, la présidente du Parti libéral, que j'avais d'ailleurs aidée à faire élire. Elle m'avait elle-même affirmé qu'elle ne poserait pas sa candidature à la direction du Parti. En fait, sa fille Jennifer m'incita à me présenter et s'était jointe à mon équipe. De toute manière, je n'étais pas trop préoccupé de la réaction de Lalonde; le moment venu, il devrait bien se rallier à moi puisqu'il avait maintes fois déclaré qu'il ne pourrait jamais appuyer Turner. L'avenir me démontra la naïveté de cette hypothèse...

Ce jour-là, cependant, j'étais tellement furieux de la déclaration de Lalonde que je songeai sérieusement à ne pas me présenter. J'allai jusqu'à dicter une lettre très amère dans laquelle je disais: «Il est à la fois étonnant et triste de constater que celui qui a contribué à donner au Canada une Charte des droits, ne puisse entrer dans la course au leadership du Parti libéral parce qu'il est francophone.» Je présume que ma secrétaire informa quelqu'un parce que je reçus bientôt un appel de l'ancien secrétaire principal de Pierre Trudeau, Jim Coutts, me pressant de persister dans mes projets. Plus tard, je rencontrai Pierre Trudeau et je lui dis: «Ça y est! J'ai été décapité le premier jour, alors j'abandonne!» Il me recommanda de ne faire, pour l'instant, aucune déclaration. Peu après, devant l'ensemble des députés et des sénateurs libéraux, il prononça un excellent discours qui m'incita à persévérer. Entre autres, il avait déclaré ceci: «Si tout repose sur l'alternance, je ne devrais pas être premier ministre. Je croyais avoir été choisi parce que j'étais le meilleur et non pas parce que j'étais francophone.»

À ce moment-là, j'avais l'appui de plus de quarante députés mais d'un seul ministre, le sénateur Bud Olson, ancien député de l'Alberta. Il s'était rallié à ma cause dès 1979 parce qu'il croyait que j'étais «le meilleur politicien sur la Colline du Parlement»! Mitchell Sharp me donna alors le conseil suivant: «Tu es arrivé à l'heure de vérité: si tu n'as encore aucun ministre du Québec, ne te présente pas.»

De l'extérieur, une campagne à la direction ressemble à une sorte de compétition sportive, un exercice passionnant au cours duquel différents candidats qui partagent plus ou moins les mêmes idées se disputent l'appui des délégués. La réalité est bien différente. Certes, une campagne est passionnante, les bons moments ne manquent pas mais, pour la plupart des députés, c'est leur avenir qui se joue. Leur carrière pourra monter en flèche ou être bloquée pour longtemps selon qu'ils auront appuyé tel ou tel candidat. Choix extrêmement difficile: tel candidat pourra être élu à la direction du Parti mais pourra-t-il aussi gagner l'élection? Et ceux qui décident d'appuyer le présumé gagnant se rendent bientôt compte qu'ils seront nombreux à se partager éventuellement les faveurs du nouveau chef. Quoi qu'il arrive, le choix de chaque député est connu de tous et il doit en répondre devant l'opinion publique et, bien sûr, devant ses électeurs.

Comme toute confrontation, un congrès à la direction d'un Parti révèle le meilleur et le pire de la personnalité de chacun. Parce que l'enjeu est important, chaque camp lutte avec la dernière énergie et, hélas! la passion l'emporte souvent sur la raison. Bientôt, l'épuisement physique vient exacerber la sensibilité des participants et provoquer des déclarations intempestives, voire des coups bas.

Comme dans les parties de hockey de vétérans, les *six-pouces* et les coups d'épaule changent vite une rencontre amicale en une âpre lutte dont les excès ne cesseront qu'à l'issue de la partie. Comme à tout le monde, il m'est arrivé de faire des remarques particulièrement cinglantes. Un jour, un collègue m'annonça qu'il ne pouvait m'appuyer mais que je n'avais pas à m'en faire parce qu'il ne travaillerait pas très fort pour Turner. Je lui avais répondu sèchement: «Au contraire, tu devrais travailler très fort pour mon adversaire. Au moins, plus tard, tu pourras te dire que tu as trahi un homme et non pas deux!»

Depuis toujours, je prenais pour acquis que j'avais l'appui d'André Ouellet. Nous étions de bons copains, et plusieurs amis communs m'avaient rapporté l'avoir entendu déclarer: «Jean n'a pas beaucoup de chances de gagner mais c'est mon ami et je vais l'appuyer.» Un mois avant la démission de Pierre Trudeau, à l'occasion d'une randonnée de ski, il m'avait répété la même chose. J'étais tellement assuré de son appui que je lui montrai la liste des partisans du caucus: ensemble, nous l'avions discutée en détail. Je savais que Ouellet n'était pas convaincu de ma victoire mais j'étais sûr que je pouvais compter sur lui au moment de commencer ma tournée auprès des autres ministres du Québec.

Un jour, à l'occasion d'une réunion des ministres, je m'adressai à mes collègues en ces termes: «Je ne comprends pas que vous vouliez tous appuyer un candidat qui, depuis huit ans, n'a rien fait pour notre Parti ni pour notre chef, Pierre Trudeau. Vous avez tous été nommés ministres par Trudeau, vous lui devez tout. Mais moi, je vais défendre Trudeau, moi le seul ministre à avoir été nommé par Pearson. Je ne suis pas sûr que vous puissiez en dire autant.» Quelques visages étaient aussi blancs que le mur.

De mes collègues québécois au Cabinet, Pierre De Bané fut le premier, suivi par Charles Lapointe et Pierre Bussières à m'appuyer, ce qui me donnait, au Québec, un ministre de plus que Pierre Trudeau n'en avait eu en 1968 au début de sa campagne, alors que seuls Jean Marchand et Bryce Mackasey l'appuyaient. Mais j'attendais toujours l'engagement public et officiel de Ouellet, en espérant aussi celui de Francis Fox. Appuyé par cinq ministres, je croyais pouvoir facilement faire échec aux manigances de l'*establishment* au Québec. Peu après, j'appris que Fox penchait du côté de Turner parce qu'il était persuadé que Ouellet se-

206

rait mon premier lieutenant au Québec et que, par conséquent, il pourrait jouer un rôle plus important dans le camp Turner.

Ouellet continuait de tergiverser. Deux semaines avant la démission de Pierre Trudeau, je devais dîner avec Fox et lui; pour différentes raisons, ils avaient remis ce dîner avant de finalement l'annuler. Disons que cela m'avait mis la puce à l'oreille... J'en arrivai à la conclusion que Fox avait informé Ouellet qu'il avait choisi Turner et que Ouellet lui-même commençait à branler dans le manche. Plus tard, on m'a appris qu'il était lui-même allé voir Turner et lui avait dit: «Si Fox devient ton premier lieutenant au Québec, je me rallie à Chrétien; pour t'appuyer, je dois être le numéro un.» Turner avait alors remplacé Fox par Ouellet. Plus tard, on me dit que Fox fut près d'abandonner Turner mais décida finalement de rester avec le présumé gagnant.

Quant à Ouellet, il vint me voir la veille de l'annonce de la candidature de Turner et me confirma qu'il ne m'appuierait pas. Ouellet et Fox furent suivis par Ed Lumley, le ministre du Développement industriel et régional, et Judd Buchanan, ancien ministre et ami de longue date. Tous me disaient la même chose: «Jean, ne te présente pas. Tu sortiras de la campagne humilié et blessé.

— Il est trop tard. Je me présente quand même, leur avais-je répondu, et je vais vous prouver que vous n'avez pas raison.»

Je crânais, mais j'étais profondément déçu de me voir abandonné en même temps par quatre de mes amis.

John Turner posa officiellement sa candidature à la mi-mars. Sans être un néophyte en politique, il était une figure nouvelle, il avait l'expérience du gouvernement, il partait gagnant et il profitait de l'appui de toute la presse. Pour certains libéraux, il représentait aussi le lien avec la communauté des hommes d'affaires, lien qui avait été fort sous Louis Saint-Laurent et C.D. Howe et qui semblait avoir été coupé sous Pierre Trudeau. En lisant sa déclaration officielle, je me rendis compte qu'il était vulnérable sur trois points: il voulait se démarquer de Pierre Trudeau, il amorçait un virage à droite, assez peu dans la tradition du Parti libéral et il faisait la cour à l'Ouest canadien en reléguant aux oubliettes notre politique sur le bilinguisme. Ce dernier point était pour moi de la plus haute importance parce que j'avais déjà pris connaissance d'une enquête d'opinion publique indiquant que, tout en étant bien accueilli un peu partout au Canada, je traînais derrière Turner au Québec par une marge de deux à un; je me réjouissais donc de pouvoir ajouter cette flèche à mon arc.

De plus, je me disais qu'au cours d'une campagne de trois mois, la presse qui avait porté Turner aux nues pourrait le laisser tomber tout aussi rapidement; les journalistes s'étaient emballés un peu vite et pourraient faire volte-face de la même manière. Aussitôt que cela se produirait, l'impression d'invincibilité de Turner s'évanouirait et je pourrais alors récupérer d'autres ministres tels Allan MacEachen, Roméo LeBlanc, Monique Bégin et quelques autres. Enfin, au cours d'une campagne, il survient toujours des événements inattendus qui donnent un nouvel élan. Par exemple, Turner se vit dans l'obligation de clarifier ses déclarations sur le bilinguisme au Manitoba et au Québec; bien sûr, cela servait ma cause et donnait confiance à mes partisans.

Peu après, à la Chambre des communes, un député me posa une question au sujet d'une déclaration faite par Turner à Terre-Neuve: «Avant de vous répondre, je vais attendre la clarification», avais-je répondu. Il y eut un grand éclat de rire suivi d'un tonnerre d'applaudissements venus des deux côtés de la Chambre. Je n'avais jamais vu Pierre Trudeau rire aussi fort!

Finalement, j'offrais un choix réel aux délégués et un congrès palpitant au Parti libéral du Canada. Les libéraux n'avaient pas eu de chef populiste depuis Wilfrid Laurier. King était un bureaucrate distingué, Saint-Laurent un respectable avocat de la classe privilégiée, Pearson un éminent diplomate et Trudeau un brillant intellectuel. Tout à coup, un populiste viendrait défendre l'héritage libéral et faire appel aux gens ordinaires. En politique depuis vingt ans, je me tenais en contact avec les libéraux de tout le pays, je connaissais leurs préoccupations et leurs espoirs dont je pouvais témoigner au cours de la campagne.

Je savais que le Parti libéral est essentiellement une alliance de trois groupes: les Canadiens français moyens, les Canadiens anglais moyens et les nouveaux Canadiens qui se sentent à l'aise dans un parti du centre. Les racines du Parti plongent dans la philosophie du libéralisme économique du XIXe siècle; au cours des années, il était peu à peu devenu le gardien et le défenseur des petites gens tout en demeurant pragmatique sur le plan des affaires publiques. Être libéral, essentiellement, c'est être au centre. Par exemple, sur des questions comme la distribution des bénéfices sociaux parmi les Canadiens, les libéraux tenaient à assurer le principe de l'universalité; j'étais d'accord avec cette politique.

Chaque Canadien est admissible aux bénéfices sociaux comme s'il s'agissait d'un droit; on peut ensuite rétablir l'équilibre par le truchement de la taxation et des impôts: les riches payent évidemment plus d'impôts que les pauvres et peuvent être appelés à rembourser tous les bénéfices reçus et même davantage.

En voyant l'ambition et l'opportunisme balayer de vieilles amitiés, j'avais éprouvé une profonde déception. Mais cela fut largement compensé par la joie d'accueillir des centaines de partisans qui m'apportaient leur appui sans condition et sans calcul, tout simplement parce que nous avions la même vision du Canada. Des personnalités de la stature intellectuelle de Jean Marchand, Gérard Pelletier, Donald Macdonald, Tommy Shoyama et David Croll me pressaient de me présenter; la très grande majorité des députés qui m'avaient donné leur parole demeuraient fidèles en dépit des énormes pressions exercées sur eux pour qu'ils changent de camp. De parfaits étrangers surgirent de partout et se joignirent à mon équipe. Un des mes plus importants partisans sur le plan financier, un homme que je n'avais rencontré qu'une seule fois auparavant, me dit: «Monsieur Chrétien, j'ai contribué à votre campagne parce que c'était une façon de vous remercier de ce que vous avez fait pour le pays.»

Les autres candidats, Donald Johnston, Mark MacGuigan, John Roberts, John Munro et Eugene Whelan me pressaient aussi de me présenter; ils se rendaient compte que j'étais le seul à pouvoir empêcher la victoire de Turner au premier tour de scrutin. Je leur dis donc, à chacun en particulier: «D'accord, mais si je me présente vous devrez vous rappeler que vous m'avez poussé à le faire et ne pas me laisser tomber après le premier vote.» Whelan et Munro me répondirent: «Pas de problème!» C'était de vieux amis, aux vues progressistes. En fait, avant qu'il ne devienne lui-même candidat, je songeais à offrir la présidence de ma campagne à Whelan.

John Roberts promit de se joindre à moi, ce que d'ailleurs il fit, le moment venu. Il se présentait parce qu'il croyait, lui aussi, qu'il ferait un bon premier ministre; il en avait sûrement les qualités intellectuelles mais peut-être pas tout le dynamisme politique nécessaire; même si je ne le considérais pas comme un adversaire très dangereux, je m'attendais à ce qu'il obtienne une meilleure place le soir du congrès.

Quant à Mark MacGuigan, je croyais franchement qu'il se joindrait à moi mais je me trompais. Il travaillait fort et fit preuve d'un certain courage dans ses prises de positions politiques mais il n'était pas très constant dans sa performance. J'ai toujours trouvé que MacGuigan avait eu trop d'instruction pour ses capacités; bref, il ne possédait aucun sens politique et il trébuchait sur ses diplômes.

De son côté, Don Johnston fit une bonne campagne et, comme il arriva troisième, il décida de rester sur les rangs. Je garde quand même l'impression que s'il s'était retrouvé en quatrième place il aurait rallié mon camp. Après tout, nous luttions tous les deux contre Turner, et j'étais l'adversaire le plus sérieux; les autres pouvaient seulement espérer que les délégués rejetteraient en même temps et le favori et le francophone.

«Attachez vos ceintures!» avais-je lancé en mars, au moment où j'annonçais ma candidature devant une foule enthousiaste de députés, de sénateurs, de délégués et de partisans réunis dans la magnifique salle de comité de l'Édifice de l'ouest où avaient eu lieu les audiences sur la Constitution. «Ce sera tout un voyage!»

J'avais déjà commencé à demander à de vieux amis et à d'anciens associés de collaborer à ma campagne et, bien que quelques-uns n'aient pu le faire à cause de leurs occupations, un grand nombre m'offrirent spontanément leurs services et acceptèrent diverses responsabilités dans mon organisation. L'organisateur en chef était mon ancien chef de cabinet, John Rae, dont la première tâche consista à mettre sur pied des équipes de partisans à travers le pays et à évaluer l'appui sur lequel nous pouvions compter dans chacun des comtés du Canada. Le travail alla assez rondement au Canada anglais. Dès le début, je compris que j'aurais des difficultés au Québec, surtout après avoir pris contact avec mes vieux compagnons de la campagne référendaire, tels que Jean-Claude Dansereau et Léonce Mercier. Après avoir promis leur appui, ils devinrent tout à coup hésitants. Dansereau me donna de vagues excuses et Mercier m'assura qu'il ne pouvait pas être mon organisateur au Québec parce que, étant directeur général du Parti libéral fédéral au Québec, il serait un des organisateurs du congrès. C'était dramatique! Pendant un certain temps, je ne pouvais compter sur personne, tous ceux qui connaissaient un peu le Parti et possédaient de l'expérience avaient reçu des consignes d'*en haut*. L'organisation libérale était donc contre moi: par exemple, on avait prévenu Mercier que, s'il m'aidait, il devrait démissionner de son poste. Or, il avait déjà vécu une expérience semblable avec l'organisation libérale provinciale après avoir appuyé Raymond Garneau contre Claude Ryan.

Homme passionné, Mercier était révolté de voir que les dirigeants du Parti au Québec me coupaient l'herbe sous les pieds et avaient décidé de me nuire par tous les moyens et de favoriser Turner. Après plusieurs semaines de solitude intolérable, je réussis à convaincre Mercier: il finit donc par se joindre à mon équipe. Par loyauté à l'égard de ce que j'avais fait pour le Parti et pour le pays. Cela changea complètement la tournure des événements et créa un courant en ma faveur. De plus, les opinions de Turner sur le bilinguisme mettaient bien des libéraux mal à l'aise; pour ma part, je me déclarai solidaire de Pierre Trudeau et de notre politique de bilinguisme enchâssée dans la Constitution. Les partisans de Turner se retrouvèrent sur la défensive et quelques-uns d'entre eux basculèrent de mon côté.

Entre-temps, je recevais des nouvelles encourageantes du Canada anglais. Au cours de la première fin de semaine de la campagne, je me rendis à un congrès provincial à Toronto où je fus accueilli par une foule enthousiaste et une équipe Chrétien absolument déchaînée. On me faisait l'honneur de m'appeler un *clear Grit*, l'équivalent ontarien de *vrai Rouge*, nom donné à ceux qui s'étaient battus contre le *Family Compact* au début du XIXe siècle. La réaction des libéraux le soir même et celle de la presse du lendemain avaient été extraordinaires.

Au cours de la fin de semaine suivante, je me rendis à Québec et, comme je disposais de quelques heures libres, je téléphonai à plusieurs présidents d'associations de comtés du Canada. À mon grand étonnement, ils se montrèrent dans l'ensemble sympathiques et chaleureux. Par contre, l'accueil des libéraux québécois rencontrés ce jour-là fut plus mitigé. Je les connaissais presque tous et je comprenais leur dilemme: d'un côté, ils voulaient m'appuyer; de l'autre, ils se croyaient liés par la tradition de l'alternance et ils subissaient l'attrait de Turner, le présumé gagnant.

En quittant Québec, je me rendis directement à Vancouver où j'arrivai avec quelque retard à l'assemblée contradictoire réunissant tous les candidats: sans l'avoir voulu, j'entrai dans la salle au milieu d'un discours. Les caméras de télévision se braquèrent sur moi, les gens se bousculaient, certains montaient même sur les chaises pour m'applaudir.

La course aux associations libérales et aux délégués des différents comtés était donc lancée. À Fredericton, sur la place du Marché, une foule considérable m'entoura tandis que, à Halifax, une réception organisée à la dernière minute attira plus de cinq cents personnes. À Terre-Neuve, le nombre de mes partisans augmentait si rapidement que mes organisateurs ne pouvaient en croire leurs yeux. Dans bien des comtés de l'Ouest, notre organisation recevait plus d'appui que celle de Turner. Même si certains délégués s'étaient déjà prononcés en sa faveur, je sentis se dessiner un revirement; quant à mes vieux partisans, ils tenaient bon malgré les pressions exercées sur eux par des ministres tels que Lloyd Axworthy, Gerry Regan, Herb Gray et Judy Erola.

Partout où j'allais, je m'attaquais au mythe selon lequel seul Turner pouvait gagner. Les libéraux se sentaient beaucoup plus à l'aise avec moi mais certains craignaient de perdre l'élection générale qui suivrait, trompés par le slogan de mes adversaires: «Si vous voulez perdre l'élection, vous n'avez qu'à voter pour Chrétien.» Je n'avais pas honte du bilan de l'administration du Parti libéral et je ne craignais pas Brian Mulroney. Aux délégués libéraux, je disais: «Aidez-moi à gagner au congrès; Mulroney, je m'en charge! Si je bats Turner, que l'on croit un meilleur homme que Mulroney, je deviendrai un champion aux yeux de la population. Après, je ferai son affaire à Mulroney et nous gagnerons l'élection!»

Turner est certes un homme valable, mais je n'aurais évidemment pas posé ma candidature si je n'avais pas cru pouvoir être un meilleur premier ministre que lui! Quand on me demandait pourquoi je me présentais, ma réponse était toujours la même: «Parce que je connais Turner!» Un argument simple, de nature à ébranler les gens qui ne l'avaient jamais rencontré. Je ne disais pas cela par simple malice mais parce qu'il fallait bien détruire le mythe selon lequel Turner aurait été une sorte de surhomme.

Les campagnes pour choisir un chef n'ont rien à voir avec les campagnes électorales. Par surcroît, au Parti libéral, nous n'avions guère d'expérience en ce domaine... Par exemple, ces campagnes ne peuvent s'organiser longtemps à l'avance et, d'autre part, l'État n'apporte aucune aide financière aux candidats comme c'est le cas pour les élections générales. Pour des raisons obscures, plusieurs gros bailleurs de fonds des partis politiques refusent d'aider les candidats à la direction de leur parti. À cause de la grande étendue du Canada, du peu de temps dont disposent les candidats et du désir des délégués d'être courtisés individuellement, il se pose d'énormes problèmes d'organisation. Sachant que j'étais en deuxième place, il me fallait donc travailler jusqu'à la limite de mes forces physiques de manière à rencontrer autant de délégués que possible. Habitué à l'énorme effort exigé par une campagne électorale, j'ai pourtant atteint les limites de l'épuisement au cours de cette campagne à la direction du Parti. Chaque matin, au moment de reprendre le collier, j'étais heureusement stimulé par la chaleur des partisans et la satisfaction de constater que mon message passait de mieux en mieux. D'ailleurs, à la fin de la campagne, les sondages d'opinion me plaçaient devant l'éventuel gagnant.

Sur le plan de l'organisation, nous avions certes enfoncé nos adversaires. Quand ils tenaient deux ou trois assemblées par jour, nous en tenions cinq ou six. Dans un premier temps, nous avions perdu plusieurs congrès d'investiture des délégués mais, par la suite, nous nous sommes rattrapés dans des comtés plus importants et plus chaudement contestés. De même, nous nous étions assurés de la majorité des délégués de la Jeunesse libérale du Québec de même que la majorité de ceux de Vancouver-Quadra, dont le président de l'association locale était l'organisateur de la campagne de Turner! On m'assura que j'avais gagné plus de délégués *élus* que Turner; par contre, sur environ trois mille cinq cents délégués, il y avait près de mille délégués d'*office* et Turner avait l'appui de près de 80 p. 100 de ceux-ci. Malgré tout, quand je revins à Ottawa participer au congrès, j'étais passablement optimiste. Je déclarai à la presse que j'aurais mille votes au premier tour de scrutin mais, dans mon for intérieur, je croyais pouvoir en obtenir environ mille deux cents. Selon mes prévisions, Turner pouvait peut-être compter sur mille cinq cents votes au premier tour, les autres candidats sur à peu près cinq cents. Il suffisait que la plupart des partisans de ces candidats passent de mon côté au deuxième tour de scrutin et ma victoire était assurée.

J'avais le vent dans les voiles, particulièrement au cours de la semaine précédant le congrès; la couverture de presse était devenue excellente, la grande tente de la rue Albert, au centre-ville d'Ottawa, débordait de délégués et le *party* organisé pour les chauffeurs de taxi eut un succès énorme. Tout le monde m'assurait alors que j'allais gagner mais je restais préoccupé: il me restait à préparer mon discours du vendredi soir, veille du vote. Je me demandais s'il valait mieux pour moi de le lire ou d'improviser. Cette question me tortura toute la semaine; longtemps après le congrès, j'en parlais encore avec des amis, plusieurs demeurant convaincus que j'aurais dû parler sans texte; en réalité, je ne crois pas que cela ait été un facteur déterminant du résultat final.

Encore plus important pour moi était l'espoir de recevoir l'appui de quelques poids lourds du Parti au cours de cette semaine. Je n'abandonnai jamais l'idée de convaincre Lalonde, LeBlanc ou MacEachen de se rallier à moi; l'appui officiel d'un ou deux d'entre eux aurait sérieusement nui à Turner et m'aurait donné l'élan final, comme celui que Sharp et Drury avaient donné à la campagne de Pierre Trudeau en 1968. Roméo LeBlanc finit par se rallier mais il devint clair que la neutralité officielle de Lalonde tournait de plus en plus en appui actif pour Turner, et rien ne semblait pouvoir faire bouger MacEachen. Pire encore, la très grande majorité des cadres du Parti représentant un nombre considérable de délégués d'office, tels que les candidats officiels de chaque comté, les membres du conseil d'administration du Parti, les anciens ministres, s'étaient laissé impressionner par la sympathie de la presse à l'égard de Turner. D'ailleurs, plusieurs de ces délégués d'office s'étaient engagés envers Turner dès la première semaine; ils représentaient environ le tiers des votes et je ne réussis pas à me les rallier.

Un événement de taille passa à un cheveu de se produire au cours de la campagne, événement qui aurait pu changer le cours des choses. Doug Anguish, député NPD de North Battleford en Saskatchewan, avait réuni secrètement un petit groupe de quatre personnes composé d'un néo-démocrate, de deux libéraux et même d'un conservateur déçu; leur but était d'empêcher une victoire conservatrice dans leur comté. Le sondage qu'ils avaient commandé donnait les prévisions suivantes: 50 p. 100 des votes iraient aux conservateurs, 30 p. 100 au NPD et 15 p. 100 aux libéraux; mais les réponses données à une autre question de l'enquête révélaient que la position des libéraux et des néo-démocrates serait inversée si Jean Chrétien devenait le chef des libéraux. Le groupe de Doug Anguish en arriva donc à la conclusion que la meilleure façon de faire échec aux conservateurs était de constituer un tandem Chrétien-Anguish: ils incitaient Anguish à devenir libéral et à faire campagne avec moi. Après quelques conversations, j'eus l'impression d'être près d'un accord.

Sachant l'importance de l'affaire, j'étais plutôt nerveux lorsque nous nous sommes finalement rencontrés à Saskatoon. Si nous parvenions à un accord, je pourrais démontrer aux délégués que j'étais un candidat acceptable aux électeurs du NPD et aux électeurs de l'Ouest: un coup de maître qui aurait eu une influence majeure sur la campagne. Malheureusement, l'histoire fut dévoilée par la presse avant l'accord final, de nombreuses pressions furent exercées sur Anguish par ses collègues et, enfin, il eut peur de se retrouver dans un cul-de-sac si Turner gagnait malgré tout.

Le matin du vote, je me rendis à plusieurs petits déjeuners de groupe et, en arrivant au Centre civique, je fus frappé par la réclame d'un vendeur de hot-dogs: «Payez pour un et recevez l'autre gratuitement!» Cela rappelait le slogan des partisans de mon

215

principal adversaire: «Votez pour Turner et vous aurez Chrétien du même coup! Mais l'inverse n'est pas vrai.» Brusquement, je compris que j'avais perdu. Un vieux politicien sent cette sorte de chose. L'espoir qui régnait encore hier venait de s'évanouir. Je rentrai chez moi et je dis à ma femme: «Prépare-toi à te faire une raison: nous avons perdu!»

Au premier tour de scrutin, j'obtins 1067 votes, c'est-à-dire une centaine de moins que je n'en avais prévu. Même si la différence n'était pas allée à Turner, l'écart entre lui et moi était trop grand pour que je puisse le combler. Les autres candidats avaient réussi beaucoup mieux que je ne l'avais cru et plusieurs de leurs votes passeraient à Turner au deuxième tour parce qu'il avait déjà presque la majorité absolue. Comme promis, la plupart des autres candidats se joignirent à moi. Vu les circonstances, j'en fus profondément ému. Je rejoignis Whelan le premier au téléphone et je lui dis: «Gino, tu viens me retrouver?»

Il me répondit: «Jean, je me sens très humilié; je n'ai que quatre-vingt-cinq votes et je ne suis même pas sûr de pouvoir te les garantir.

— Ce ne sont pas tes votes que je veux, c'est toi, lui dis-je. Que les Canadiens sachent que Gino de la Rivière-aux-Canards est venu se joindre à son ami Jean Chrétien de Shawinigan!»

Il mit son grand chapeau vert, salua Turner au passage et traversa la salle jusqu'à mon secteur. Ensuite, sans hésiter, John Munro fit de même. John Roberts se trouvait dans une situation plus délicate. Certains de ses conseillers le pressaient de se joindre à Turner pour sauver sa carrière politique; il adorait la politique et ne pouvait envisager de commencer une autre carrière. De plus, il s'était convaincu qu'il obtiendrait au moins cinq cents votes et qu'il occuperait la troisième place au premier tour de scrutin. Se retrouver en quatrième place l'avait ébranlé. Je fus donc particulièrement touché lorsqu'il décida, au nom de notre amitié et de nos principes politiques, de venir me rejoindre. MacGuigan s'en fut avec Turner, mais son influence paraissait marginale pour ne pas dire inexistante. Le ralliement de Johnston aurait été beaucoup plus important. J'allai donc le rencontrer. Ses conseillers avaient des vues contradictoires mais Johnston décida de ne pas se désister; à tort, il croyait pouvoir arracher des votes à Turner.

«As-tu perdu la tête, Don? lui dis-je. Ne te raconte pas d'histoires: tu ne gagneras pas de votes, tu vas en perdre. Mais, si tu te joins à moi, j'ai encore 5 p. 100 de chances de gagner. Sinon, tout est fini.»

Il demeura sur ses positions et j'allai voter une dernière fois, sachant évidemment que tout était perdu. Après, je m'en fus à ma roulotte boire une bière avec quelques amis, prendre une douche et changer de chemise. Détendu, frais et dispos, je leur dis: «Nous avons perdu, mais retournons tout de même au milieu de mes partisans pour que tout finisse dans la dignité». Quand furent annoncés les derniers résultats, j'étais serein; je me félicitais même d'être encore, après vingt ans de vie politique, le candidat qui combattait l'oligarchie du parti, le gars venu d'une petite ville pour défendre les Canadiens ordinaires.

Je crois avoir contribué à rehausser le niveau des débats au cours de l'élection générale qui suivit le congrès de quelques mois. Il me plaît de penser que j'ai peut-être forcé Brian Mulroney à souligner qu'il était le fils d'un électricien de Baie-Comeau plutôt que l'ex-président de la Compagnie Iron Ore, et John Turner à rappeler à ses auditoires que son grand-père était mineur. À tout événement, j'ai obtenu au congrès un succès qui en a étonné plusieurs. Mais le Parti avait décidé que John Turner était l'homme capable de former le nouveau gouvernement libéral et de nous assurer la victoire à l'élection générale. Sitôt l'élection de Turner annoncée, je montai sur l'estrade et proposai que le choix que nous venions de faire soit déclaré unanime.

La politique est une jungle, pour ne pas dire une fosse aux lions... Dieu merci! nous vivons en démocratie et tous les politiciens doivent respecter le verdict de la majorité: ceux qui n'y parviennent pas ne devraient jamais faire de politique. Bien sûr, on reçoit parfois des coups durs, mais on doit aussitôt les oublier et aller de l'avant. Des gens me demandent encore: «Mais vous avez dû être terriblement déçu de constater que plusieurs de vos collègues, particulièrement les ministres du Québec, ne vous appuyaient pas?» Oui, j'ai été déçu. Après tout, j'avais fait la lutte du référendum, je n'hésitais jamais à aller leur prêter main-forte dans leurs comtés et plusieurs d'entre eux m'avaient dit qu'on avait besoin d'un candidat canadien-français fort dans la campagne à la direction du Parti. Mais chacun avait ses ambitions personnelles et son plan de carrière, ce qui est normal. En politique, on ne va pas très loin sans ambition. Après le congrès, je ne me mis donc pas à pleurer, pas plus d'ailleurs que ma femme: nous avions perdu quelques illusions, mais nous nous étions fait une multitude de nouveaux amis et nous avions vécu des moments inoubliables.

Je traversai quand même une période difficile. Au lendemain du congrès, je reçus un appel téléphonique de la secrétaire de Turner; on me fit attendre au bout du fil pendant plus de vingt minutes! Ce n'était sûrement pas la faute de Turner, mais ces minutes me parurent une éternité: cet incident, si anodin qu'il fût, ne contribua guère à améliorer mon humeur à l'occasion de notre première conversation après sa victoire. Quoi qu'il en soit, je le félicitai et il m'offrit gentiment de venir me rencontrer. «Non, non, il n'en est pas question! lui répondis-je. Maintenant, tu es le patron et c'est à moi d'aller te rendre visite.»

Au début, nous étions plutôt gênés tous les deux; il m'offrit une bière et nous avons fini par nous détendre un peu: «Jean, je veux que tu deviennes mon principal associé, me dit-il. Je vais te nommer vice-premier ministre et tu choisiras le ministère qui te convient le mieux.
— Qui sera leader du Québec?
— Ça, c'est un peu plus délicat», me répondit-il, sans me dire ce qu'il avait derrière la tête; nous nous sommes quittés en convenant de nous revoir bientôt.

Je reçus ensuite un appel de Brian Mulroney m'exprimant sa sympathie et m'annonçant qu'il avait en main un nouveau sondage: «Jean, tu as perdu et j'en suis désolé pour toi. Mais, grâce à cela, je sais que je serai le prochain premier ministre. Selon nos sondages, si tu avais été élu, je n'aurais gagné que six sièges au Québec mais, avec Turner comme adversaire, je sais que j'en gagnerai au moins vingt-six!
— Tu veux rire, Brian!» lui dis-je. Je me rends compte maintenant qu'il ne badinait pas...

Peu après, Eugene Whelan se présenta à mon bureau, en proie à un accès de colère: il venait d'apprendre de Turner qu'il ne ferait pas partie du prochain Cabinet. «Je m'en f..., me dit-il, Turner va perdre l'élection générale et je me retrouverai avec toi sur les banquettes de l'opposition.

— Qu'est-ce qui te fait croire cela?

— Turner est la copie conforme de Mulroney et, devant pareil choix, les Canadiens voteront pour le vrai conservateur.»

Ces conversations avec Mulroney et Whelan renforcèrent mon désir de quitter la politique, mais le plus dur coup me fut asséné par Turner lui-même lorsqu'il m'annonça que je ne serais pas le leader du Québec. «Écoute, John, lui dis-je, tu dois comprendre une chose: je ne t'en veux pas, tu avais parfaitement le droit de te présenter et tu as gagné. Tu restes mon ami et je pense que tu feras un meilleur premier ministre que Mulroney. Mais je refuse d'être le numéro deux au Canada et seulement le numéro trois au Québec!» Je lui fis comprendre que, dans les circonstances, il n'avait pas le choix: c'était à prendre ou à laisser. J'ajoutai encore: «Je peux te promettre au moins que je ne te trahirai jamais. Tu peux te fier à moi. J'ai été loyal envers Sharp, loyal envers Trudeau et je serai loyal envers Turner, mais tu dois me nommer leader du Québec.

— C'est impossible», me répondit-il.

Je me levai: «Alors, John, il ne me reste plus qu'à te dire adieu.»

Il devint subitement nerveux et agité: «Attends encore un peu, donne-moi le temps d'essayer d'arranger les choses.

— Oui, je sais que je te crée un problème mais je peux t'aider à le résoudre. Jamais dans le passé je n'ai voulu être le leader du Québec parce que je n'aime pas m'occuper de la distribution des faveurs politiques aux avocats, aux ingénieurs et aux architectes qui réclament des contrats du gouvernement. Je serais donc enchanté de déléguer ces responsabilités à d'autres. Alors, pourquoi ne confierais-tu pas le Québec à un comité, composé d'André Ouellet, de Charles Lapointe et présidé par moi-même?» C'est finalement ce que Turner décida.

Entre-temps, ma femme et plusieurs amis m'incitaient à ne pas me représenter aux élections générales. Aline me montra un éditorial de la *Presse* qui disait: «On ne voit rien en politique qui ne soit maintenant frustrant pour Jean Chrétien». Ma femme renchérit: «C'est vrai. Tu n'as à écouter personne et tu ne dois rien à personne.»

D'un autre côté, je ne devais tout de même pas abandonner tous ceux qui m'étaient restés fidèles jusqu'au bout. C'était d'ailleurs ma préoccupation constante dans mes négociations avec Turner. En dépit de mes efforts, je fus incapable de sauver le siège de Whelan au Cabinet, Turner m'assurant qu'il ne reprendrait pas davantage MacGuigan, tous deux étant de Windsor, mais je me battis de toutes mes forces pour Munro, Roberts, Olson, LeBlanc, De Bané, Lapointe, Bussières, Caccia et Collenette. Mais Munro et LeBlanc se retirèrent d'eux-mêmes, ne voulant pas faire partie du Cabinet de Turner. Quant à Olson, il fut remplacé à la dernière minute par Allan MacEachen. Roberts, Caccia et Collenette furent nommés au Cabinet. Restaient les trois ministres du Québec. Turner ne voulait en reprendre aucun et il avait quelques bons arguments: il voulait réduire le nombre de ministres, abandonnant même deux ministres qui l'avaient appuyé. D'autre part, il devait garder libres quelques fauteuils afin d'attirer des recrues. Je fis part de ces résultats peu encourageants à mes trois amis qui me rassurèrent: «Ne t'en fais pas. L'important, c'est que tu restes.» Finalement, Turner garda Lapointe. Hélas! cet arrangement me fut ensuite reproché par un certain groupe qui paraissait plus amer d'avoir gagné au congrès que je ne l'étais d'avoir perdu. Je connais au moins six anciens collègues qui pensent encore ne pas avoir été nommés à nouveau au Cabinet parce que j'avais insisté pour que Lapointe fût gardé. Et le plus drôle, c'est qu'ils l'ont tous cru.

Au cours du mois de juin 1984, contrairement à mes habitudes, je refusai systématiquement de rencontrer la presse et de faire quelque déclaration publique que ce soit: je me rendis compte tout à coup que mon silence provoquait nombre de spéculations. Certains prétendaient que je resterais, d'autres insinuaient que j'étais trop gourmand et que, de toute façon, je ne méritais rien, mais tout le monde ignorait mes intentions véritables. J'eus quelques autres rencontres avec Turner: il me demandait mon avis sur certaines questions et je lui donnais mon point de vue en toute franchise. Bref, nous nous sentions de plus en plus proches l'un de l'autre. À la suite d'une de ces rencontres, je pris la décision de rester en politique. Une poignée de main et je m'en fus informer le caucus. L'atmosphère était tendue à l'extrême car personne ne savait ce que j'allais dire. C'était l'ultime caucus présidé par Pierre Trudeau et, malheureusement, je gâchai ses derniers moments parmi nous en arrivant quelques minutes avant l'ajournement. Tous les yeux étaient tournés vers moi lorsque je pris mon siège et me mis à jouer avec une feuille de papier, comme si j'étais de mauvaise humeur. Finalement, le président du caucus annonça que j'avais une déclaration à faire et je me levai: «Je ne... hum... je ne... je ne...» L'atmosphère était vraiment tendue. «Je ne partirai pas: je reste!» Il y eut un tonnerre d'applaudissements et mes collègues se pressèrent autour de moi pour me serrer la main. C'était la grande réconciliation: même Monique Bégin me fit la bise!

*   *   *

Très tôt après l'assermentation du gouvernement Turner, le bruit courut qu'il y aurait une élection précipitée. Les sondages paraissaient favorables, et presque tout le monde conseillait à Turner de se lancer en campagne électorale sans plus tarder. Il me demanda mon avis et je lui fis part du scénario que je suivrais si j'avais été le premier ministre: «Ne déclenche surtout pas une élection maintenant. Tu dois prendre le temps de montrer à la population que tu es le nouveau premier ministre. Tu as tout l'été devant toi pour le faire. L'attention de la presse sera tournée vers toi comme elle l'avait été vers Mulroney au lendemain du congrès conservateur. Va à Washington, à Londres, à Paris ou même à Bonn; rends-toi dans un pays du bloc communiste pour y reprendre l'initiative de paix de Trudeau et termine la tournée au Japon pour y discuter d'échanges commerciaux. Tu reviendras ensuite au Canada pour accueillir la reine et le pape. Après, tu pourras déclencher une élection coïncidant avec l'élection américaine de novembre et, comme il n'y a pas tellement de désir de changement au sud, il y aura moins de désir de changement ici.»

Turner paraissait favorable à cette idée mais mon opinion n'en était qu'une parmi plusieurs autres carrément favorables au déclenchement rapide d'une élection. Hélas! nous étions peu nombreux à lui recommander d'attendre jusqu'en novembre. L'élection fut donc annoncée en juillet pour septembre. Malgré l'optimisme du début, il ne fallut pas beaucoup de temps pour constater que nous allions droit vers la défaite. Je fis campagne en faveur de plusieurs de mes collègues, exactement dans quatre-vingt-quinze comtés. Mais, dans l'ensemble, la campagne piétinait. Les Canadiens voulaient oublier les luttes fédérales-provinciales des dernières années et prendre un nouveau virage. Quand ce genre de sentiment se met à se répandre à travers le pays, il ne sert à rien de citer les faits, les chiffres ou les bonnes raisons pour lesquelles le Parti libéral, qui a tant fait pour préparer l'avenir, mériterait un peu plus d'attention. En pareille circonstance, même la meilleure organisation au monde ne peut empêcher un balayage. Malgré tous les mythes qui circulaient au sujet de la «machine rouge» des libéraux au Québec, les votes basculèrent massivement du côté conservateur; les jours où une petite clique d'organisateurs et de grands financiers pouvaient disposer des votes étaient révolus. Chaque parti peut compter sur une base traditionnelle dans certaines couches de la population et dans certains secteurs, mais la plupart des électeurs sont devenus plus indépendants et changent plus facilement d'allégeance. Si un parti a le vent dans les voiles, il se retrouve avec une grosse machine électorale; s'il patauge dans l'incertitude, la machine s'amenuisera. Dans les deux cas, l'importance de la machine électorale est plutôt le résultat que la cause de l'attitude générale. La «grosse machine bleue» des conservateurs de l'Ontario ne put empêcher Bill Davis d'avoir à se contenter d'un gouvernement minoritaire à deux reprises au cours des années 70. Elle n'a pas empêché Frank Miller de perdre le pouvoir en 1985, et les conservateurs de Brian Mulroney ne balayèrent pas le Québec parce qu'ils y avaient une meilleure machine que les libéraux: les gens ont voté pour les conservateurs parce qu'ils n'aimaient pas beaucoup le nouveau Parti libéral.

Par ailleurs, il est indiscutable que la population se laisse influencer par les sondages d'opinion publique. C'est là une nouvelle réalité de la vie politique. On peut bien discuter à l'infini la question de savoir s'ils causent les changements d'opinion ou s'ils les reflètent; une chose est certaine, les sondages ont probablement transformé le processus électoral pour toujours. Selon les humeurs de leur baromètre, des politiques peuvent être mises au rancart et des carrières de politiciens peuvent être brisées. Au cours de l'été 1984, la chute des libéraux dans les sondages fit boule de neige; on n'y pouvait rien. Au fur et à mesure que les gens se persuadaient de la victoire des conservateurs, ils décidaient de se joindre aux vainqueurs, avec le résultat que l'on connaît. En parcourant le pays pour raviver nos troupes, je compris vite la situation et je dus même rentrer dans mes terres parce qu'on me croyait moi-même menacé à Shawinigan.

Pour une raison ou pour une autre, la vague conservatrice s'empara aussi du Québec; de vieilles traditions, de vieilles loyautés et de vieux serments s'envolèrent au vent comme feuilles mortes.

Heureusement pour moi, j'ai dans mon comté un grand nombre de loyaux partisans qui, à l'occasion de chacune de mes élections, ont toujours travaillé très fort. Mes fidèles électeurs ne m'ont pas fait faux bond mais jamais je n'avais eu autant besoin d'eux que le 4 septembre 1984. Malgré le balayage conservateur, je ne perdis que trois mille votes et je fus le premier député à être déclaré élu au Québec. En fait, je reçus le pourcentage de votes libéraux le plus élevé de tout le Canada. Cette marque de confiance des électeurs de Saint-Maurice m'a permis de retrouver l'enthousiasme et le courage nécessaires à la poursuite de mon action politique. Je leur en garde une reconnaissance infinie...

Épilogue

Au cours de la campagne électorale, je participais à une émission de lignes ouvertes lorsqu'un interlocuteur me demanda: «Monsieur Chrétien, soyez franc: vous avez fait partie du gouvernement pendant des années, vous avez dirigé les ministères les plus importants et, demain, vous serez sans doute dans l'opposition. Resterez-vous ou partirez-vous?»

En guise de réponse, j'admis que les libéraux formeraient vraisemblablement l'opposition et je m'engageai à être un bon député: «Élisez-moi et, même comme simple député, vous pourrez toujours compter sur moi pour défendre vos intérêts.»

Je ne pouvais certainement pas garantir que je resterais en politique jusqu'à ma mort! Au cours de l'automne 1984, je songeais même sérieusement à mettre un terme à ma carrière deux ou trois ans plus tard. À cinquante ans, après avoir consacré plus de vingt ans à la vie publique, je voulais relever de nouveaux défis. Je me souvenais de la lettre d'un de mes amis qui s'était présenté deux fois contre moi: la première comme conservateur, la seconde comme créditiste: «Un jour, m'écrivait-il, nous nous retrouverons tous les deux — deux vieux dans leurs chaises berçantes! — et je rirai de mes défaites pendant que tu te vanteras de tes succès.» Je commençais à croire qu'il était peut-être un sage, ayant compris très tôt qu'il y a autre chose dans la vie que de faire la manchette des journaux.

De toute manière, j'avais l'impression que les grandes politiques nationales qui m'avaient passionné pendant si longtemps avaient été pratiquement toutes mises en oeuvre sous Pierre Trudeau; les dossiers les plus importants, tels le référendum, le rapatriement de la Constitution et la Charte des droits avaient été menés à bien, laissant à l'ordre du jour des problèmes qui me paraissaient moins fondamentaux. Pierre Trudeau avait bien dirigé le pays au cours d'une période difficile durant laquelle le Canada aurait pu éclater; il nous avait proposé de grands défis nouveaux, il avait su provoquer de nombreuses controverses et déranger, certes, beaucoup de monde. Surtout, il nous avait forcés à partager sa vision des grands problèmes de notre temps, n'hésitant jamais à remettre en question les vieilles idées et les vieilles structures auxquelles personne n'osait toucher.

Le verdict du peuple en faveur des conservateurs sema le doute sur l'orientation de notre politique nationale et m'obligea à m'interroger sur le rôle que je pourrais jouer comme député de l'opposition dans le nouveau Parlement. J'avais acquis mon expérience politique au sein du gouvernement et ma tâche avait toujours été de réaliser des choses, non pas de critiquer les actions des autres. Toute défaite incite les politiciens à se remettre en question et la magistrale défaite des libéraux nous donnait au moins l'occasion de réévaluer notre politique à la lumière des nouveaux besoins.

Les libéraux de tout le pays ont déjà déclenché ce processus de réévaluation, en même temps qu'ils procèdent à la réforme des structures du Parti libéral, comme ils l'avaient fait au début des années 60 après la victoire de Diefenbaker. Au cours de cette indispensable remise en question, nous devrons garder à l'esprit trois grands principes.

D'abord les libéraux doivent maintenir leur engagement à la cause de l'unité nationale et à celle de la protection des droits de tous les Canadiens; ils doivent continuer d'être le parti du centre et, enfin, ils doivent poursuivre la lutte pour assurer la souveraineté du pays.

Maintenant que Pierre Trudeau, René Lévesque, Bill Davis et Peter Lougheed ont décidé de quitter la scène politique, une nouvelle ère s'ouvre pour le Canada. Elle exigera encore du Parti libéral qu'il demeure souple, modéré, pragmatique, tout en restant ferme sur le plan des principes. C'est ce qui a assuré jusqu'à présent le succès de ce parti. À cause de son immense territoire, de la faible densité de sa population, de la diversité des langues qu'on y parle et des intérêts variés de ses régions, le Canada est sans cesse menacé par de puissantes forces centrifuges qui risquent de le faire éclater; c'est pourquoi les solutions à ses problèmes ne peuvent jamais être rigides et doctrinaires. Ce qui est bon dans un coin du pays ne l'est pas nécessairement dans l'autre et cela explique pourquoi jamais aucun parti radical de droite ou de gauche n'a eu de succès à l'échelle nationale.

En se maintenant au centre, le Parti libéral a toujours été apte à rassembler un faisceau d'éléments divergents. C'est là une caractéristique fondamentale de ce parti. C'est pourquoi, en temps de crise, les Canadiens se sont toujours tournés vers lui.

En ce moment, les conservateurs et les néo-démocrates font mine de se rapprocher du centre, position traditionnellement occupée par les libéraux mais, parce qu'ils sont avant tout des doctrinaires, ils n'y parviendront jamais. Quand les Canadiens s'en rendront compte, ils s'empresseront de reporter les libéraux au pouvoir.

Les pressions des dinosaures du Parti conservateur finiront par pousser ce parti loin du centre tandis que les radicaux du NPD feront de même, mais en sens inverse.

Si l'intégrité du pays et l'affaiblissement de notre régime de sécurité sociale demeurent nos préoccupations principales, il est possible d'espérer la formation d'un mouvement qui regrouperait les libéraux progressistes et les néo-démocrates populistes. C'est ce qui s'est produit en Ontario, sans alliance formelle, après la défaite du gouvernement de Frank Miller en 1985. J'ai moi-même senti cette possibilité lorsque les néo-démocrates de Terre-Neuve, de l'Ontario, de la Saskatchewan et de la Colombie britannique n'hésitaient pas à me faire part de leur intérêt et de leur enthousiasme pour ma candidature à la direction du Parti libéral. Le NPD paraît fort uniquement lorsque les libéraux sont faibles, mais le grand parti de Laurier, de King, de Saint-Laurent, de Pearson et de Trudeau est loin d'avoir rendu son dernier souffle. On peut déjà constater avec quelle vigueur il est en train de renaître de ses cendres.

Selon moi, nous ne manquerons pas de grandes et nouvelles causes à défendre au cours des prochaines années. La société canadienne saura-t-elle relever les grands défis de l'an 2000? Le réseau de plus en plus serré des communications internationales, l'omniprésence des ordinateurs, l'interdépendance économique mondiale et les freins imposés par un ralentissement de la croissance constituent autant de faits nouveaux qui bousculent nos valeurs traditionnelles. On peut même se demander si l'unité et l'identité du Canada ne seraient pas en péril. Non seulement la langue et la culture du Canada français risquent de se diluer dans la vaste mer des communications modernes dominée par l'influence américaine, mais le Canada anglais paraît, lui aussi, fasciné plus que jamais par les États-Unis. Il n'est plus impossible d'imaginer que notre attachement à la culture française perde de sa vigueur, comme ce fut le cas pour notre attachement à l'Église catholique au cours des vingt dernières années. Il n'est pas davantage impossible d'imaginer que l'ensemble du pays devienne le cinquante et unième État de son voisin du Sud. Jusqu'à ce jour, tant bien que mal, le Canada a pu maintenir sa personnalité propre et son indépendance parce que son économie et ses matières premières lui ont permis d'être concurrentiel. Mais, dans un proche avenir, le formidable développement de la technique moderne pourrait permettre aux États-Unis de nous dominer économiquement encore plus qu'ils ne le font déjà. Traumatisés par ce phénomène apparemment inéluctable, certains Canadiens pourraient être tentés de renoncer peu à peu à leurs traditions, à leurs institutions originales et même à leur indépendance politique pour s'assurer un gain immédiat. Au cours des trente prochaines années, une bien courte période dans l'histoire d'un peuple, nous devrons retrouver notre fierté nationale, une nouvelle vision de l'avenir et une commune volonté de ne pas succomber aux mirages du rêve américain.

Certains ont voulu mettre en contradiction mon nationalisme canadien et mon opposition à l'indépendance du Québec. Cette question m'a longtemps préoccupé. J'en discutais un jour avec Pierre Trudeau: «Monsieur le premier ministre, notre position n'est pas logique!» Il demeura un instant interloqué: «Qu'est-ce que tu as dit?» Suivit une vive discussion. À bien y réfléchir, il n'y avait pas de contradiction: je m'opposais à l'indépendance du Québec parce que je croyais que la séparation compromettrait l'existence du fait français en Amérique du Nord au lieu de le protéger. À mesure que l'économie d'un Québec indépendant s'affaiblirait, de plus en plus de francophones participeraient à l'exode amorcé par les anglophones. En fait, la seule menace de séparation suffit à provoquer cet exode. J'ai rencontré quantité de Canadiens français qui avaient choisi de travailler à Toronto ou dans l'Ouest canadien, ou aux États-Unis, et le nombre de Québécois résidant en Floride est incroyable. Au cours de la campagne référendaire au Québec, un curé me dit qu'il évaluait à plus de quatre millions de dollars les capitaux qui avaient fui sa petite paroisse: ses anciens paroissiens avaient acheté des résidences, des appartements ou des fonds de commerce en Floride... Si on force les gens à choisir entre la langue et la sécurité économique, ils choisiront toujours la sécurité, tout comme cela se produisit à l'époque où mon grand-père s'exila temporairement au New Hampshire. C'est la perspective de la disparition possible du Canada français qui, entre autres raisons, m'amena à me battre pour le Canada. Mais je ne l'ai pas fait pour voir le Canada devenir un État américain!

Le Canada est un pays unique qui mérite qu'on le défende avec passion. Il est unique pour bien des raisons, mais d'abord parce que, plus que tout autre, il respecte les droits de ses minorités. Sans doute y trouve-t-on moins de millionnaires qu'aux États-Unis mais, proportionnellement, nous avons aussi beaucoup moins de pauvres et moins de violence; nos villes sont plus propres; nous bénéficions d'infiniment plus d'avantages sociaux. Avant que j'accepte la disparition des lois et des institutions qui protègent le Canada en tant que société culturelle et économique distincte, il faudrait me convaincre que tous les avantages dont nous jouissons n'en valent pas la chandelle. Sans doute, il en coûte plus cher d'être Canadien que d'être Américain mais, dans l'ensemble, je crois que nous sommes prêts à payer le prix.

Il m'était facile de dénoncer la malhonnêteté intellectuelle de René Lévesque quand il prétendait que les Québécois deviendraient plus riches dans un Québec indépendant. Il m'était beaucoup plus difficile d'attaquer l'argument franc et honnête de certains séparatistes tels Pierre Bourgault: «Nous serons plus pauvres, mais nous serons plus heureux.» Pour bien des gens, cet argument avait des résonances profondes. Je possède un petit chalet au lac des Piles, près de Shawinigan; il n'est ni grand, ni cossu, ni impressionnant, mais il m'appartient et si on tentait de me l'enlever, il n'y a pas de doute que je me battrais pour le conserver. Il en est un peu de même pour mon pays. Personnellement, je n'étais prêt à rien sacrifier pour qu'arrive l'indépendance du Québec parce que je n'y croyais pas. Mais je suis prêt à consentir bien des sacrifices pour garder le Canada indépendant.

Chose étonnante, lorsque Ottawa se permet une critique à l'endroit de Washington, bien des Canadiens semblent plus préoccupés des réactions américaines que les Américains eux-mêmes. Ce complexe d'infériorité engendrera des problèmes auxquels nous devrons faire face dans l'avenir; ils exigeront des débats honnêtes et vigoureux et une action courageuse, qui ne me semblent, ni les uns ni les autres, dans le style du gouvernement du premier ministre actuel. Durant la première année de son mandat, Brian Mulroney a paru plus désireux de se faire aimer que de donner au gouvernement et au pays la direction ferme et courageuse que nécessitent les circonstances actuelles. Notre pays mérite mieux que cela!

Oui, j'ai été tenté de me retirer sous ma tente, de vivre une vie plus facile, loin des feux de la rampe, de faire enfin autre chose que de la politique. Mais quand je vois ce qui se passe depuis un an, je tremble à la pensée que, pour des bénéfices à court terme et incertains, nous renoncerions à des valeurs qui font l'originalité même de notre pays. Non, je ne veux pas que, de concession en concession, nous perdions peu à peu notre indépendance et devenions, en fait sinon en droit, le cinquante et unième État américain. C'est pourquoi, jusqu'à nouvel ordre, je vais poursuivre la lutte...

Et voilà! J'ai bien envie de terminer ce livre comme j'ai terminé tous les discours de ma vie et de crier une fois de plus: «Le Canada, c'est le meilleur pays au monde!»

Table des matières

Domino

BIOGRAPHIES

Histoire de Marcel, L', Mailloux Marcel

ÉSOTÉRISME

Dictionnaire des rêves, Créola Gilbert

PSYCHOLOGIE

Connaissance de soi par les tests, Depre Tara
Rythmes de votre corps, Les, Weston Lee

Vieillir c'est revivre, Parent Adrienne

ROMANS/ESSAIS

Bel amour, Le, Viau Serge
Célébrité, Thompson Thomas
Cette maison est hantée, Playfair Guy Lyon

Crescent Street, Jasper Ron
Dame en couleurs, La, Rinfret Louise
Étrange cas de Crista Spalding, L', Katz William

LES ÉDITIONS DE L'HOMME

ANIMAUX

* **Art du dressage, L',** Chartier Gilles
Bien nourrir son chat, D'Orangeville Christian
Cheval, Le, Leblanc Michel
Chien dans votre vie, Le, Margolis Matthew et Swan Marguerite
* **Éducation du chien de 0 à 6 mois, L',** DeBuyser Dr Colette et Dr Dehasse Joä
Encyclopédie des oiseaux, Godfrey W. Earl
Mammifères de mon pays, Duchesnay St-Denis J. et Dumais Rolland
* **Mon chat, le soigner le guérir,** D'Orangeville Christian
Observations sur les mammifères, Provencher Paul

Papillons du Québec, Veilleux Christian et Prévost Bernard
Petite ferme, T. 1, Les animaux, Trait Jean-Claude
Vous et votre berger allemand, Eylat Martin
Vous et votre caniche, Shira Sav
Vous et votre chat de gouttière, Gadi Sol
Vous et votre labrador, Van Der Heyden Pierre
Vous et vos oiseaux de compagnie, Huard-Viau Jacqueline
Vous et votre persan, Gadi Sol
Vous et vos poissons d'aquarium, Ganiel Sonia
Vous et votre siamois, Eylat Odette

ARTISANAT/ARTS MÉNAGERS

Appareils électro-ménagers, Prentice-Hall of Canada
* **Art du pliage du papier,** Harbin Robert
Artisanat québécois, T. 1, Simard Cyril

Artisanat québécois, T. 2, Simard Cyril
Artisanat québécois, T. 3, Simard Cyril
Bon Fignolage, Le, Arvisais Dolorès A.
Coffret artisanat, Simard Cyril

ART CULINAIRE

Poissons et fruits de mer, Sansregret Berthe

Recettes au blender, Huot Juliette

Recettes canadiennes de Laura Secord, Canadian Home Economics Association

Recettes de gibier, Lapointe Suzanne

Recettes de maman, Les, Lapointe Suzanne

Recettes Molson, Beaulieu Marcel

Robot culinaire, Le, Martin Pol

Salades, sandwichs, hors-d'oeuvre, Martin Pol

BIOGRAPHIES POPULAIRES

Boy George, Ginsberg Merle

Coffret Duplessis

Daniel Johnson, T. 1, Godin Pierre

Daniel Johnson, T. 2, Godin Pierre

Daniel Johnson — Coffret, Godin Pierre

Duplessis, T. 1 — L'ascension, Black Conrad

Duplessis, T. 2 — Le pouvoir, Black Conrad

Dynastie des Bronfman, La, Newman Peter C.

Establishment canadien, L', Newman Peter C.

Frère André, Le, Lachance Micheline

Mastantuono, Mastantuono Michel

Maurice Richard, Pellerin Jean

Mulroney, Macdonald L.I.

Nouveaux Riches, Les, Newman Peter C.

Prince de l'église, Le, Lachance Micheline

Saga des Molson, La, Woods Shirley

DIÉTÉTIQUE

Contrôlez votre poids, Ostiguy Dr Jean-Paul

* Cuisine sage, Lambert-Lagacé Louise

Diététique dans la vie quotidienne, Lambert-Lagacé Louise

* Maigrir en santé, Hunter Denyse

* Menu de santé, Lambert-Lagacé Louise

Nouvelle cuisine santé, Hunter Denyse

Oubliez vos allergies et... bon appétit, Association de l'information sur les allergies

Petite & grande cuisine végétarienne, Bédard Manon

Recettes pour aider à maigrir, Ostiguy Dr Jean-Paul

* Régimes pour maigrir, Beaudoin Marie-Josée

Sage Bouffe de 2 à 6 ans, La, Lambert-Lagacé Louise

Weight Watchers — cuisine rapide et savoureuse, Weight Watchers

DIVERS

Chaînes stéréophoniques, Les, Poirier Gilles

Chômage: mode d'emploi, Limoges Jacques

Conseils aux inventeurs, Robic Raymond

Protégeons-nous, Trebilcock Michael et Mcneil Patricia

Roulez sans vous faire rouler, T. 3, Edmonston Philippe

Savoir vivre d'aujourd'hui, Fortin Jacques Marcelle

Temps des fêtes au Québec, Le, Montpetit Raymond

Tenir maison, Gaudet-Smet Françoise

Weight Watchers-Agenda 85 — Français, Weight Watchers

Weight Watchers-Agenda 85 — Anglais, Weight Watchers

ENFANCE

* Aider son enfant en maternelle, Pedneault-Pontbriand Louise

* Aidez votre enfant à explorer l'espace de son environnement, Calvet Didier

* Aidez votre enfant à lire et à écrire, Doyon-Richard Louise

Aidez votre enfant à lire et à écrire, Doyon-Richard Louise

Alimentation futures mamans, Gougeon Réjeanne et Sekely Trude

Années clés de mon enfant, Les, Caplan Frank et Theresa

* Autorité des parents dans la famille, Rosemond John K.

Avoir des enfants après 35 ans, Robert Isabelle

Comment amuser nos enfants, Stanké Louis

* Comment nourrir son enfant, Lambert-Lagacé Louise

Deuxième année de mon enfant, La, Caplan Frank et Theresa

* Développement psychomoteur du bébé, Calvet Didier

Douze premiers mois de mon enfant, Les, Caplan Frank

* En attendant notre enfant, Pratte-Marchessault Yvette

* Encyclopédie de la santé de l'enfant, Feinbloom Richard I.

Enfant stressé, L', Elkind David

Enfant unique, L', Peck Ellen

Femme enceinte, La, Bradley Robert A.

Fille ou garçon, Langendoen Sally, Proctor William

* Frères-soeurs, Mcdermott Dr John F. Jr.

Futur père, Pratte-Marchessault Yvette

* Jouons avec les lettres, Doyon-Richard Louise

* Langage de votre enfant, Le, Langevin Claude

Maman et son nouveau-né, La, Sekely Trude

* Massage des bébés, Le, Auckette Amélia D.

Merveilleuse histoire de la naissance, La, Gendron Dr Lionel

Pour bébé, le sein ou le biberon, Pratte-Marchessault Yvette

Pour vous future maman, Sekely Trude

Préparez votre enfant à l'école, Doyon-Richard Louise

* Psychologie de l'enfant, Cholette-Pérusse Françoise

Secret du paradis, Le, Stolkowski Joseph

* Tout se joue avant la maternelle, Ibuka Masaru

Un enfant naît dans la chambre de naissance, Fortin Nolin Louise

Viens jouer, Villeneuve Michel José

Vivez sereinement votre maternité, Vellay Dr Pierre

Vivre une grossesse sans risque, Fried, Dr Peter A.

ÉSOTÉRISME

Coffret — Passé — Présent — Avenir

Graphologie, La, Santoy Claude

Hypnotisme, L', Manolesco Jean

* Interprétez vos rêves, Stanké Louis

* Lignes de la main, Stanké Louis

Lire dans les lignes de la main, Morin Michel

Prévisions astrologiques 1985, Hirsig Huguette

Vos rêves sont des miroirs, Cayla Henri

* Votre avenir par les cartes, Stanké Louis

HISTOIRE

Arrivants, Les, Collectif

Ramsès II, le pharaon triomphant, Kitchen K.A.

INFORMATIQUE

* Découvrir son ordinateur personnel, Faguy François

Guide d'achat des micro-ordinateurs, Le Blanc Pierre

JARDINAGE

Arbres, haies et arbustes, Pouliot Paul

Culture des fleurs, des fruits, Prentice-Hall of Canada

Encyclopédie du jardinier, Perron W.H.

Guide complet du jardinage, Wilson Charles

Petite ferme, T. 2 — Jardin potager, Trait Jean-Claude

Plantes d'intérieur, Les, Pouliot Paul

Techniques du jardinage, Les, Pouliot Paul

* Terrariums, Les, Kayatta Ken

JEUX & DIVERTISSEMENTS

Améliorons notre bridge, Durand Charles

* Bridge, Le, Beaulieu Viviane

Clés du scrabble, Les, Sigal Pierre A.
Collectionner les timbres, Taschereau
  Yves
* Dictionnaire des mots croisés, noms
  communs, Lasnier Paul
* Dictionnaire des mots croisés, noms
  propres, Piquette Robert
* Dictionnaire raisonné des mots
  croisés, Charron Jacqueline

Finales aux échecs, Les, Santoy Claude
Jeux de société, Stanké Louis
* Jouons ensemble, Provost Pierre
* Ouverture aux échecs, Coudari Ca-
  mille
Scrabble, Le, Gallez Daniel
Techniques du billard, Morin Pierre
* Voir clair aux échecs, Tranquille Henri

LINGUISTIQUE

Améliorez votre français, Laurin Jac-
  ques
* Anglais par la méthode choc, L', Mor-
  gan Jean-Louis
Corrigeons nos anglicismes, Laurin
  Jacques
* J'apprends l'anglais, Silicani Gino

Notre français et ses pièges, Laurin
  Jacques
Petit dictionnaire du joual, Turenne
  Auguste
Secrétaire bilingue, La, Lebel Wilfrid
Verbes, Les, Laurin Jacques

LIVRES PRATIQUES

Bonnes idées de maman Lapointe,
  Les, Lapointe Lucette

Temps c'est de l'argent, Le, Davenport
  Rita

MUSIQUE ET CINÉMA

Wolfgang Amadeus Mozart raconté en
  50 chefs-d'oeuvre, Roussel Paul

* Belles danses, Les, Dow Allen
* Guitare, La, Collins Peter

NOTRE TRADITION

Coffret notre tradition
Écoles de rang au Québec, Les, Dorion
  Jacques
Encyclopédie du Québec, T. 1, Landry
  Louis
Encyclopédie du Québec, T. 2, Landry
  Louis
Histoire de la chanson québécoise,
  L'Herbier Benoît

Maison traditionnelle, La, Lessard Mi-
  cheline
Moulins à eau de la vallée du Saint-
  Laurent, Adam Villeneuve
Objets familiers de nos ancêtres, Ge-
  net Nicole
Vive la compagnie, Daigneault Pierre

OUVRAGES DE RÉFÉRENCE

Acheter ou vendre sa maison, Brise-
  bois Lucille
Acheter et vendre sa maison ou son
  condominium, Brisebois Lucille
Bourse, La, Brown Mark
Choix de carrières, T. 1, Milot Guy
Choix de carrières, T. 2, Milot Guy
Choix de carrières, T. 3, Milot Guy
Comment rédiger son curriculum vi-
  tae, Brazeau Julie
Dictionnaire économique et financier,
  Lafond Eugène

Faire son testament soi-même, Me
  Poirier Gérald et Lescault Nadeau
  Martine (notaire)
Faites fructifier votre argent, Zimmer
  Henri B.
Je cherche un emploi, Brazeau Julie
Loi et vos droits, La, Marchand Paul-
  Émile
Règles d'or de la vente, Les, Kahn
  George N.
Stratégies de placements, Nadeau Ni-
  cole
Vente, La, Hopkins Tom

PHOTOGRAPHIE (ÉQUIPEMENT ET TECHNIQUE)

* Apprenez la photographie avec Antoine Desilets, Desilets Antoine
Chasse photographique, La, Coiteux Louis
8/Super 8/16, Lafrance André
Initiation à la Photographie-Canon, London Barbara
Initiation à la Photographie-Minolta, London Barbara
Initiation à la Photographie-Nikon, London Barbara
Initiation à la Photographie-Olympus, London Barbara
Initiation à la Photographie-Pentax, London Barbara
Initiation à la photographie, London Barbara
* Je développe mes photos, Desilets Antoine
* Je prends des photos, Desilets Antoine
* Photo à la portée de tous, Desilets Antoine
Photo guide, Desilets Antoine
* Technique de la photo, La, Desilets Antoine

PSYCHOLOGIE

Âge démasqué, L', De Ravinel Hubert
* Aider mon patron à m'aider, Houde Eugène
* Amour de l'exigence à la préférence, Auger Lucien
Au-delà de l'intelligence humaine, Pouliot Élise
Auto-développement, L', Garneau Jean
Bonheur au travail, Le, Houde Eugène
Bonheur possible, Le, Blondin Robert
Chimie de l'amour, La, Liebowitz Michael
* Coeur à l'ouvrage, Lefebvre Gérald
Coffret psychologie moderne
Colère, La, Tavris Carol
* Comment animer un groupe, Office Catéchèse
* Comment avoir des enfants heureux, Azerrad Jacob
* Comment déborder d'énergie, Simard Jean-Paul
Comment vaincre la gêne, Catta Rene-Salvator
* Communication & épanouissement personnel, Auger Lucien
* Communication dans le couple, Granger Luc
Comprendre la névrose et aider les névrosés, Ellis Albert
* Contact, Zunin Nathalie
* Courage de vivre, Le, Kiev Docteur A.
Courage & discipline au travail, Houde Eugène
Dynamique des groupes, Aubry J.-M. et Saint-Arnaud Y.
Élever des enfants sans perdre la boule, Auger Lucien
* Émotivité & efficacité au travail, Houde Eugène
* Être soi-même, Corkille Briggs, D.
* Facteur chance, Le, Gunther Max
* Fantasmes créateurs, Les, Singer Jérôme
* J'aime, Saint-Arnaud Yves
Journal intime intensif, Progoff Ira
* Mise en forme psychologique, Corrière Richard
* Parle-moi... J'ai des choses à te dire, Salome Jacques
Penser Heureux, Auger Lucien
* Personne humaine, La, Saint-Arnaud Yves
* Première impression, La, Kleinke Chris, L.
Prévenir & surmonter la déprime, Auger Lucien
* Psychologie dans la vie quotidienne, Blank Dr Léonard
* Psychologie de l'amour romantique, Braden docteur N.
* Qui es-tu grand-mère? Et toi grand-père?, Eylat Odette
* S'affirmer & communiquer, Beaudry Madeleine
* S'aider soi-même, Auger Lucien
* S'aider soi-même davantage, Auger Lucien
* S'aimer pour la vie, Wanderer Dr Zev
* Savoir organiser, savoir décider, Lefebvre Gérald
* Savoir relaxer et combattre le stress, Jacobson Dr Edmund
* Se changer, Mahoney Michael
* Se comprendre soi-même par des tests, Collectif
* Se concentrer pour être heureux, Simard Jean-Paul
Se connaître soi-même, Artaud Gérard

* **Se contrôler par biofeedback,** Ligonde
  Paultre
* **Se créer par la Gestalt,** Zinker Joseph
* **S'entraider,** Limoges Jacques
* **Se guérir de la sottise,** Auger Lucien
  Séparation du couple, La, Weiss Robert S.
  Sexualité au bureau, La, Horn Patrice
  Tendresse, La, Wölfl Norbert

* **Vaincre ses peurs,** Auger Lucien
  Vivre à deux: plaisir ou cauchemar,
  Duval Jean-Marie
* **Vivre avec sa tête ou avec son coeur,**
  Auger Lucien
  Vivre c'est vendre, Chaput Jean-Marc
* **Vivre jeune,** Waldo Myra
* **Vouloir c'est pouvoir,** Hull Raymond

ROMAN & ESSAI

Adieu Québec, Bruneau André
Bien-pensants, Les, Berton Pierre
Bousille et les justes, Gélinas Gratien
Coffret Establishment canadien, Newman Peter C.
Coffret Joey C.P., Susan Goldenberg
Commettants de Caridad, Les, Thériault Yves
Deux innocents en Chine Rouge, Hébert Jacques
Dome, Jim Lyon
Emprise, L', Brulotte Gaétan
Helga, Bender Erich F.
IBM, Sobel Robert

Insolences du Frère Untel, Les, Untel Frère
ITT, Sobel Robert
J'parle tout seul, Coderre Émile
Lamia, Thyrand de Vosjoli P.L.
Nadia, Aubin Benoît
Oui, Lévesque René
Premiers sur la lune, Armstrong Neil
Telle est ma position, Mulroney Brian
Terrorisme québécois, Le, Morf Gustave
Vrai visage de Duplessis, Le, Laporte Pierre

SANTÉ ET ESTHÉTIQUE

Allergies, Les, Delorme Dr Pierre
Art de se maquiller, L', Moizé Alain
* **Bien vivre sa ménopause,** Gendron Dr Lionel
Bronzer sans danger, Doka Bernadette
* **Cellulite, La,** Ostiguy Dr Jean-Paul
Cellulite, La, Léonard Gérard
Face lifting par l'exercice, Le, Runge Senta Maria
* **Guérir ses maux de dos,** Hall Dr Hamilton
Médecine esthétique, La, Lanctot Guylaine
Santé, un capital à préserver, Peeters E.G.
Coffret 30 jours
30 jours pour avoir de beaux cheveux, Davis Julie
30 jours pour avoir de beaux ongles, Bozic Patricia
30 jours pour avoir de beaux seins, Larkin Régina

30 jours pour avoir de belles cuisses, Stehling Wendy
30 jours pour avoir de belles fesses, Cox Déborah
30 jours pour avoir un beau teint, Zizmor Dr Jonathan
30 jours pour cesser de fumer, Holland Gary, Weiss Herman
30 jours pour mieux organiser, Holland Gary
30 jours pour perdre son ventre, Burstein Nancy
30 jours pour perdre son ventre (homme), Matthews Roy, Burnstein Nancy
30 jours pour redevenir un couple amoureux, Nida Patricia K., Cooney Kevin
30 jours pour un plus grand épanouissement sexuel, Schneider Alan, Laiken Deidre

SEXOLOGIE

Adolescente veut savoir, L', Gendron Lionel
Fais voir, Fleischhaner H.
Guide illustré du plaisir sexuel, Corey Dr Robert E.

Plaisir partagé, Le, Gary-Bishop Hélène
* **Première expérience sexuelle, La,** Gendron Lionel
* **Sexe au féminin, Le,** Kerr Carmen

* **Sexualité du jeune adolescent,** Gendron Lionel
* **Sexualité dynamique, La,** Lefort Dr Paul
* **Shiatsu et sensualité,** Rioux Yuki
  Un doux équilibre, King Annabelle

SPORTS

Collection sport: dirigée par **LOUIS ARPIN**
100 trucs de billard, Morin Pierre
5BX Le programme pour être en forme
Apprenez à patiner, Marcotte Gaston
* **Armes de chasse, Les,** Petit Martinon Charles
* **Badminton, Le,** Corbeil Jean
* **Canoe-kayak, Le,** Ruck Wolf
* **Carte et boussole,** Kjellstrom Bjorn
  Chasse & gibier du Québec, Bergeron Raymond
  Chasseurs sachez chasser, Lapierre Lucie
* **Comment se sortir du trou au golf,** Brien Luc
* **Comment vivre dans la nature,** Rivière Bill
* **Corrigez vos défauts au golf,** Bergeron Yves
  Devenir gardien de but au hockey, Allaire François
  Encyclopédie de la chasse au Québec, Leiffet Bernard
  Entraînement, poids-haltères, L', Ryan Frank
  Exercices à deux, Gregor Carol
  Golf au féminin, Le, Bergeron Yves
  Grand livre des sports, Le, Le groupe Diagram
  Guide complet du judo, Arpin Louis
* **Guide complet du self-defense,** Arpin Louis
  Guide d'achat de l'équipement de tennis, Chevalier Richard, Gilbert Yvon
* **Guide de survie de l'armée américaine**
  Guide des jeux scouts, Association des scouts
  Guide du judo au sol, Arpin Louis
  Guide du self-defense, Arpin Louis
  Guide du trappeur, Le, Provencher Paul
  Hatha yoga, Piuze Suzanne
* **J'apprends à nager,** Lacoursière Réjean
* **Jogging,** Chevalier Richard
  Jouez gagnant au golf, Brien Luc
  Larry Robinson, le jeu défensif, Robinson Larry
  Lutte olympique, La, Sauvé Marcel
* **Manuel de pilotage,** Transports Canada
* **Marathon pour tous,** Anctil Pierre
* **Médecine sportive,** Mirkin Dr Gabe
  Mon coup de patin, Wild John
* **Musculation pour tous,** Laferrière Serge
  Natation de compétition, La, Lacoursière Réjean
  Partons en camping, Satterfield Archie, Bauer Eddie
  Partons sac au dos, Satterfield Archie, Bauer Eddie
  Passes au hockey, Les, Champleau Claude
  Pêche au Québec, La, Chamberland Michel
  Pêche à la mouche, La, Marleau Serge
  Pêche à la mouche, Vincent Serge-J.
* **Planche à voile, La,** Maillefer Gérald
* **Programme XBX,** Aviation Royale du Canada
  Provencher, le dernier coureur des bois, Provencher Paul
  Racquetball, Corbeil Jean
  Racquetball plus, Corbeil Jean
  Raquette, La, Osgoode William
* **Règles du golf, Les,** Bergeron Yves
  Rivières & lacs canotables, Fédération québécoise du canot-camping
* **S'améliorer au tennis,** Chevalier Richard
  Secrets du baseball, Les, Raymond Claude
  Ski de fond, Le, Caldwell John
  Ski de fond, Le, Roy Benoît
* **Ski de randonnée, Le,** Corbeil Jean
  Soccer, Le, Schwartz Georges
* **Sport, santé et nutrition,** Ostiguy Dr Jean
  Stratégie au hockey, Meagher John W.
  Surhommes du sport, Les, Desjardins Maurice
* **Taxidermie, La,** Labrie Jean
  Techniques du billard, Morin Pierre
* **Technique du golf,** Brien Luc
  Techniques du hockey en URSS, Dyotte Guy
* **Techniques du tennis,** Ellwanger
* **Tennis, Le,** Roch Denis
  Tous les secrets de la chasse, Chamberland Michel
  Vivre en forêt, Provencher Paul
  Voie du guerrier, La, Di Villadorata
  Yoga des sphères, Le, Leclerq Bruno

le jour,
éditeur

Vers un monde coopératif, Davidovic Georges

Vivre sur la terre, St-Pierre Hélène

Voyage à Terre-Neuve, De Gébineau comte

ENFANCE

Aidez votre enfant à choisir, Simon Dr Sydney B.

Deux caresses par jour, Minden Harold

* Enseignants efficaces, Gordon Thomas

Être mère, Bombeck Erma

Parents efficaces, Gordon Thomas

Parents gagnants, Nicholson Luree

Psychologie de l'adolescent, Pérusse-Cholette Françoise

1500 prénoms et significations, Grise Allard J.

ÉSOTÉRISME

* Astrologie et la sexualité, L', Justason Barbara

Astrologie et vous, L', Boucher André-Pierre

* Astrologie pratique, L', Reinicke Wolfgang

Faire sa carte du ciel, Filbey John

* Géomancie, La, Hamaker Karen

Grand livre de la cartomancie, Le, Von Lentner G.

* Grand livre des horoscopes chinois, Le, Lau Theodora

Graphologie, La, Cobbert Anne

* Horoscope & énergie psychique, Hamaker-Zondag

Horoscope chinois, Del Sol Paula

Lu dans les cartes, Jones Marthy

* Pendule & baguette, Kirchner Georg

* Pratique du tarot, La, Thierens E.

Preuves de l'astrologie, Comiré André

Qui êtes-vous? L'astrologie répond, Tiphaine

Synastrie, La, Thornton Penny

Traité d'astrologie, Hirsig Huguette

Votre destin par les cartes, Dee Nerys

HISTOIRE

Administration en Nouvelle-France, L', Lanctot Gustave

Crise de la conscription, La, Laurendeau André

Histoire de Rougemont, Bédard Suzanne

Lutte pour l'information, La, Godin Pierre

Mémoires politiques, Chaloult René

Rébellion de 1837, Saint-Eustache, Globensky Maximilien

Relations des Jésuites T. 2

Relations des Jésuites T. 3

Relations des Jésuites T. 4

Relations des Jésuites T. 5

JEUX & DIVERTISSEMENTS

Backgammon, Lesage Denis

LINGUISTIQUE

Des mots et des phrases, T. 1, Dagenais Gérard

Des mots et des phrases, T. 2, Dagenais Gérard

Joual de Troie, Marcel Jean

NOTRE TRADITION

Ah mes aïeux, Hébert Jacques

Lettre à un Français qui veut émigrer au Québec, Dubuc Carl